A MELHOR HISTÓRIA ESTÁ POR VIR

2ª edição
1ª reimpressão

MARÍA DUEÑAS

A MELHOR HISTÓRIA ESTÁ POR VIR

Tradução
Sandra Martha Dolinsky

Copyright © AGORIUQ, S.L. 2012
Copyright © Editora Planeta do Brasil, 2015, 2019
Todos os direitos reservados
Título original: *Misión Olvido*

Preparação: Gabriela Ghetti
Revisão: Beatriz de Freitas Moreira e Barbara Parente
Projeto gráfico: Pedro Henrique de Oliveira
Diagramação: Márcia Matos
Capa: Rafael Brum
Imagem de capa: Tim Macpherson / Getty Images

Dados Internacionais de Catalogação na Publicação (CIP)
Angélica Ilacqua CRB-8/7057

Dueñas, María, 1964-
  A melhor história está por vir / María Dueñas ; tradução Sandra Martha Dolinsky. – 2. ed. – São Paulo: Planeta do Brasil, 2019.
  352 p.

ISBN: 978-85-422-1769-8
Título original: Misión olvido

1. Ficção espanhola I. Título II. Dolinsky, Sandra Martha

19-2246   CDD 863

2020
Todos os direitos desta edição reservados à
Editora Planeta do Brasil Ltda.
R. Bela Cintra, 986 – 4º andar – Consolação
01415-002 – São Paulo-SP
www.planetadelivros.com.br
faleconosco@editoraplaneta.com.br

A Pablo Dueñas Vinuesa, meu irmão,

em compensação pelo que ele sabe que lhe devo.

A todos aqueles que diariamente batalham nas salas de aula com entusiasmo e perseverança:

meus colegas, meus professores, meus amigos.

CAPÍTULO 1

Às vezes a vida cai aos nossos pés com o peso e o frio de uma bola de chumbo.

Foi o que senti ao abrir a porta do escritório. Tão próximo, tão caloroso, tão meu. Antes.

E, porém, à primeira vista, não havia motivo para angústia. Tudo permanecia como eu mesma havia deixado. As prateleiras carregadas de livros, o painel de cortiça repleto de horários e avisos. Pastas, arquivos, cartazes de velhas exposições, envelopes endereçados a mim. O calendário congelado em dois meses antes, julho de 1999. Tudo permanecia intacto naquele espaço que durante catorze anos havia sido meu refúgio, o reduto que ano a ano acolhia manadas de estudantes perdidos em dúvidas, exigências e desejos. Tudo continuava, enfim, igual a sempre. A única coisa que havia mudado eram as colunas que me sustentavam. Vieram abaixo, radicalmente.

Passaram-se dois ou três minutos desde minha chegada. Talvez tenham sido dez, talvez não tenha chegado a um sequer. Passou-se o tempo necessário, de qualquer maneira, para tomar uma decisão. O primeiro movimento consistiu em digitar um número de telefone. Como resposta, obtive apenas a fria polidez de uma caixa postal. Hesitei entre desligar ou não; ganhou o segundo.

— Rosalía, aqui é Blanca Perea. Tenho de ir embora daqui, preciso que me ajude. Não sei para onde vou, tanto faz. Para um lugar onde eu não conheça ninguém e onde ninguém me conheça. Sei que é um momento péssimo, prestes a começar as aulas, mas me ligue quando puder, por favor.

Eu me senti melhor após deixar aquela mensagem, como se houvesse me libertado da mordida de um cão no meio de um pesadelo denso. Sabia que podia confiar em Rosalía Martín, em sua compreensão, em sua vontade. Nós nos conhecíamos desde que ambas havíamos começado a dar nossos primeiros passos na universidade, quando eu era ainda uma jovem professora com um esquálido contrato temporário, e ela, responsável por nutrir um recém-criado serviço de relações internacionais. Talvez a palavra "amigas" fosse demais para nós; quem sabe sua consistência tenha se diluído com o passar dos anos, mas eu conhecia o caráter de Rosalía e por isso tinha certeza de que meu grito não cairia no fundo de um saco cheio de esquecimentos.

Só depois da ligação consegui reunir as forças necessárias para encarar as obrigações do setembro que estava acabando de começar. Meu e-mail se abriu como uma represa transbordante diante dos meus olhos, e em sua vazão mergulhei por um bom tempo à medida que respondia a algumas mensagens e descartava outras por velhas ou sem importância. Até que o telefone me interrompeu e atendi com um simples "sou eu".

— O que é que há com você, sua louca? Aonde você quer ir a essa altura? E por que essa pressa?

Sua voz arrebatada me devolveu a memória de tantos momentos vividos anos antes. Horas eternas em frente ao preto e branco da tela de um computador pré-histórico. Visitas compartilhadas a universidades estrangeiras em busca de intercâmbios e convênios, quartos duplos em hotéis sem memória, madrugadas de espera em aeroportos vazios. O tempo havia separado nossos caminhos e talvez o músculo da proximidade houvesse perdido vigor. Mas restava a marca, as borras de uma velha cumplicidade. Por isso lhe contei tudo sem reservas. Com uma sinceridade áspera, omitindo julgamentos. Sem lamentos nem adjetivos. Sem pegadinhas.

Em dois minutos ela soube o que tinha de saber. Que Alberto havia ido embora de casa. Que a suposta solidez do meu casamento havia voado pelos ares nos primeiros dias do verão, que meus filhos já voavam por sua conta, que eu havia passado os dois últimos meses tentando me ajustar, desajeitadamente, à minha nova realidade, e que, ao ter de enfrentar o novo ano letivo, faltava-me energia para manter a cabeça fora d'água no mesmo cenário de todos os anos: para me agarrar uma vez mais às rotinas e responsabilidades como se em minha vida não houvesse ocorrido um corte tão limpo e certeiro, como o da carne atravessada por um pedaço de vidro afiado.

Com os noventa quilos de pragmatismo que configuravam o volume do seu corpo, Rosalía absorveu de imediato a situação e entendeu que a última coisa de que eu precisava eram remédios compassivos ou conselhos com açúcar. Por isso não pediu detalhes nem me ofereceu seu ombro macio como consolo. Apenas me apresentou uma previsão que, como eu já esperava, em princípio beirou a crueza.

— Receio que não vá ser muito fácil para nós, querida — falou no plural, assumindo de imediato o assunto como algo próprio das duas. — Os prazos para coisas interessantes já fecharam faz tempo — acrescentou —, e ainda faltam alguns meses para as próximas convocatórias para bolsas poderosas. De qualquer maneira, me dê um pouco de tempo, porque o ano letivo acabou de começar e eu ainda não sei se nas últimas semanas entrou alguma coisa nova; às vezes, chegam coisas soltas ou imprevistas. Espere até o último momento para ver se encontro alguma coisa, e depois eu falo com você.

Passei o resto da manhã andando de cá para lá na universidade. Assinei documentos pendentes, devolvi livros à biblioteca, tomei um café depois. Contudo, nada me absorveu o bastante a ponto de me obrigar a ficar paciente à espera da ligação. Não tive sossego, faltou-me coragem. Às quinze para as três, bati com os nós dos dedos na porta entreaberta da sua sala. Dentro, gorda sem complexos e de cabelo tingido de violeta, Rosalía trabalhava.

— Ia ligar para você agora mesmo — anunciou sem nem sequer me dar tempo de cumprimentá-la. Então, apontou para a tela com o dedo indicador em riste, como um míssil, e passou a esmiuçar as notícias que tinha para mim.

— Resgatei três coisas que não são nada mau; chegaram ao longo das férias. Mais do que eu esperava, devo admitir. Três instituições e três atividades diferentes. Lituânia, Portugal e Estados Unidos. Califórnia, especificamente. Nenhuma é grande coisa, atenção; todas prometem explorá-la bastante e pouco acrescentaria ao seu currículo, mas melhor que nada, não é? Por onde quer que eu comece?

Dei de ombros enquanto apertava os lábios contendo o que talvez pudesse ter chegado a ser um minúsculo sorriso: o primeiro vislumbre de esperança em tanto tempo.

Ela ajeitou os óculos de armação verde tom de chiclete, desviou de novo o olhar para o computador e analisou seu conteúdo.

— Lituânia, por exemplo. Estão procurando especialistas em pedagogia linguística para um novo programa de formação docente. Dois meses. Têm um subsídio da União Europeia, que exige um grupo internacional. E essa é sua área, não é?

Efetivamente, essa era minha área de trabalho. Linguística aplicada, didática de línguas, projeto curricular. Por aqueles caminhos, andava havia duas décadas da minha vida. Mas, antes de sucumbir ao primeiro canto da sereia, preferi indagar um pouco mais.

— E Portugal?

— Universidade do Espírito Santo, em Sintra. Privada, moderna, muita grana. Montaram um mestrado em ensino de espanhol como L2 e estão procurando especialistas em metodologia. O prazo acaba na sexta-feira, ou seja, já. Um módulo intensivo de doze semanas com um número de horas de aula impressionante. Não pagam mal, de modo que imagino que devem ter recebido um milhão de currículos. Mas você tem o respaldo dos muitos anos de experiência e nós temos um relacionamento maravilhoso com a Espírito Santo, de modo que também não nos seria muito difícil conseguir.

Aquela oferta parecia infinitamente mais tentadora que a da Lituânia. Sintra, com seus bosques e seus palácios, tão próxima de Lisboa, tão próxima de casa ao mesmo tempo. A voz de Rosalía me tirou do devaneio.

— E, por último, Califórnia — continuou sem tirar os olhos da tela. — Esta possibilidade não me parece muito boa, mas não custa dar uma olhada, por via das dúvidas. Universidade de Santa Cecilia, no Norte, perto de San Francisco. A informação que temos é bastante escassa por ora: a proposta acabou de entrar e ainda não pude lhes pedir mais dados. A princípio, trata-se de uma bolsa financiada por uma fundação privada, mas o trabalho seria feito na própria universidade. Não oferecem uma verba de soltar rojão, mas você poderia sobreviver.

— Em que consiste, basicamente?

— Em algo que tem a ver com compilação e classificação de documentos, e estão procurando alguém de nacionalidade espanhola com doutorado em qualquer área de Humanas. — Tirou os óculos e acrescentou: — Supõe-se que esse tipo de bolsa está destinada a gente com menos nível profissional que você, de modo que seria fácil competir com os outros candidatos. E Califórnia, garota, é uma tentação, de modo que, se quiser, posso tentar me informar um pouco mais.

— Sintra — insisti rejeitando o novo oferecimento. Doze semanas. O bastante, talvez, para que minhas feridas parassem de doer. Suficientemente longe para me desvincular da minha realidade mais imediata, suficientemente perto para voltar com frequência caso a situação desses três saltos mortais e tudo voltasse aos eixos de uma vez por todas. — Sintra, sem dúvida — concluí com veemência.

Meia hora depois, saí da sala de Rosalía com a solicitação eletrônica enviada. Levava também mil detalhes na cabeça, um punhado de papéis na mão e a sensação de que talvez a sorte, muito, muito de leve, havia decidido por fim ficar do meu lado.

O restante do dia transcorreu em uma espécie de limbo. Comi um sanduíche vegetariano sem fome na lanchonete da faculdade, continuei trabalhando à tarde meio desconcentrada e às sete fui, sem muita vontade, ao lançamento do novo livro de um colega do Departamento de Pré-História. Tentei escapar assim que o ato terminou, mas, sem forças para negar, alguns colegas me arrastaram com eles em busca de uma cerveja gelada. Quando por fim cheguei em casa, já era perto das dez. Antes de ao menos acender a luz, na penumbra ainda, vi que a secretária eletrônica piscava insistente em um canto da sala de estar. Recordei, então, que havia desligado o celular no início da apresentação e tinha esquecido de ligá-lo de volta quando acabou.

A primeira mensagem era de Pablo, meu filho mais novo. Encantador, incoerente e prolixo; com música estrondosa e risos de fundo, foi difícil entender suas palavras atropeladas.

— Mãe, sou eu, onde você se meteu? Liguei no celular um monte de vezes para dizer... para dizer que... que não vou voltar esta semana de novo, que vou ficar na praia, e que se... que se... bom, vou ligando, ok?

Pablo, murmurei enquanto procurava seu rosto nas estantes da biblioteca. Lá estava, fotografado dezenas de vezes. Algumas vezes sozinho e quase sempre com seu irmão, tão parecidos os dois. Os sorrisos eternos, a franja preta caindo nos olhos. Sequências alvoroçadas dos seus vinte e dois e vinte e três anos. Índios, piratas e Fred Flintstone em apresentações da escola, bolos de aniversário com velas cada vez mais numerosas. Acampamentos de verão, ceias natalinas. Retalhos impressos em papel Kodak, recortes da memória de uma família compacta que, como tal, já havia deixado de existir.

Com meu filho Pablo ainda dançando em minha mente, apertei de novo a tecla da secretária eletrônica para escutar a mensagem seguinte.

— Eeeeh... Blanca, sou eu, Alberto. Você não atende o celular, não sei se está em casa. Eeeeh... estou ligando porque tenho de... hummm... para lhe dizer que... eeeeh... Bom, é melhor eu contar depois, quando a encontrar. Depois eu ligo. Tchau, até logo, tchau.

A voz tão sem graça do meu marido me inquietou. Do meu ex-marido, perdão. Não tinha ideia do que queria me dizer, mas seu tom antecipava notícias pouco gratas. Meu primeiro impulso foi, como sempre, pensar que podia ter acontecido alguma coisa com um dos meus filhos. Pela mensagem anterior, sabia que Pablo estava bem. Então, peguei apressadamente o celular do meu bolso, liguei-o e disquei para David.

— Você está bem? — inquiri impaciente assim que ouvi sua voz.

— Sim, claro, estou bem. E você, como está?

Parecia tenso. Talvez fosse apenas uma falsa percepção por causa da distância. Talvez não.

— Eu... bem, mais ou menos... É que seu pai me ligou e...

— Eu sei — interrompeu. — Ele também acabou de me ligar. Como você recebeu a notícia?

— Que notícia?

— Do bebê.
— Que bebê?
— Que ele vai ter com Eva.

Sem pensar, sem perceber, sem ver. Com a mesma sensibilidade de um mausoléu de mármore ou do meio-fio de uma calçada, assim permaneci, no vácuo, durante um tempo cuja extensão me foi impossível medir. Quando tomei consciência da realidade outra vez, tornei a escutar a voz de David gritando no telefone caído em meu colo.

— Estou aqui — respondi por fim. E sem lhe dar tempo de indagar mais, concluí a conversa. — Está tudo bem, depois eu ligo.

Fiquei imóvel no sofá, contemplando o nada enquanto tentava digerir a notícia de que meu marido ia ter um filho com a mulher por quem havia me deixado apenas dois meses antes. O terceiro filho de Alberto: esse terceiro filho que ele nunca quis ter comigo apesar da minha longa insistência. O filho que nasceria de um ventre que não era o meu e em uma casa que não era a nossa.

Notei a angústia subir, incontrolável, do meu estômago, anunciando náuseas e desolação. Com passos apressados, cambaleando e batendo nas paredes e nos batentes das portas, consegui a duras penas chegar ao banheiro. Inclinei-me sobre o vaso sanitário e, de joelhos no chão, vomitei.

Ainda fiquei daquele jeito durante um tempo infinito, com a testa apoiada na frieza dos azulejos da parede enquanto tentava encontrar um pouco de coerência no meio da confusão. Quando consegui me levantar, lavei as mãos. Lenta, minuciosamente, deixando a água e a espuma correr entre os meus dedos. Depois, escovei os dentes cuidadosamente, dando tempo ao meu cérebro para trabalhar sem pressa em modo paralelo. Por fim, voltei à sala de estar. Com a boca e as mãos limpas, o estômago vazio, a mente em ordem e o coração seco. Procurei meu celular; encontrei-o caído no tapete. Localizei um número, mas ninguém atendeu. Uma vez mais, deixei minha mensagem na caixa postal.

— É Blanca outra vez. Mudança de planos. Tenho de ir para mais longe, por mais tempo, imediatamente. Descubra tudo que puder sobre a bolsa da Califórnia, por favor.

Nove dias depois, eu aterrissava no aeroporto de San Francisco.

CAPÍTULO 2

O fim abrupto das badaladas me devolveu à realidade. Olhei a hora. Meio-dia. Só então percebi o monte de horas que passara remexendo em papéis sem a mais remota ideia de que diabos fazer com eles. Levantei-me do chão com esforço, senti minhas articulações intumescidas. Enquanto sacudia o pó das mãos, fiquei na ponta dos pés e olhei pela estreita janelinha próxima ao teto. Como única paisagem, contemplei uma obra momentaneamente parada e as botas pesadas de trabalhadores que andavam de cá para lá com seus almoços por entre pilhas de tábuas de madeira. Senti uma pontada no estômago: uma mistura de fraqueza, desconcerto e fome.

Havia chegado à Califórnia na noite anterior depois de três aviões e mil horas de voo. Após pegar minha bagagem, e depois de alguns instantes de desorientação, localizei meu nome em um pequeno cartaz. Escrito no traço grosso de um pincel atômico azul, segurado por uma mulher robusta de olhar ausente e idade imprecisa. Trinta e sete, quarenta, quarenta e poucos, talvez. Um vestido cor de baunilha e o cabelo liso cortado à altura da mandíbula configuravam seu porte. Fui até ela, mas nem mesmo quando parei à sua frente pareceu notar minha presença.

— Sou Blanca Perea, acho que está me procurando.

Estava enganada, não estava me procurando. Nem a mim, nem a ninguém. Apenas se mantinha estática e ausente, absorta no meio da massa em movimento, alheia ao fervilhar agitado do terminal.

— Blanca Perea — insisti. — Professora Blanca Perea, da Espanha.

Reagiu por fim fechando e abrindo os olhos com força, como se acabasse de voltar precipitadamente de uma viagem astral. Estendeu-me a mão, então, e a agitou com uma sacudida abrupta; depois, sem uma palavra, saiu andando sem me esperar, enquanto eu me esforçava para segui-la fazendo malabarismos com as duas malas, uma grande mochila e meu notebook pendurado no ombro.

No estacionamento nos aguardava um SUV branco que, atravessado na diagonal, invadia sem pudor duas vagas contíguas. Jesus Loves You[1] rezava um adesivo no vidro de trás. Com uma poderosa acelerada imprópria da recatada aparência da condutora, adentramos a noite úmida da baía de San Francisco. Destino: Santa Cecilia.

Ela dirigia concentrada, colada ao volante. Mal falamos durante o trajeto; ela apenas respondeu às minhas perguntas com monossílabos e umas brevíssimas porções de informação. Ainda assim, descobri algumas coisas. Que seu nome era Fanny Stern, por exemplo. Que trabalhava para a universidade e que seu objetivo imediato era me deixar no apartamento que, juntamente com um salário sem excessos, fazia parte da bolsa que por fim me havia sido concedida. Continuava sabendo apenas superficialmente as obrigações da minha tarefa: a precipitação de minha partida me impediu de me dedicar com atenção a descobrir mais dados. Não me preocupava muito, teria tempo para isso. De qualquer maneira, antevia que meu trabalho não seria nem estimulante nem enriquecedor, mas, por ora, bastava-me ter conseguido, graças a ele, fugir da minha realidade com a pressa do diabo fugindo da cruz.

Apesar da falta de sono acumulada, o despertador me surpreendeu às sete da manhã moderadamente desperta e lúcida. Levantei-me e entrei no chuveiro de imediato, sem dar oportunidade à fresca consciência matutina de olhar para trás e revisitar o caminho obscuro dos dias anteriores. Com a luz do sol confirmei o que havia intuído na noite anterior: aquele apartamento destinado a professores visitantes, sem nada de especial, seria um refúgio adequado. Uma sala de estar pequena com uma cozinha básica integrada ao fundo. Um dormitório, um banheiro simples. Paredes vazias, poucos móveis e neutros. Um abrigo anônimo, mas decente. Habitável. Aceitável.

Andei em busca de um lugar onde tomar o café da manhã enquanto ao ritmo dos meus passos absorvia o que Santa Cecilia exibia diante dos meus olhos. No apartamento eu havia encontrado uma pasta com meu nome, com o necessário para começar a me situar: um mapa, um folheto informativo, um caderno em branco com o escudo da universidade. Nada mais; para quê?

Não achei nem rastro do cenário californiano a que as séries de televisão e o imaginário coletivo nos acostumaram. Nem costa, nem palmeiras ondulantes, nem mansões com dez banheiros. A Califórnia hiperpróspera, paraíso da tecnologia, do inconformismo e do espetáculo devia estar em outro lugar.

Por fim me sentei, com fome de leão, em uma varanda madrugadora, e enquanto devorava um *muffin* de mirtilo e bebia um café com muita água e pou-

---

[1] "Jesus te ama". (N. E.)

co pó, contemplei o cenário com atenção. Uma grande praça cheia de árvores e cercada de construções remodeladas com aparência de casas de tijolos que transmitiam o aroma de um passado no meio do caminho entre o americano e o mexicano, com um leve toque de algo remotamente espanhol. Uma agência do First National Bank, uma loja de suvenires, o imprescindível correio e uma farmácia CVS alinhavam-se em seu flanco principal.

Chegar ao Guevara Hall foi meu objetivo seguinte. Nele encontraria o Departamento de Línguas Modernas: o ninho que, para o bem ou para o mal, haveria de me acolher durante um número ainda impreciso de meses vindouros. Se seriam um bálsamo eficaz ou um simples Band-Aid para minhas feridas, ainda estava por ver. Mas não quis me encolher outra vez sob sombras negras; mais me valia manter a atenção para não me perder naquela espécie de parque cheio de caminhos entrecruzados onde montes de estudantes se deslocavam já em busca de suas salas de aula a pé ou de bicicleta.

O barulho da fotocopiadora com que estava trabalhando mitigou o som dos meus passos e impediu que Fanny, a primeira presença visível, se desse conta de minha chegada até eu parar ao seu lado. Só então ergueu os olhos e tornou a me contemplar por dois segundos com seu rosto inexpressivo; a seguir, estendeu o braço direito com precisão de autômato e apontou a porta aberta de uma sala. Alguém a espera, anunciou. E, sem mais, afastou-se com o mesmo caminhar insípido com que na noite anterior avançava à minha frente pelos corredores do aeroporto.

Lancei um olhar fugaz à placa que havia na porta. Rebecca Cullen, o nome com que acabavam quase todas as mensagens de e-mail que eu havia recebido nos dias anteriores à minha partida, por fim tinha um lugar e uma presença. Os arquivos e os processos conviviam em seu escritório com quadros carregados de cor, fotografias familiares e um buquê de lírios brancos. Seu cumprimento foi um aperto de mãos afetuoso, transmitindo-me seu calor com o tato da pele e um par de olhos claros que iluminavam um rosto lindo, no qual as rugas não eram um demérito. Uma grande mecha de fios prateados caía sobre sua testa. Intuí que devia beirar os sessenta e pressenti que se tratava de uma de tantas secretárias imprescindíveis que, com um terço do salário de seus superiores, costumam ser mais competentes que eles em proporção inversa.

— Muito bem, Blanca, finalmente... Foi uma surpresa saber que teríamos uma pesquisadora visitante este ano, estamos muito felizes.

Para meu alívio, nós nos entendemos sem problemas de minha parte. Meu inglês havia se estruturado por meio de estadas juvenis na Grã-Bretanha e se robustecido ao longo de anos de estudo e de frequentes contatos com universidades britânicas. Minha experiência com o mundo norte-americano, porém, havia sido apenas esporádica: alguns congressos, uma visita a Nova York em família para comemorar quando meu filho Pablo passou no vestibular, uma breve estada para pesquisa em Maryland. Por isso, senti-me reconfortada ao ver que poderia me virar naquela Costa Oeste sem grandes travas linguísticas.

— Acho que já lhe disse em uma das minhas últimas mensagens que o Dr. Zárate estaria esta semana em um congresso na Filadélfia, de modo que, por ora, eu vou me encarregar de orientá-la em seu trabalho.

Na ausência de Luis Zárate, diretor do departamento, Rebecca Cullen me explicou de modo geral o que eu já sabia mais ou menos sobre meu trabalho: uma tarefa subvencionada por uma entidade privada de criação recente, a Fundação de Ação Científica para Manuscritos Acadêmicos Filológicos (FACMAF), cujo objetivo consistia na classificação do legado de um antigo membro do claustro falecido décadas antes.

— O nome dele era Andrés Fontana e, como sabe, era espanhol. Viveu em Santa Cecilia até sua morte, em 1969, e foi alguém muito querido. Mas você sabe o que costuma acontecer: como não tinha família neste país, ninguém reclamou suas coisas, e à espera de que alguém decidisse por fim o que fazer, aqui ficou tudo ao longo dos anos, amontoado em um porão.

— Não mexeram em nada desde então?

— Nada, até que a FACMAF, essa nova fundação, por fim deu verba para realizar esse trabalho. Para ser sincera — acrescentou com um tom cúmplice —, acho que é meio vergonhoso que se tenham deixado passar três décadas, mas você sabe como são as coisas: todo mundo anda sempre ocupado, o professorado vai e vem, e das pessoas que conheceram e estimaram Andrés Fontana não resta quase ninguém na casa, exceto alguns veteranos como eu.

Eu me esforcei para não a deixar entrever que se a seus próprios colegas pouco interessava aquele expatriado caído no esquecimento, muito menos interessava a mim.

— E agora, se não se opõe — continuou voltando aos assuntos práticos —, vou lhe mostrar primeiro sua sala e depois o depósito onde se encontra todo o material. Terá de nos desculpar, mas a notícia de sua chegada foi um tanto precipitada e não tivemos possibilidade de lhe arranjar um lugar melhor.

Também não me passou pela cabeça esclarecer a que se devia minha pressa em me instalar ali o quanto antes ou a razão da minha urgência de me agarrar com unhas e dentes àquela modesta bolsa tão longe dos meus interesses.

Como estratégia de dissimulação, fingi procurar na bolsa um lenço de papel para assoar o nariz à espera de que Rebecca Cullen mudasse de assunto: que passasse a outro e não indagasse mais por que uma professora espanhola com sua carreira mais que consolidada, com bom currículo, bom salário, família e contatos, havia decidido encher precipitadamente um par de malas e se mudar em quatro dias para o outro canto do mundo como quem foge da peste.

Minha nova sala era um espaço afastado e sem uso, com poucos metros, nenhuma comodidade e uma única janela — estreita, lateral e não muito limpa — voltada para o campus. Seu raquítico equipamento consistia em uma mesa de trabalho com um velho computador e um telefone de peso contundente apoiado sobre duas grossas listas telefônicas antigas. Resíduos de outros tempos e outras mãos, excedentes decrépitos que já ninguém queria. Íamos nos entender bem, pensei. Afinal de contas, em nossa situação de bens amortizados, andávamos em linhas paralelas.

— É importante que você saiba também onde encontrar Fanny Stern; ela se encarregará de ajudá-la nas necessidades de material que possa ter — anunciou Rebecca enquanto me cedia passagem para a esquina que abrigava o cantinho de trabalho de Fanny.

Quando entrei, fui invadida por um sentimento confuso, algo entre a ternura e o riso. Nem um palmo de espaço estava desperdiçado nas paredes: cartazes, calendários e parafernália diversificada transbordando pores de sol entre picos nevados e mensagens otimistas com o sabor adocicado da geleia: "Você consegue, não desista"; "O sol brilhará depois da tempestade"; "Há sempre uma mão amiga perto de você". No meio da sala, Fanny, beatífica e ausente, devorava um tablete de chocolate branco com a gulodice de uma criança de cinco anos. Só que ela multiplicava mais ou menos por oito essa idade.

Antes que conseguisse engolir para poder nos cumprimentar, Rebecca se dirigiu a ela e se colocou às suas costas. Segurando-a pelos ombros, deu-lhe um aperto carinhoso.

— Fanny, você já conhece a doutora Perea, nossa pesquisadora visitante, e já sabe onde montamos sua sala, não é? Lembre-se de que tem de ajudá-la em tudo que ela pedir, certo?

— Certo, senhora Cullen — respondeu com a boca cheia. Para enfatizar sua boa disposição, acompanhou suas palavras com alguns movimentos de cabeça cheios de brio.

— Fanny é muito bem-disposta e trabalhadora, e sua mãe também foi, durante décadas, uma pessoa muito vinculada a este departamento, sabia, Blanca? — Rebecca falava com lentidão, como se escolhesse cuidadosamente as palavras. — Darla Stern trabalhou muitos anos aqui; durante um tempo, foi encarregada do cargo que depois ocupei. Como está sua mãe, Fanny? — perguntou dirigindo-se de novo a ela.

— Mamãe está muito bem, senhora Cullen, obrigada — replicou assentindo outra vez enquanto engolia.

— Diga que lhe mandei um abraço. E agora vamos indo, tenho de mostrar à doutora Perea o depósito — concluiu.

Quando a deixamos, cravava os dentes no chocolate cercada de suas beatíficas imagens e talvez de algum demônio escondido no fundo de uma gaveta.

— Antes de se aposentar no escritório do decano, há alguns anos já, a mãe dela cuidou para que Fanny ficasse conosco no departamento, como herança — esclareceu Rebecca sem ironia aparente. — Não tem grandes tarefas porque suas capacidades, como você deve ter percebido, são um pouquinho limitadas. Mas tem responsabilidades bem definidas e as desempenha razoavelmente bem: distribui a correspondência, encarrega-se das xerox, organiza o material e faz pequenos serviços externos. É como uma menina grande, uma parte essencial desta casa. Conte com ela sempre que precisar.

Um labirinto de corredores e escadas nos levou até uma parte afastada do porão. Rebecca, na frente, movia-se com a familiaridade de quem há décadas pisa as mesmas lajotas. Eu, atrás, tentava em vão reter na memória as viradas e esquinas, antevendo as muitas vezes que haveria de me perder antes de dominar aqueles meandros. Ao ritmo de seus passos, foi me explicando alguns detalhes sobre a universidade. Catorze mil e tantos estudantes, disse, quase todos procedentes de fora de Santa Cecilia. Inicialmente foi uma faculdade que com os anos foi evoluindo até seu atual *status* de uma pequena universidade com prestígio bem consolidado, disse também; a instituição que gerava à comunidade mais empregos e maior rendimento econômico.

Até que chegamos a um corredor estreito flanqueado por portas metálicas.

— E este, querida Blanca, é seu depósito — anunciou enquanto girava uma chave na fechadura de uma delas. Quando conseguiu abrir, não sem esforço, acionou vários interruptores e os tubos fluorescentes do teto nos deslumbraram com piscadelas hesitantes.

Diante de nós, configurou-se um aposento estreito e comprido como um vagão de trem. Ficaram à vista paredes revestidas de cimento cru, cheias de prateleiras industriais carregadas de restos do descarte e do esquecimento. Por duas janelas horizontais, situadas a uma altura considerável, entrava um pouco de luz natural e se infiltrava o som das marteladas de uma obra próxima. Inicialmente parecia um espaço retangular; porém, após adentrar alguns passos, Rebecca me fez ver que a forma e o tamanho aparentes eram um tanto enganosos. No fundo, à esquerda, o depósito se dobrava formando um L que se desdobrava em outro aposento anexo.

— *Et voilà* — anunciou ativando um novo interruptor. — O legado do professor Fontana.

Fui invadida por uma sensação de desânimo tão densa que quase roguei a ela que não me deixasse ali, que me levasse consigo, que me acolhesse em qualquer cantinho da sua sala hospitaleira e humana, onde sua serena proximidade mitigasse minha angústia.

Consciente, talvez, dos meus mudos pensamentos, ela tentou me infundir um pouco de otimismo.

— Imponente, não é? Mas com certeza a impressão vai passar em poucos dias, você vai ver.

Jamais me havia passado pela mente que pôr ordem nas empoeiradas tranqueiras de um professor morto seria a boia à qual acabaria me agarrando no meio da tempestade. Em minha ânsia por fugir dos meus demônios domésticos, havia imaginado que uma mudança radical de trabalho e latitude seria como uma tábua de salvação na deriva dos meus sentimentos. Mas ao ver aquela bagunça de caixas e arquivos amontoados, de pastas esparramadas pelo chão e materiais empilhados uns em cima dos outros sem vislumbre de harmonia, intuí que havia me enganado.

Mesmo assim, não havia mais volta. Tarde demais, muitas pontes queimadas. E lá estava eu após a partida de Rebecca, trancada em um porão em uma cidade perdida da costa mais distante de um país estranho, enquanto a milhares de quilômetros meus filhos adentravam sozinhos os primeiros trechos de sua vida adulta, e aquele que até então havia sido meu marido se preparava para reviver a apaixonante aventura da paternidade com uma advogada loira quinze anos mais nova que eu.

Apoiei-me na parede e cobri o rosto com as mãos. Tudo parecia ir de mal a pior e minhas forças para suportar estavam se esgotando. Nada se endireitava, nada avançava. Nem sequer a enormidade da distância havia conseguido me dar um resquício de otimismo; tudo mostrava uma tendência obstinada a se voltar contra mim. Embora houvesse prometido a mim mesma que ia ser forte, que ia aguentar com coragem e que não ia claudicar, comecei a sentir na boca o sabor salgado e turvo da saliva que antecede o pranto.

Contudo, consegui me conter. Consegui me acalmar e, com isso, deter a ameaça de sucumbir. E assim, um passo antes de pular no vazio, algum mecanismo alheio à minha vontade me fez dar um triplo mortal para trás no tempo e, no momento em que afundar parecia inevitável, a memória me transportou para uma etapa distante do ontem.

Lá estava eu, com o mesmo cabelo castanho, o mesmo corpo com poucos quilos e duas dúzias de anos a menos, enfrentando a adversidade de circunstâncias que, apesar de sua dureza, não conseguiram me abater. Tocaram-me e me feriram, mas não me derrubaram. Uma promissora carreira universitária interrompida no quarto ano por conta de uma gravidez inesperada; pais intolerantes que não souberam receber o golpe; um triste casamento de emergência. Um opositor imaturo por marido. Um apartamento gelado e subterrâneo por lar. Um bebê fraquinho que chorava desconsolado e toda a incerteza do mundo diante de mim. Tempos de sanduíche de sardinha, tabaco preto e água da torneira. Aulas particulares mal pagas e traduções em cima da mesa da cozinha temperadas com mais imaginação que rigor, dias de pouco sono e muita pressa, de carências, inquietude e desconcerto. Nem conta no banco eu tinha: a meu favor, contava só com a força inconsciente proporcionada pelo fato de ter vinte e um anos, um filho recém-nascido e a proximidade de quem achava que seria para sempre o homem da minha vida.

E, de repente, tudo virou do avesso. Agora estava sozinha e não tinha mais de lutar para criar aquele menino magrinho e chorão, nem seu irmão, que veio ao mundo só um ano e meio depois. Já não tinha de lutar para que esse casamento jovem e precipitado funcionasse, para ajudar meu marido em suas aspirações profissionais, para conseguir terminar a faculdade estudando de madrugada com anotações emprestadas e um aquecedor nos pés. Para poder custear babás, creches, papinhas de cereais e um Renault de terceira mão, para nos mudar para um apartamento alugado com aquecimento central e duas sacadas. Para provar ao mundo que minha vida não era um fracasso. Tudo isso havia ficado para trás e naquele novo capítulo só restava eu.

Impulsionada pela transfusão de lucidez das recordações, retirei as mãos do rosto e, enquanto meus olhos se habituavam de novo à luz fria e feia do neon, arregacei as mangas da camisa até em cima dos cotovelos.

— Torres mais altas já caíram — murmurei ao ar.

Eu não tinha nem ideia de por onde começar a organizar o desastroso legado do professor Andrés Fontana, mas comecei a trabalhar, de mangas arregaçadas e decidida, como se toda a minha vida dependesse daquilo.

CAPÍTULO 3

Os primeiros dias foram os piores: mergulhada no depósito, tentando encontrar um fio de congruência entre as tripas daquele caos em que as dúzias de cadernos se misturavam com montes de folhas escritas dos dois lados, com centenas de pacotes de papéis amarelados e um número infinito de cartas e cartões bagunçados. Tudo espalhado pelo chão, apoiado em montes na parede, em estantes que ameaçavam desabar e em pilhas desequilibradas quase ruindo.

O passar da primeira semana me trouxe certa confiança. Ainda que com a lentidão de um caracol, o medo diante daquele tumulto foi se diluindo progressivamente, até que comecei a me mover com mínima segurança no meio daquela massa disforme. Mal tinha tempo, porém, de dar muito mais que uma olhada fugaz em cada documento: só o suficiente para intuir seu conteúdo e associá-lo à categoria correspondente segundo meu plano de organização rudimentar. Crítica literária, prosa e poesia, história da Espanha, história da Califórnia. Correspondência pessoal, correspondência privada. De tudo se encontrava entre os escritos do falecido professor.

Estabelecer aquela distribuição em blocos foi uma tarefa complexa que me tomou dias; começava a trabalhar antes das nove da manhã e não parava até mais de cinco da tarde, com somente uma pausa muito breve para comer sozinha em algum canto da lanchonete do campus, enquanto folheava distraída o jornal da universidade. Comia mais tarde que o comum, lá pelas duas, quando os funcionários da limpeza começavam a passar, parcimoniosos, suas vassouras gigantescas pelo chão, e só restavam alguns estudantes esparramados pelas mesas. Alguns liam e outros cochilavam; havia quem sublinhasse sem muita vontade algumas linhas; outros tantos comiam com pressa os últimos bocados dos seus almoços tardios.

O fluxo dos dias me levou também a finalmente conhecer Luis Zárate, o diretor do departamento. Precisava de uma tesoura para cortar as fitas de pilhas de papel e a minha não aparecia de jeito nenhum, perdida sem dúvida debaixo de qualquer monte. Também não consegui localizar Fanny para lhe pedir uma emprestada, de modo que optei por ir até a sala de Rebecca; e ali encontrei ambos, revisando juntos um catálogo de cursos. Ela, sentada, falava pausadamente. Ele, em pé ao seu lado, com as mãos apoiadas na mesa e as costas inclinadas, parecia escutá-la com atenção. Captei sua imagem em um lampejo: espigado, calças cinza-escuras, camisa preta, gravata grafite. Óculos sem armação, cabelo castanho com bom corte e uma idade imprecisa próxima à minha, intuí.

Trocamos as frases imprescindíveis de cortesia, ele me convidou a acompanhá-lo à sua sala enquanto eu me lamentava internamente pelo deplorável estado da minha indumentária. A roupa confortável resistente à sujeira e às teias de aranha formava minha vestimenta diária, e com ela me conheceu aquele que haveria de ser o mais próximo a um novo chefe: empoeirada e desarrumada, com um rabo de cavalo que mal conseguia manter meu cabelo em ordem e mãos sujas que tive de esfregar nas calças antes de estender uma delas para cumprimentá-lo.

— Bem, é um prazer recebê-la em nosso departamento, doutora Perea — disse indicando uma poltrona em frente à sua mesa. — Blanca, se me permite — acrescentou enquanto se sentava.

Sua cordialidade soou sincera e seu espanhol, excelente: educado, modulado, com um leve sotaque que em princípio não consegui situar com precisão.

— Blanca, por favor — aceitei. — Estou igualmente feliz e agradecida por ter sido acolhida.

— Não há de quê, longe disso. É sempre um prazer receber professores visitantes, embora não seja comum que venham muitos da Espanha. De modo que sua visita nos agrada duplamente.

Aproveitei aquela troca inicial de frases sem sombra de substância para dar uma olhada rápida em sua sala. Luminária de aço leve, gravuras modernas, livros e papéis invejavelmente organizados. Sem chegar a ser totalmente minimalista, aproximava-se bastante disso.

— Para nós — continuou —, foi muito gratificante começar esse convênio com a FACMAF para subsidiar seu trabalho. Qualquer iniciativa que vise atrair pesquisadores de outras instituições é sempre bem-vinda. Se bem que não esperávamos alguém com seu currículo...

Suas palavras me puseram em guarda. Preferia falar o menos possível sobre as razões que haviam me levado a solicitar aquele cargo tão distante dos meus interesses; não tinha nenhuma intenção de ser sincera e também não estava a fim de inventar uma mentira aparatosa. Por isso, decidi desviar o rumo da conversa. Ou, no mínimo, tentar.

— A FACMAF e o departamento fizeram todas as diligências de uma forma muito eficiente; facilitaram tudo para mim e aqui estou, trabalhando a fundo. Santa Cecilia está me parecendo um lugar muito agradável, de fato. Um lugar diferente para pôr fim a este ano tão determinante. Talvez a vida na Terra acabe enquanto ainda estou aqui — disse tentando ser espirituosa.

Para meu alívio, ele me acompanhou na piadinha sem graça.

— Que paranoia essa do fim do milênio! E na Espanha, toda essa loucura do fim do século XX deve estar afetando-os ainda mais agora que se aproxima a entrada do euro. Como anda esse assunto, aliás? Quando as velhas pesetas vão parar de valer?

As razões que haviam me levado a solicitar aquela bolsa resultaram muito menos interessantes para o diretor que uma conversa superficial sobre as últimas mudanças do meu país às portas do novo século. Sobre a Espanha em geral, sobre a situação da universidade espanhola em particular; sobre tudo e nada ao mesmo tempo; foi sobre isso que falamos. E, enquanto isso, eu me pus a salvo e, de quebra, aproveitei para observá-lo com atenção.

Calculei que devia ser três ou quatro anos mais novo que eu. Quarenta completos, sem dúvida, mas não muito mais. E, com eles, suas marcas. Os primeiros fios brancos nas têmporas e algumas pequenas rugas nos cantos dos olhos não o deixavam menos atraente. Filho de uma psicóloga chilena, disse ele, e de um traumatologista de Santander de longa residência americana com quem não parecia se relacionar muito. Ameno, bom conversador.

Não havia dúvida de que Luis Zárate gostava de falar, e eu, interessadamente, aproveitei a conjuntura e o deixei à vontade. Quanto menos tivesse de contar sobre meus próprios assuntos, melhor. Assim, soube de sua trajetória acadêmica, descobri que estava em Santa Cecilia havia apenas dois anos e intuí que sua intenção fosse ir embora dali o quanto antes em busca de um cargo em alguma universidade prestigiosa da Costa Leste. E, para minha satisfação, após passar mais de meia hora conversando com ele, fiquei convencida de que aquele especialista em estudos culturais pós-modernos não estava nem aí para a papelada amarelada do antigo docente que havia três décadas estava comendo capim pela raiz. Continuar trabalhando à vontade, sem ter de dar explicações a ninguém, era fundamental para mim.

Já estava no corredor, pronta para empreender o caminho de volta ao porão após nos despedirmos, quando, como se não quisesse me deixar ir de uma vez, chamou-me de novo da porta de sua sala.

— Acho que seria uma boa ideia organizar uma pequena reunião para apresentá-la aos outros membros do departamento. — Não esperou minha resposta. — Na quinta-feira ao meio-dia, por exemplo — acrescentou. — Aqui mesmo, na sala de reuniões.

Por que não? Seria bom sair da minha toca e socializar um pouco, pensei. Seria também um bom momento para pôr nome nas presenças que começavam a me parecer familiares: rostos e corpos com os quais cruzava com frequência na escada ou no elevador, enquanto esperava minha vez para pedir um café na fila do Starbucks, quando comprava em alguma loja da cidade ou andava por qualquer caminho do campus.

Chegou por fim o dia da reunião. A sala de reuniões, que eu ainda não conhecia, era um aposento amplo com grandes janelas em duas de suas quatro paredes. A terceira era ocupada por completo por uma biblioteca cheia de obras antigas com encadernação de couro. A quarta, por sua vez, mostrava uma grande coleção de fotografias. O serviço de *catering* da universidade havia preparado um bufê: *carpaccios*, queijos, frutas, saladas. Ninguém se sentou; quase todos nos servimos enquanto nos mantínhamos em pé, conversando em pequenos grupos que se formavam e desintegravam ritmicamente, acoplando-se ao fluxo das conversas.

Falei com uns e outros, o diretor foi me levando pelas rodinhas de professores de diversas línguas, dentre os quais o grupo mais numeroso era o de Espanhol. Hispânicos norte-americanizados, norte-americanos hispanizados e alguns entes que circulavam em terra de ninguém. Professores de Literatura *chicana* e especialistas em Vargas Llosa, Galdós ou Elena Poniatowska; especialistas em linguística comparada e em Bryce Echenique; investigadores de *jarchas*[2] e apaixonados por questões mestiças ou alternativas. Encontrei de tudo. A maior parte deles eu já conhecia de vista, mas alguns não. Rebecca também esteve presente ao almoço, participando alternadamente de todas as conversas enquanto controlava a intendência com olho sagaz. Fanny, enquanto isso, sozinha em um canto, empanturrava-se de rosbife e Pepsi Diet, absorta em seu próprio universo enquanto mastigava a ritmo de trituradora industrial.

A reunião começou ao meio-dia e durou sessenta minutos exatos. À uma em ponto deu-se a diáspora, enquanto duas estudantes uniformizadas de azul e amarelo — as cores da universidade — começavam a recolher os restos do almoço. E então, quando quase todo mundo já havia ido embora, por fim pude me concentrar na quarta parede, aquela ocupada integralmente por fo-

---

2 Canção tradicional moçárabe, às vezes em forma de romance, utilizada por poetas andaluzes para encerrar as *moaxajas*, composições poéticas medievais escritas em árabe ou hebraico. (N. T.)

tografias. Aquela que, como eu pressentia, mostrava o testemunho gráfico da história daquele departamento que, para o bem ou para o mal, havia se transformado temporariamente no meu próprio.

Havia fotos de todo tipo: mais antigas, mais modernas, individuais e coletivas, coloridas, em preto e branco. A maior parte plasmava atos institucionais — entregas de diplomas, formaturas, conferências — e seus figurantes costumavam vestir roupas formais, amiúde toga e beca. Eu indagava em busca de algum rastro de familiaridade entre os rostos quando notei que Rebecca havia se aproximado de mim.

— A história da sua nova casa, Blanca — disse com um leve toque de nostalgia.

Então, ficou alguns segundos em silêncio, depois passou o dedo indicador, sucessivamente, por quatro fotografias diferentes.

— E aqui está ele: Andrés Fontana.

O porte forte e enérgico, os olhos escuros, inteligentes debaixo das sobrancelhas fartas. O cabelo abundante, cacheado, penteado para trás. A barba fechada, a boca ampla quando falava, a expressão carrancuda quando parecia escutar. Um homem de carne e osso apesar do estatismo das imagens. Um pressentimento congelado por trás do silêncio da imobilidade.

Eu soube de imediato. De imediato tive consciência do meu erro. Antes de contemplá-lo por trás do vidro opaco das velhas fotografias, de maneira difusa, eu havia pensado que o objetivo único da minha tarefa era a organização mecânica de um conjunto de documentos redigidos pela mão de um ser cuja alma eu não havia parado para procurar. No entanto, assim que vi aquelas imagens, percebi que o brio com que havia me lançado à minha nova tarefa havia me levado a tratar todo aquele legado com uma frieza que beirava o desafeto, como se estivesse trabalhando com um mero produto comercial pronto para ser assepticamente empacotado tal como faria um anônimo operário de avental branco em qualquer fábrica de embalagens. Absorta em minhas próprias misérias e forçada por mim mesma a trabalhar de forma compulsiva para fugir dos meus problemas, não havia me incomodado em advertir os traços de humanidade que necessariamente se escondiam em cada página do legado: acocorados entre as linhas, emboscados atrás das frases, suspensos como aranhas nos traços de cada palavra.

Com um nó no estômago, afastei-me da parede.

Precisava de espaço, distância, ar. Pela primeira vez, desde minha chegada, decidi me dar uma trégua.

Sem sequer voltar ao depósito para apagar as luzes, fiquei vagando por

Santa Cecilia, atravessando espaços pelos quais nunca costumava passar. Ruas pelas quais só de vez em quando aparecia algum carro isolado ou um estudante solitário de bicicleta, zonas residenciais e áreas remotas quase despovoadas onde eu nunca havia posto um pé. Até que meus passos erráticos acabaram por me levar a uma paragem desconhecida: um extenso espaço arborizado, uma massa de pinheiros que subia em ladeira e se perdia no horizonte sem que se notasse seu fim. Àquela hora próxima ao entardecer, seu sossego era impressionante. Carente do dramatismo estético dos ambientes de beleza extrema, sem o impacto paisagístico que cabe entre os limites quadriculados de um cartão-postal, mas com a serenidade de um lugar especial que gera paz e consolo. Que reconforta, que acalma.

Aquele território logo me fez saber, porém, que esse pedaço de paraíso muito em breve deixaria de existir. Em um imenso cartaz promocional cheio de momentos virtuais e fotografias de rostos supostamente felizes, com letras de mais de meio metro de altura, anunciavam o iminente destino da área. "Premier Retail Center. Exciting Shopping, Dining and Entertainment. Specialty Stores. Restaurants and Attractions. Family Fun."[3]

Cravadas no chão aos pés e arredores, como um David multiplicado diante do grande Golias do gigantesco anúncio, um monte de folhetos e cartazes caseiros de cartolina, madeira e tecido replicava dúzias de vezes a palavra "não". Não ao *exciting shopping*, não às *specialty stores*, não a esse tipo de *family fun*. Lembrei-me, então, de ter visto diversas menções a esse repúdio no jornal da universidade. Colunas e cartas contra aquele projeto de centro comercial; entrevistas, anúncios de assembleias e artigos de opinião. A eterna história.

Afastei-me do cartaz que prometia um éden de lojas e diversão sem fim e deixei a tarde cair enquanto observava os últimos passeantes iniciarem também sua volta à civilização. Alguns estudantes suados queimando calorias, uma mãe com um menino e um triciclo, um casal de idosos apaixonados. Gente que desfrutava o espaço, gente que talvez em pouco tempo deixasse de desfrutá-lo. Pensando que aquela história de devastação *open bar* me parecia tristemente familiar, decidi que era hora de voltar para casa.

A caminho de casa, parei para comprar alguma coisa para o jantar. Eu costumava cobrir minhas necessidades domésticas no Meli's Market, em uma ruazinha perto da praça central. Apesar da aparente falta de pretensão do local, com seu piso de madeira sem polir, as paredes de tijolo à vista e aquele ar de velho depósito de filme do Velho Oeste, as várias *delicatessens* e os

---

3 "Centro de varejo Premier. Compras, refeições e entretenimento empolgantes. Lojas especializadas. Restaurantes e atrações. Diversão para toda a família." (N. E.)

produtos orgânicos etiquetados com elegante simplicidade evidenciavam que se tratava de um estabelecimento destinado a paladares sofisticados e bolsos gordos, e não a estudantes e famílias médias com orçamentos apertados para chegar ao fim do mês.

Com minha chegada a Santa Cecilia, porém, havia deixado para trás quase todas as minhas antigas rotinas e, entre elas, a grande compra quinzenal em hipermercados funcionais cheios de megafonia estridente, descontos em congelados e ofertas "leve três pague dois". Como tantas outras coisas em minha vida, os carrinhos lotados de caixas de leite semidesnatado e dúzias de rolos de papel higiênico já eram coisa do passado. A visita cotidiana ao Meli's Market os substituiu com louvor.

Aproximava-se a hora de fechar: os últimos clientes já compravam com certa precipitação e os funcionários, vestindo grandes aventais pretos, pareciam ansiosos por dar fim à jornada. Na seção dos queijos me decidi, sem pensar muito, por um pedaço de parmesão; acrescentei depois à cesta um pote de tomate seco em azeite e um saquinho de rúcula. A seguir, fui à padaria, intuindo que restaria pouca coisa nela. E ali, inesperadamente, senti um toque em meu ombro esquerdo. Pouco mais que o roçar de dois dedos e uma pressão levíssima. No meio do meu absurdo dilema entre um pequeno pão redondo com pedacinhos de azeitona ou uma baguete coroada por sementes de gergelim, Rebecca Cullen, cuja presença na loja eu não havia advertido até esse momento, chamou a minha atenção. Como vai, vi você de longe, bem e você, olhando, decidindo, eu também, não sei o que levar, eu também não, já estão quase fechando...

E então, sem saber como nem de onde, alguém apareceu às suas costas. Alguém alto e diferente, alguém com camisa branca, barba clara sobre pele morena e um cabelo entre loiro e grisalho mais comprido que o convencional. Segurava uma garrafa de vinho; os óculos de leitura na ponta do nariz sugeriam que apenas alguns segundos antes estivera concentrado em analisar seu rótulo. Meu amigo Daniel Carter, antigo professor do nosso departamento, foram as credenciais que Rebecca me ofereceu. Nem menos nem mais.

Ele me estendeu uma mão grande; notei que no punho direito usava um relógio digital preto e volumoso, um desses aparelhos que os atletas costumam usar normalmente, mas quase nunca a casta da universidade. Eu estendi a minha e ameacei um cumprimento em inglês que não chegou a sair. Um cumprimento de praxe, já automatizado à força de repeti-lo tantas vezes desde minha chegada. Como vai, prazer em conhecê-lo, quis dizer. Mas ele se antecipou. Insuspeitado, desconcertantemente, aquele americano de aspecto atlético e quase juvenil, apesar de sua maturidade consolidada, que por conta de sua aparência pouco parecia compartilhar com meus colegas de arte e ofício, que mantinha minha mão na sua enquanto me olhava com seus olhos claros, falou em minha própria língua, e com seu castelhano firme, desconcertou-me.

— Rebecca me falou de sua presença em Santa Cecilia, cara Blanca, de sua missão de resgate do legado do nosso velho professor. Tinha vontade de conhecê-la, não abundam nestas remotas paragens as lindas damas de régia estirpe espanhola.

Não pude evitar rir. Pela graça embutida naquela paródia de uma cena galante fora de moda. Pelo calor escondido por trás de sua espontaneidade. Por ter sido reconfortante, após minhas semanas escuras de reclusão, ouvir um sotaque tão próximo e impecável em alguém tão alheio ao meu universo.

— Foram muitos meus anos em sua pátria — acrescentou sem soltar minha mão. — Grandes afetos, grandes amigos espanhóis, Andrés Fontana entre eles. Mais da metade da vida indo e vindo de cá para lá, grandes momentos. Que país! Sempre volto, sempre. Como não?

Não tivemos possibilidade de continuar conversando. Já estavam descendo as persianas da loja, e as luzes começavam a ser apagadas. Eles eram esperados em algum lugar para jantar, e a mim me aguardava um apartamento vazio. Enquanto nos dirigíamos aos caixas e depois à saída, tive tempo apenas de saber que era professor da Universidade da Califórnia em Santa Bárbara e que um ano sabático e a amizade com Rebecca o haviam feito voltar temporariamente a Santa Cecilia.

— Não sei ainda quanto tempo vou ficar — concluiu enquanto segurava a porta para nos dar passagem. — Estou terminando um livro e me faz bem ficar longe das distrações cotidianas. Narrativa espanhola de fim de século, com certeza você conhece a tropa toda. Vamos ver como avança.

Despedimo-nos na rua com uma vaga promessa de voltarmos a nos encontrar em alguma outra ocasião e seguimos por caminhos opostos quando as primeiras estrelas começavam a povoar a noite.

Apesar de ter investido a tarde em cenários diferentes dos habituais e de ter interrompido momentaneamente meu desassossego graças ao encontro com Rebecca Cullen e seu inesperado amigo de essência meio espanhola; apesar de ele ter conseguido me arrancar um riso autêntico depois de tanto tempo de seca em meu ânimo, ao chegar ao meu apartamento tornou a me invadir aquela sensação incômoda e difícil de definir que eu estava arrastando como um lastro desde a reunião do departamento.

Dormi mal aquela noite, inquieta, provavelmente remoendo no subconsciente uma ideia cujo perfil exato me era difícil rotular. A visão do Andrés Fontana real, de seu rosto, seu corpo e sua presença contundente havia alterado de alguma maneira meus esquemas, gerando em mim uma inquietude cujo fundo eu não conseguia compreender. Sonhei de madrugada com fotografias antigas: um desvario onírico angustiante no qual eu tentava identificar um rosto entre centenas de imagens, e elas, rebeldes, diluíam-se em manchas aquosas apagando os contornos até desaparecer.

Acordei com sede e calor, minha cabeça doía. Do outro lado da janela, empurrava com timidez o início do dia, e a abri de par em par em busca de ar fresco. Mal se ouviam carros, e a silhueta de duas pessoas correndo quebrou com seu trote rítmico a quietude da cena. Peguei um copo mecanicamente, abri a torneira e o enchi. À medida que a água descia por minha garganta, voltaram-me à memória as imagens do dia anterior. E então, só então, eu entendi.

Por fim tive consciência de que havia abordado minha tarefa sob um enfoque equivocado, por fim soube qual havia sido meu erro. Por trás da disciplina que impus a mim mesma, por trás das longas horas trancada no porão batalhando com uma tonelada de velhos documentos, devia haver algo mais. Algo que teria evitado que eu encarasse os papéis de Andrés Fontana como se fossem caixas de parafusos. Algo que teria me prevenido para não transformar minha tarefa em uma invasão desrespeitosa à intimidade de um ser humano.

Entre os materiais do meu trabalho e as velhas fotos da sala de reuniões, existia algo mais que um fio condutor mal perceptível. A conexão entre o conteúdo do legado e as quatro imagens em que se percebia uma figura sobre a qual até então eu só conhecia o nome era contundente e poderosa. E não devia, não podia ser ignorada.

E assim soube que o trabalho com tudo aquilo que o professor Fontana deixara após sua morte teria de mudar de perspectiva. Já não podia me limitar à simples classificação de documentos; agora sabia que aquilo não era um mero arsenal de escritos sem alma que podia ser manipulado com a frieza dos dados estatísticos ou como os pedidos de pares de sapatos em uma loja. Entrar em sua vida como quem cava uma vala não era a maneira de proceder; minha tarefa deveria ser abordada de outra posição. Com uma postura humana, próxima, esforçando-me por perceber a pessoa oculta entre as palavras.

Meu trabalho era a recuperação da memória de um homem.

A memória enterrada de um homem esquecido.

CAPÍTULO 4

Um pai mineiro e semianalfabeto. Uma mãe que servia em uma casa rica, que sabia juntar algumas letras e que, de tanto fazer contas com os salários de fome da família, havia aprendido a somar e subtrair números com mediana rapidez. Chamava-se Simona e havia parido Andrés aos trinta e sete anos, depois de mais de cinco anos infecunda após os nascimentos sucessivos de suas duas primeiras filhas e de uma criança morta, que enterraram sem glória nem nome nem pena e de quem quase nunca tornaram a se lembrar. Viviam num lugar que naquela cidade do sul de La Mancha chamavam de *cuartel*, apenas dois cômodos interligados com chão de terra batida, sem água nem luz. A chegada intempestiva daquela última criatura foi recebida com pouco regozijo: uma boca a mais, um pouco de espaço a menos. Até a tarde antes do nascimento, Simona esteve trabalhando o polimento dos pisos de sua patroa, pois não queria saber de gravidez fora de hora. No dia seguinte, já estavam de volta mãe e filho à casa de dona Manolita. Ela, lavando os pátios e abastecendo as caldeiras com carvão. A criança, enfiada em um cesto e enrolado em trapos em um canto da cozinha.

Dona Manolita, a patroa, andava então pelos cinquenta e tantos, e havia sido uma solteirona rica, meio manca e feia até uma década antes, quando se apaixonou por um dos trabalhadores do moinho de azeite que havia herdado de seu pai. Ramón, o moço moreno de costas largas e sorriso luminoso que trabalhava para ela durante os meses da azeitona passou a ser dom Ramón Otero aos vinte e um anos por conta do voluntarioso desejo de sua patroa. Ninguém previa um destino desses para aquele rapaz bonitão e esperto que outono após outono juntamente com seus irmãos fugia do frio inclemente de sua cidade serrana para arranjar trabalho temporário em outras comarcas. Mas dona Manolita gostava de homens jovens, e mais ainda se tivessem vigor no corpo, descaro nos olhos e a pele cor de canela. E as noites de inverno eram gélidas e ela não tinha a menor intenção de acabar sendo a mais rica do cemitério, de modo que, com a falta de vergonha e o atrevimento de quem se sabe com poder, a patroa se insinuou a Ramón sem dissimulação. Primeiro foram os olhares, mais tarde os encontrões, os toques sutis e a troca de algum descaramento encoberto entre palavras aparentemente banais. Em menos de vinte dias estavam rolando sobre os três macios colchões de sua cama de mogno em um primeiro encontro carnal que foi imensamente gratificante para ambos, mas por razões bem diferentes. Para ela, porque por fim havia acalmado seu desejo com o corpo musculoso do mancebo que a deixava louca fazia semanas. Para o rapaz, porque nunca antes em sua vida miserável havia conhecido o intenso prazer proporcionado por atos tão simples como roçar a pele nua em lençóis de linho, andar descalço sobre um tapete ou mergulhar o corpo cansado em uma banheira de água quente.

Os encontros se estenderam ao longo dos meses, para satisfação das duas partes, mas Ramón tinha certeza de que aquela relação tão dissonante seria cortada pela raiz assim que a temporada de azeitona chegasse ao fim e ele tivesse de voltar para sua terra. Seu prognóstico, porém, foi por água abaixo em uma noite de tempestade. Estando ele imerso na banheira de porcelana de dona Manolita, ela, sem parar de verter jarras de água quase fervendo nas costas dele, propôs-lhe casamento. Como era esperto e sabia de sobra que quando a fome aperta a vergonha afrouxa, calculou os benefícios da operação e o resultado das contas foi redondo: transformar-se em consorte sustentado de uma mulher rica, por mais gasta e feia que fosse, sempre seria mais rentável que a vida itinerante entre o corte de pinheiros em sua serrania e a colheita e prensagem de azeitonas em fazendas alheias. E aceitou o casamento sem sequer pestanejar.

A inusitada notícia causou, em partes iguais, regozijo e inveja em seus irmãos e colegas do moinho, e disparou a falação implacável do povo. Mas para o casal deu exatamente na mesma. Dona Manolita não tinha de dar satisfações a ninguém porque em suas vontades e seu dinheiro não mandava ninguém além dela, de modo que uma breve cerimônia na paróquia de La Asunción os transformou em marido e mulher sem impedimento nem censura alguma por conta dos vinte e três anos que os separavam.

Além de ela não ter voltado a dormir sozinha nem ele a acabar com a coluna trabalhando de sol a sol, aconteceram mais duas coisas naquele casamento, tal como as vozes dos vizinhos haviam prognosticado. A primeira foi que não tiveram descendência. A segunda, que o jovem marido — já dom Ramón — começou a ser infiel à sua mulher com cada moça apetecível que cruzava seu caminho já desde o dia do casamento. Diante de tais realidades, ela manteve duas firmes linhas de ação: aceitar em sua casa a presença dos filhos pequenos das mulheres que trabalhavam ali, e fechar suas portas para qualquer garota jovem que quisesse fazer parte do quadro de serviçais domésticos. As crianças alheias jamais substituíram as que ela não pôde ter, como também a ausência de mulheres em idade de merecer não dissuadiu seu fogoso cônjuge de ter dezenas de aventuras extraconjugais fora das paredes do lar comum. Mas os motivos subjacentes àquelas decisões de dona Manolita só ela conheceu.

O filho da criada Simona foi batizado com o nome de Andrés, que era como se chamava o falecido pai da patroa, esse que lhe legou a fortuna, o rosto achatado e um corpo muito pouco atraente. Ela foi a madrinha e deu de presente ao bebê uma medalhinha de ouro de Nossa Senhora das Graças, que o pai da criatura correu para revender naquela mesma tarde para investir imediatamente o lucro em cachaça. Talvez dona Manolita visse algo de especial naquele menino moreno que um ano depois começou a andar pela casa, ou talvez fosse apenas o fato de que estava ficando velha; o caso foi que depositou nele uma atenção que, sem ser nem remotamente maternal, de alguma maneira se aproximou do carinho de uma tia-avó chata e resmungona, mas, no fundo, afetuosa. Com imensa insensibilidade diante das verdadeiras precariedades da família mineira, a patroa adquiriu o costume de dar ao menino caros caprichos que nem ele nem sua mãe eram capazes de apreciar em sua justa medida: ternos de veludo para que a acompanhasse à missa do meio-dia, uma pequena pianola, álbuns de figurinhas brilhantes e até um chapéu de marinheiro que teria incitado as gargalhadas das crianças de sua rua se o tivessem visto com ele algum domingo.

De pouco servia a Simona que seu filho vestisse às vezes aquelas roupas ostentosas sendo que diariamente andava de chinelos e cheio de remendos, como igualmente tardio e inútil lhe parecia que dona Manolita se empenhasse em lhe ensinar a usar os talheres de prata à mesa sendo que em seu paupérrimo lar todos compartilhavam os mesmos tachos levando diretamente as colheres da panela comunitária à boca. Aquela madrinha peculiar jamais se preocupou, na realidade, em atender às necessidades reais do menino, e também não parecia ter consciência de que cada agradinho que encomendava para ele na capital custava mais que o salário semanal conjunto de seus pais. Mas Simona nunca reclamou nem criou caso algum diante do caprichoso comportamento de sua patroa, nem sequer debochou da cruel ridicularia desses atos. Só a deixava fazer o que queria, e no fim do dia, quase sempre com a noite já caída, pegava seu filho pela mão e, tremendo de frio, caminhando em silêncio pela névoa, voltavam ambos para o miserável cotidiano de sua moradia infame compartilhando sem palavras a mesma sensação.

Contudo, quando Andrés completou seis anos, a situação mudou. Aprendeu a ler no catecismo e então, por fim, tanto ele como sua mãe começaram a apreciar a parte mais positiva daquela tutelagem: o acesso à leitura. Simona não era uma mulher inteligente, mas passara décadas observando de perto como viviam os ricos e tinha as luzes necessárias para perceber que, além do dinheiro e das propriedades, a educação e a cultura tinham também algo a ver naquele negócio. Por isso, quando dona Manolita começou a fornecer a seu filho livros infantis aos quais ele de outra maneira jamais teria tido acesso, ela intuiu que por fim sua patroa estava lhe dando algo valioso.

Aos catorze anos, Andrés havia abandonado as aulas e trabalhava fazendo serviços externos para um comércio local. O pai insistia em que já era hora de que descesse à mina: não concebia outro ofício para o filho além de perpetuar o seu próprio. Simona, por sua vez, tentava adiar o máximo possível aquele triste destino que pressentia ser inevitável. Quando Andrés completou quinze anos, dona Manolita lhe deu de presente *O tesouro da juventude*, uma enciclopédia para jovens que de imediato se transformou em sua única janela para o universo. Em seu décimo sexto aniversário, não recebeu presente algum porque sua madrinha já estava à beira da morte. Faleceu na antevéspera de Ano-Novo de 1929, e seu marido foi, naturalmente, o beneficiário de seu testamento.

Para surpresa de todos, porém, deixou uma carta manuscrita dirigida a Simona e seu filho, e outra em nome de um tal de dom Eladio de la Mata. Sem nenhuma exposição gratuita de afetos, na primeira estipulava deixar uma renda fixa em nome de seu afilhado, destinada exclusivamente para sua educação. As condições quanto à formação do rapaz estavam descritas de maneira totalmente clara. Caso as aceitasse, o jovem se mudaria para Madri, onde viveria como hóspede na casa da porteira de um imóvel de sua propriedade na rua de la Princesa. Deveria então se preparar para prestar o exame para o ensino secundário e, se aprovado no final, matricular-se na universidade, onde faria o curso de sua escolha. Para tudo isso, dom Ramón Otero arcaria com todos os gastos, por conta de sua herança. Em caso contrário, se nunca entrasse na universidade, não haveria forma possível de receber compensação nem em dinheiro nem de nenhuma outra maneira. A proposta, fortemente blindada, não admitia dupla leitura nem resquício algum para dar-lhe outra interpretação que não fosse a de afastar o garoto do miserável futuro que o esperava, arrancando carvão nas profundezas de uma mina. O objetivo do oferecimento era, nas palavras de dona Manolita, fazer do rapaz aquilo que então se denominava um homem de proveito.

Aquele despotismo ilustrado deixou Andrés e sua mãe cheios de esperança, na mesma medida que ao pai e marido fervendo de raiva. Incapaz de decifrar o sentido de tão inoportuna vontade, o mineiro maldizia sua má sorte enquanto xingava em voz alta a falecida, sem pressentir que com esse comportamento não fazia mais que ratificar os prognósticos dela. E assim, sem parar de chamar de nomes feios tanto a patroa como sua santa mãe, tomou um porre de tais dimensões que acabou perdendo os sentidos no meio da rua e não os conseguiu recuperar até que dois escavadores do Pozo Norte o levaram arrastado até sua casa.

Simona, porém, não entendeu a coisa do mesmo modo e por isso enfrentou o marido com o mesmo brio com que limpava casas alheias desde que era uma menina. Mas o mineiro Fontana era teimoso como uma mula, e cada vez que a mulher tentava fazê-lo entender o lado proveitoso do assunto, ela acabava ganhando mais pancada que razão. De modo que ela decidiu radicalizar e, sem dizer nada a ninguém, na última noite do ano preparou uma trouxa miserável com uma muda de roupa, uma camisa limpa e meia fogaça com queijo e esperou. Às três da manhã do dia de Ano-Novo, o mineiro Fontana voltou ao lar após outra bebedeira monumental. Quando conseguiu pô-lo na cama, sentou-se em uma cadeira de junco, aproximou-se do braseiro e ficou olhando as brasas, absorta em seus pensamentos.

Uma hora depois, acordou Andrés e lhe ordenou em voz baixa que se vestisse. Açoitados pelo sereno da madrugada, os dois apertaram o passo a caminho da estação. Uma vez ali, ela lhe entregou o envelope com documentos e dinheiro que nessa mesma manhã havia recebido das mãos de dom Ramón Otero. Depois, abraçou-o com fúria, cravando nele todos os ossos de seu corpo seco. Às cinco e dez da manhã do dia primeiro de janeiro de 1930, Andrés Fontana pegou o carro-correio que o conduziria a um mundo estranho do qual não mais voltaria. Jamais tornou a ver sua mãe.

Simona desfez o caminho para sua casa enrolada em seu esfarrapado xale preto e arrastando os chinelos com desconsolo. Levava toda a dor do mundo nas entranhas, mas não soltou nem uma lágrima. Não restava mais nenhuma em seus olhos secos e exaustos.

CAPÍTULO 5

A estação del Mediodía deslumbrou o jovem Fontana com sua estrutura majestosa de ferro fundido. Ele não sabia que aquela estação que lhe pareceu imponente havia sido palco da saída das tropas espanholas para a guerra da África, ou da multitudinária recepção do cadáver do toureiro Joselito, morto dez anos antes em Talavera. Na realidade, falando em não saber, o rapaz não sabia quase nada. Para começar, não sabia sequer como abandonar aquele lugar cheio de vapor, estrondo e um tumulto humano carregado de vultos que se moviam com pressa brusca pelas plataformas.

Vestia um terno de veludo cotelê puído e um boné velho, e em seus dezesseis anos recém-feitos já havia superado a envergadura de muitos homens curtidos que diariamente desciam às minas na cidade que havia deixado para trás. Na mão esquerda levava a trouxa que sua mãe lhe havia preparado, já mais leve sem o peso do pão com queijo que havia comido no trem. Com a direita dentro do bolso das calças, apertava o envelope que dom Ramón Otero havia entregado a Simona no dia anterior. Nele guardava o endereço ao qual havia de se encaminhar, um pouco de dinheiro para os primeiros gastos e a carta que lhe abriria as portas para o saber. O resto do dinheiro mensal lhe seria entregue oportunamente por dona Antonia, a caseira em cujo lar residiria. Como o dinheiro do testamento de dona Manolita chegaria às mãos daquela mulher não era assunto nem de seu conhecimento nem de sua incumbência.

Seguindo o passo acelerado dos transeuntes, conseguiu por fim sair da estação para adentrar a cidade imensa e desconhecida. Havia sol para dar e vender, mas o frio era cortante. Quando sentiu os raios acariciando seu rosto, encaixou bem o boné, ergueu a lapela do paletó e se pôs em movimento sem ter a mais remota ideia de para onde se dirigir. Impulsionado por suas jovens pernas e por uma mistura equilibrada de ansiedade, euforia e desamparo, pouco tardou a encontrar seu rumo.

Demorou mais de três horas para alcançar seu destino, não porque o trajeto as requeresse, mas porque foi parando a cada passo admirado com os prodígios que a urbe exibia diante dos seus olhos: a grandiosidade dos edifícios, a velocidade dos automóveis, a opulência das vitrines, a elegância das mulheres trotando sobre seus saltos altos pelas calçadas da Gran Vía. Finalmente, seguindo as indicações que vários passantes lhe forneceram, conseguiu chegar ao número 47 da rua de la Princesa, muito perto da estátua de dom Agustín de Argüelles.

Dona Antonia era uma mulher pequenina e agradável, muito mais jovem do que ele havia imaginado, casada com um pedreiro militante na então ilegal CNT — *Confederación Nacional del Trabajo* — de nome Marcelino. Como único patrimônio contavam, entre ambos, com dois rapazes, Joaquin e Angelito, que na época ainda não haviam completado dez anos. O quarto que Andrés haveria de ocupar com eles na casa de dona Antonia, na portaria, era escuro e pequeno, e se amontoavam encostados nas paredes meio descascadas seus poucos utensílios: uma cama niquelada, um armário capenga, a mesa rústica que haveria de suprir a falta de uma escrivaninha. Do teto pendia uma lâmpada pelada de vinte e cinco watts. Uma janelinha se abria para um pátio interno onde dona Antonia lavava e estendia a roupa e onde conviviam alguns vasos com gerânios, um par de canários em suas gaiolas e o primitivo vaso sanitário que a família dividia com um vizinho marceneiro. O asseio pessoal cotidiano era feito na pia da cozinha e para os atos higiênicos de mais envergadura havia um tacho de zinco.

Nos dias sucessivos, Marcelino, então sem trabalho, dedicou-se a lhe mostrar o bairro a fim de familiarizar o rapaz com o novo entorno. Em menos de uma semana já lhe havia apresentado a maior parte dos vizinhos; além do mais, anarquista ferrenho e tagarela incansável como era, pouco tardou a informá-lo sobre os últimos acontecimentos históricos, transmitindo-lhe de quebra discursos políticos que para Andrés, fascinado com sua realidade mais imediata, não importavam nem um pouco. Na verdade, mal prestou atenção ao fato de que no fim daquele mesmo mês de janeiro o rei Alfonso XIII aceitaria a demissão de Primo de Rivera, de que o general Berenguer se encarregaria de formar o novo governo e de que o povo de Madri — pobre, inculto e cada vez mais agitado — exigia de seus próceres uma mudança radical.

Foi também Marcelino quem acompanhou Andrés em sua primeira visita ao Instituto Cardenal Cisneros, onde, segundo as instruções de dona Manolita, haveria de obter o diploma do secundário que lhe abriria as portas da universidade. Suas carências em matéria de educação eram, na época, ainda imensas. O muito ou pouco que guardava em sua cabeça procedia de poucos anos de escolarização rudimentar, da leitura dos livros que voluntariosamente sua madrinha lhe havia fornecido e dos volumes da enciclopédia juvenil que havia devorado com paixão ao longo dos últimos meses. Graças a isso, tinha certos conhecimentos em campos variados e um tanto pitorescos: geografia do mundo, tecnologia aplicada, um pouco de folclore internacional. Carecia, porém, de uma formação sistemática em matérias básicas como Matemática, Gramática, Latim ou Francês; desconhecia os mais elementares conceitos éticos e sociais, e não tinha a menor ideia do que o hábito de estudo implicava. Uma mera evidência andante do desolador panorama educacional da Espanha das primeiras décadas do século XX, quando o analfabetismo afetava mais de sessenta por cento da população, e os professores — poucos, e muitos deles com formação deficiente — recebiam salários paupérrimos pagos com constantes cortes e atrasos.

Nada importaram para Andrés as deficiências do sistema naquela fria manhã em que percorreu a rua de los Reyes em companhia de Marcelino para adentrar pela primeira vez os muros do Instituto Cardenal Cisneros. Com a carta que dona Manolita lhe deixou, endereçada ao diretor, como salvo-conduto, em silêncio reverencial seguiram o bedel, que os conduziu ao longo de um largo corredor cheio de luz de inverno. Andavam com seus bonés proletários nas mãos, tentando não fazer barulho ao pisar, plenamente conscientes da incongruência de sua modesta aparência naquele lugar erudito.

Foram poucos os minutos que tiveram de esperar: o tempo que um homem ossudo e calvo demorou para ir buscá-los no banco onde o bedel, com um gesto desdenhoso, havia indicado que se sentassem. Ambos se levantaram, então, como acionados por uma mola. O cavalheiro mal sorriu. Era dom Eladio de la Mata, o diretor.

Fez que entrassem em sua sala lotada de livros, diplomas emoldurados e retratos de outros homens igualmente notáveis que o haviam precedido no cargo. Leu, a seguir, a carta endereçada a ele que dona Manolita havia deixado em seu testamento, escutou atento a exposição do rapaz e com gestos breves, mas inflexíveis, impediu várias vezes que o loquaz Marcelino o interrompesse para aportar observações alheias ao discorrer da narração. Depois, fez umas perguntas a Andrés, e, em sua opinião, o jovem respondeu com maturidade e seriedade totalmente impróprias de suas origens e idade.

Dom Eladio tomou então a palavra e, com dicção modulada e clareza milimétrica, expôs ao rapaz os pilares nos quais a partir de então se haveria de sustentar sua vida se estivesse realmente disposto a completar seus estudos para entrar na universidade. Falou-lhe de trigonometria, declinações e empenho; de poetas, fórmulas químicas e perseverança. De equações e sintaxe, de integridade. O jovem escutou encantado, absorvendo uma a uma as palavras e anotando mentalmente todos os conceitos, todos os nomes, todas as ideias. Quando abandonaram a sala meia hora depois, tanto o diretor como ele mesmo pressentiam que seu objetivo era alcançável. O pobre Marcelino, entretanto, desconfiava que algo fundamental estava lhe escapando na vida.

Saíram em silêncio do instituto e andaram pelas proximidades. Marcelino, na frente, avançava a grandes passos com as mãos nos bolsos e estranhamente silencioso. Andrés o seguia apertando o passo, tentando não o perder enquanto ainda saboreava as palavras de dom Eladio. Após uma breve caminhada, entraram em uma taberna próxima ao Mercado dos Mostenses. Abriram caminho até o balcão a cotoveladas por entre as pessoas, e Marcelino pediu dois copos de vinho. Beberam em silêncio, envoltos pelo alvoroço da clientela. O rapaz não conseguia entender o que estava acontecendo com Marcelino, qual era a causa de sua quietude incomum. Soube assim que o pedreiro anarquista com mais coração que conhecimentos deu o último gole de seu copo e o deixou, com um golpe seco, em cima do balcão. Então, limpou a boca com a manga do paletó, e olhando fixamente para o rapaz, pediu-lhe que o ensinasse a ler e escrever.

A partir daquele mesmo dia, começou para Andrés uma etapa na qual as semanas e os meses se fundiram em um alvoroço compacto de dias de estudo sem trégua trancado em seu quarto. Dormia o justo e comia só quando dona Antonia o obrigava. Então, dividia com a família o cozido ou os ovos com *pisto*[4] e se esforçava para participar de suas conversas, prestar atenção nas notícias que Marcelino trazia da rua ou rir com os rapazes de suas tiradas. Tentava, mas sua mente estava longe, ruminando o teorema de Pitágoras, esmiuçando a tabela periódica, recitando sem voz fragmentos de *Eneida: At regina graui iamdudum saucia cura...*

A renda mensal de sua madrinha lhe permitia sobreviver sem muito sufoco. Além de lhe proporcionar os artigos imprescindíveis — os lápis, as canetas-tinteiro, a tinta, os cabos das penas de escrever —, possibilitava-lhe custear de vez em quando um ou outro luxo com o objetivo de sedimentar com mais firmeza seus novos conhecimentos: um atlas da Espanha e suas províncias, um jogo de lâminas enceradas do corpo humano, uma pequena lousa de marca La Moderna. E até dar de vez em quando um pequeno presente à sua senhoria, convidar Marcelino a um bar qualquer e dar algumas moedas aos meninos para que comprassem um cone de grão-de-bico torrado ou um pirulito de Havana.

---

4 Basicamente, mistura de pimentão, cebola, tomate e abobrinha picados e refogados. (N. T.)

Ao longo do tempo que necessitou para concluir o colegial, ao seu redor aconteceram também coisas que mudariam definitivamente a história de seu país; coisas que ele, com sua fome atrasada de saberes, não teria sabido não fosse pela incontrolável verborragia de Marcelino, que, firme em seu afã, aprendia pouco a pouco a ler e escrever na mesinha redonda mergulhado no *Catón*.

Comemoraram juntos seu primeiro Natal na casa de dona Antonia brindando com refrigerante e vinho vagabundo por um 1931 venturoso e em paz. E embora o ano não tenha sido agradável, receberam naquela casa como algo venturoso as mudanças que ocorreram apenas alguns meses depois com o exílio do rei e a chegada do ar fresco da Segunda República.

Em vinte e três de maio de 1932, o filho da humilde criada e do mineiro analfabeto, bem penteado, engravatado e sem nervosismo aparente, conseguiu passar no exame do ensino secundário diante de uma cruel banca. Dona Manolita teria se sentido orgulhosa ao ver que seu pupilo havia cumprido satisfatoriamente seu planejamento. Da casa de dona Consuelo, a mal-humorada asturiana da segunda à direita, fizeram uma ligação quase internacional para transmitir a notícia a Simona, que recebeu a ligação na casa de dom Ramón Otero enquanto, suando, passava as camisas de seu patrão. Emocionada e incapaz de dizer nada coerente na distância insondável dos fios telefônicos, a pobre mulher só conseguiu repetir várias vezes "meu filho, meu filho, meu filho" enquanto torcia com força seu surrado avental de percal.

CAPÍTULO 6

Tal como o testamento indicava, o passo imediato na vida de Andrés Fontana foi a universidade. No início da década de 1930, a Universidade de Madri carecia ainda de um núcleo comum e tinha diversas instalações distribuídas pela capital, na maioria velhas, quando não terrivelmente obsoletas. A Cidade Universitária estava ainda em fase de construção, imersa em um longo processo que havia sido impulsionado pelo ideal de Alfonso XIII de dotar a capital de um recinto universitário similar aos norte-americanos, onde primaria o planejamento integral, a arquitetura funcional e as vastas áreas destinadas aos esportes e ao lazer.

A chegada da Segunda República e a súbita partida de Alfonso XIII rumo ao exílio não detiveram o projeto, ao contrário; foi reimpulsionado com interesse, porém com a eliminação de qualquer concessão à grandiosidade e ao excesso. Quando Andrés entrou em seu primeiro ano, os estudos humanísticos ainda eram realizados no velho casarão da rua San Bernardo. Aquela localização duraria muito pouco, posto que a Faculdade de Filosofia e Letras se mudaria para seu edifício ainda inacabado na Cidade Universitária, um pavilhão quadrado e compacto, de tijolos vermelhos e cheio de janelas. Os estudantes chegavam a ele em modernos ônibus de dois andares. A universidade inaugurava, na época, uma reorganização do ensino e contava com eminentes professores: Américo Castro, Ramón Menéndez Pidal, Xabier Zubiri, Tomás Navarro Tomás, Pedro Salinas, Rafael Lapesa... Essa foi a universidade que Andrés Fontana conheceu: uma instituição que se esforçava para se modernizar e que, pouco a pouco, foi avançando da atrofia mais pertinaz até uma pujança moderada, mas certamente esperançosa.

A mesma perseverança com que conseguiu superar o secundário guiou o rapaz na carreira, destacando-se de tal forma que no terceiro ano o professor Enrique Fernández de la Hoz, catedrático de gramática histórica, propôs a ele que participasse como monitor bolsista nos cursos de espanhol para estrangeiros que seriam dados no trimestre seguinte. Aceitou a oferta sem sequer saber do alcance da tarefa.

A difusão do espanhol era uma das ações da "Junta para a Ampliação de Estudos": por meio dela professores convidados eram enviados, ano após ano, às universidades de diversos países e organizavam reciprocamente cursos para estudantes e professores estrangeiros. O compromisso de Andrés com aquela tarefa começou em janeiro de 1935 e se estendeu até finais de março. Sua tarefa seria participar de sessões práticas de conversação, atuar como acompanhante em visitas e excursões e estar disponível para resolver qualquer incidente que pudesse surgir em um grupo de professores norte-americanos, desde esclarecer mal-entendidos motivados pelo idioma até localizar um praticante atrasado ou levá-los às tabernas mais pitorescas do centro de Madri.

Tudo neles o surpreendeu, tudo o impressionou. A energia incansável com que aqueles forasteiros plasmavam com suas modernas câmeras fotográficas as cenas mais simples — um gato em uma varanda, um escudo de pedra, uma velha enlutada vendendo ovos com sua cesta de vime pendurada no braço —; a leviandade com que gastavam o dinheiro; o colorido quase estrondoso de suas roupas; aqueles sorrisos de dentes brancos. Por eles mesmos, soube que o país do qual provinham era composto de quarenta e oito estados, com eles mesmos fumou seu primeiro cigarro de tabaco Burley com piteira e dançou ao ritmo do suingue com uma valquíria de Detroit no coreto do hotel Palace. Com eles se emocionou diante do aqueduto de Segóvia e de *As meninas*, de Velázquez; saboreou pela primeira vez o chocolate espesso de La Mallorquina e lhes ensinou expressões castiças e a beber vinho direto do *porrón*[5]. Assistiram em grupo no Teatro María Isabel a *Un adulterio decente*, de Jardiel Poncela, e compraram livros na ladeira de Moyano. E longe de ser somente um guia fiel em seus quase noventa dias de andanças, também foi de grande ajuda àqueles incansáveis estrangeiros para que continuassem treinando seu espanhol depois de terminadas as aulas, para corrigir a pronúncia do "j" e do "z", ajudá-los com os subjuntivos, revisar a ortografia de suas redações, lançar luz sobre aspectos difusos da idiossincrasia hispânica e — enfim — fazer que a estada de todos eles fosse muito mais grata e proveitosa do que teria sido sem ele.

Duas semanas antes da volta do grupo, uma das professoras — Sarah Burton, a loira esbelta que sempre usava calças e fumava sem parar, deixando uma marca perpétua de batom nas piteiras — lhe informou que sua universidade havia estabelecido um programa de bolsas anuais para intérpretes estrangei-

---

5 Clássico recipiente com dois tubos: um fino, por onde sai o líquido, e outro mais grosso, por onde entra o ar e também por onde se segura o *porrón*. Beber vinho do *porrón* permite compartilhá-lo com outras pessoas e é um costume espanhol já conhecido no mundo todo. (N. T.)

ros. Se estivesse interessado, ela poderia recomendá-lo. Caso aceitasse, além de ensinar sua própria língua, teria a oportunidade de aproveitar o ano para aprender inglês e dar prosseguimento a sua formação assistindo a aulas relativamente afins às de sua carreira: Linguística, História da América, Literatura Comparada. Ao término do curso, poderia voltar para Madri e se reincorporar à sua carreira após ter visto um pouco do mundo, vivido outras experiências e adquirido novos conhecimentos.

Os americanos retornaram ao seu país no fim de março cheios de leques, cerâmicas e chinelos de esparto. Sem saber, deixavam para trás um Andrés Fontana com a perspectiva de mundo alterada para sempre. A partir de então, ia para a cama, noite após noite, pensando na proposta da bolsa de estudo e se levantava na manhã seguinte com a mesma ideia na mente. Abandonar sua cidade mineira para se estabelecer na capital havia sido um passo grande, mas possível; saltar o oceano para desfrutar uma estada em uma universidade norte-americana lhe parecia um abismo. Um abismo imenso, mas fascinante.

A primavera foi se instalando com quietude em Madri enquanto ele preparava a reta final do curso e esperava, impaciente, notícias de Michigan. Quatro semanas depois, recebeu um envelope retangular. Dona Antonia o entregou a ele ao voltar da faculdade, e, apesar da infinita angústia que sentiu ao vê-lo, rasgou-o com extremo capricho, extraiu parcimonioso a carta que continha e se sentou aos pés da cama para lê-la sem pressa. O remetente era o diretor do Departamento de Línguas Clássicas e Românicas, e na carta anunciava que, à vista do parecer altamente favorável fornecido pela Dra. Burton, tinha a satisfação de fazer-lhe um convite formal para usufruir de uma bolsa de estudo no programa de Estudos Hispânicos ministrado pela instituição. Suas responsabilidades incluiriam quinze horas de aula semanais e a participação em algo chamado *The Spanish Club* às sextas-feiras à tarde. Em troca, viveria nas instalações do campus, receberia um pequeno salário em dólares para seus gastos e teria matrícula gratuita em quantas matérias quisesse fazer. Caso necessário, a instituição poderia lhe pagar cinquenta por cento dos gastos da viagem. Seu compromisso duraria nove meses, desde primeiro de setembro de 1935 até trinta e um de maio de 1936. A carta estava redigida em perfeito espanhol, datilografada com capricho em papel grosso cor de marfim e assinada com tinta preta, com traço firme, por Richard J. Taylor, PhD., reitor. Requeriam sua resposta antes do fim do mês.

Após dobrar a carta respeitando suas duas únicas dobras, colocou-a no envelope, guardou-a no bolso interno do paletó e se sentou para comer com a família, tentando esconder seu nervosismo entre a conversa e o feijão. Assim que terminou, saiu de casa e começou a andar sem rumo. Quando voltou, ao anoitecer, já havia resolvido seu dilema, mas não comentou com ninguém e foi dormir sem jantar. Na manhã seguinte, comunicou solenemente sua decisão à dona Antonia enquanto ela estendia os lençóis recém-lavados no arame do pátio central do edifício. Escreveu uma carta a Simona para que dom Ramón a lesse para ela.

Em catorze de julho de 1935, embarcou no porto de Cádiz em um catre dos deques do navio *Cristóbal Colón* rumo a um país imenso e desconhecido. Inicialmente, pretendia voltar no começo de junho do ano seguinte, assim que terminassem as aulas, mas um convite para colaborar em um curso de verão para professores de escolas secundárias o fez mudar de planos e adiar sua volta para o início de agosto de 1936. Pensou que com a remuneração daquele curso poderia comprar alguns presentes: novidades tecnológicas, aparelhos que em seu país não podiam sequer intuir ainda.

Aquela pequena mudança de planos no calendário desviou irremediavelmente seu destino: por conta dos maus passes da história, nunca voltou. Ficou na América com a alma encolhida e uma mala cheia de roupa nova, meia dúzia de pacotes de cigarros de tabaco Burley e quatro maravilhosos ferros elétricos da casa General Electric. Dona Antonia, sua mãe e suas irmãs ainda teriam de cruzar longos anos passando roupa à moda antiga.

A guerra mudou seu país para sempre. Madri se preparou para uma dura resistência, e sua fisionomia se transformou radicalmente. A estátua de dom Agustín de Argüelles, que a cada manhã o saudava ao abandonar a casa da rua de la Princesa, foi eliminada para não atrapalhar os movimentos de tropas e veículos. O coreto do hotel Palace onde se podia dançar ao comando de uma loira monumental se transformou em um hospital de campanha. No início da contenda, quase todas as faculdades e escolas da nova Cidade Universitária já estavam em fase muito avançada, senão concluídas e em pleno funcionamento. Pouco haveria de durar, porém, o cheiro da tinta fresca, o brilho dos vidros e as carteiras de madeira recém-envernizadas. A guerra cruenta reduziria a escombros uma universidade que avançava airosa rumo à excelência. Arruinaria grande parte de seu patrimônio científico, artístico e bibliográfico, e empurraria para o abismo do exílio inúmeros membros do seu professorado. Com a queda de Madri, aquele ambicioso sonho monárquico de um campus de esplendor americano havia ficado brutalmente arrasado e seus edifícios, reduzidos a trêmulos esqueletos. Das quarenta mil árvores plantadas, só restavam as raízes. O lugar das salas de aula foi ocupado pelas trincheiras; o dos laboratórios, pelos fortes. Com as enciclopédias e os dicionários fizeram barricadas, e os sacos de terra, os fuzis e os cadáveres se espalharam, sinistros, pelos hemiciclos e pelas bibliotecas.

Foram milhares os mortos na Cidade Universitária. Dentre eles Marcelino, que faleceu no Hospital Clínico com o crânio arrebentado, de barriga para baixo naquele chão destinado a fazer florescer a ciência, o saber e a esperança, e não o horror e a morte. No bolso esquerdo da jaqueta, levava uma carta amassada não terminada, na qual, com sua letra infantil, começava formulando uma saudação transoceânica que jamais chegaria a seu destino: "Querido amigo Andrés, espero que à chegada da presente você se encontre bem de saúde...".

CAPÍTULO 7

Com a ajuda de alguns estudantes de pós-graduação, levei a primeira parte do legado à minha sala e empilhei as caixas e os montes no chão, encostados na parede. Foi uma mudança significativa, não só porque deixei a escuridão e o isolamento do porão para começar a trabalhar em um ambiente mais agradável, mas também porque, em certa medida, tive a sensação de estar tirando Andrés Fontana das trevas, por fim.

Seu contorno difuso foi a partir de então se perfilando diante de mim com o traço cada vez mais firme, com um enfoque mais humano e uma implicação mais próxima de minha parte, dando-me passagem para a luz na vida do professor sem perder a perspectiva de sua existência real. Tudo tinha agora um pouco mais de sentido: suas letras, seus movimentos, sua correspondência.

E assim foram se passando os dias, eu adentrando com passo estável, pensei, o caminho reto da reconstrução. Até que uma ligação inesperada me fez hesitar e jogou com estrépito no chão as bolinhas coloridas que — ingênua de mim — eu julgava estar mantendo harmoniosas no ar. Foi no início de outubro. E foi Alberto quem, uma vez mais, quebrou o equilíbrio.

Não havíamos nos falado mais desde o início do verão, nem sequer quando tive notícia de sua futura paternidade por meio de David. De fato, quando soube da notícia, fui eu quem se fechou em copas, quem se negou a qualquer tipo de contato. Preferi evitá-lo, sabia que seria doloroso enfrentar cara a cara a crueza das circunstâncias: como jogar sal em uma ferida aberta, como o óleo fervendo que salta repentino e queima a mão que empunha a escumadeira. Possivelmente Alberto também havia entendido assim e decidira não insistir nas ligações para me poupar o sofrimento. Ou talvez não tenha entendido nada e apenas se esqueceu de mim, envolvido como estava em seu novo projeto de vida em um *loft* reformado com aquela colega de trabalho muito mais nova que ele, que agora também já era a companheira de sua vida.

Vivemos juntos, durante três anos, a preparação de Alberto para se integrar ao corpo superior de administradores do Estado, esforçando-nos em paralelo a fim de atingir o mesmo objetivo. Quando nos casamos, nenhum dos dois havia terminado a faculdade ainda. Para mim faltava um ano e meio, para ele, apenas alguns meses. Pensamos, então, que concentrar os esforços mútuos em sua projeção profissional talvez fosse mais efetivo. Além de estar um ano à minha frente na faculdade, ele sabia muito bem o que queria fazer da vida: passar no concurso público como seu pai e seus irmãos. Meus planos de futuro, porém, eram muito mais difusos. De fato, quase nem existiam. Eu gostava de línguas, gostava de livros, gostava de viajar. Banalidades indefinidas, em suma, com poucas possibilidades de se materializar imediatamente em um trabalho produtivo e razoavelmente bem remunerado. De modo que Alberto, cujo currículo era muito menos brilhante que o meu, dedicou-se a estudar. E eu, entretanto, estacionei minhas humildes aspirações para me concentrar em criar nossa pequena família.

O sucesso final foi, logicamente, dele: havia se preparado como um louco no imenso temário e atingiu seu objetivo na segunda tentativa. Enquanto isso, não prestei nenhum concurso, nem recebi congratulações quando saiu a lista de aprovados, nem troquei por terno e gravata os jeans de sempre e aqueles longos casacos de lã grossa que eu mesma tricotava em meu pouco tempo livre. Mas fiz outras coisas que talvez tenham contribuído, pelo menos tangencialmente, com o triunfo do meu então jovem e promissor marido. Enquanto ele decorava suas leis e seus decretos trancado com tampões nos ouvidos para se isolar da rotina dos reles mortais, eu havia gestado, parido e criado seus dois filhos e me esforçado noite e dia para que não interrompessem com seu choro e suas exigências infantis o sossego de que ele precisava. Ao longo de quilômetros de calçadas e de horas intermináveis sentada na pedra fria dos bancos dos parques, minha vida transcorreu colada a um carrinho com uma criança enquanto outro bebê se formava dentro de mim, e depois empurrei um carrinho com dois meninos, e depois foram dois meninos que eu levava pelas mãos andando a passos minúsculos, levantando-os do chão quando caíam, limpando suas lágrimas, suas feridas e as remelas, e depois andando outra vez. E assim durante dias e meses e anos, com frio, com tédio e com chuva, com vento, cansaço e calor, para que Alberto pudesse estudar com a tranquilidade necessária. Sem ser distraído, sem ser perturbado. Como eu nunca consegui fazer.

E enquanto meu marido ficava isolado em sua bolha jurídica alheio a trivialidades domésticas, tais como pagar o aluguel e o gás ou comprar ovos, frango e detergente, eu trabalhei como mercenária em fuga em qualquer coisa que foi aparecendo. Aulas particulares durante a sesta dos meninos ou enquanto eles engatinhavam pelo chão no meio das pernas dos meus alunos; traduções de textos médicos datilografadas com uma das mãos enquanto com a outra dava mamadeira a David; transcrição de manuscritos indecifráveis com Pablo pendurado no meu peito. Para que Alberto estudasse como eu gostaria de ter estudado. Mas não foi assim, porque nem sequer cogitamos essa possibilidade. Talvez porque nossos filhos já estavam a caminho, talvez porque eu só aspirava a ser professora de algo vinculado com Letras e isso era bem menos importante que a ambição do meu marido de alcançar a categoria de funcionário público de divisão de honra.

Eu me virei com tudo e com isso também para acabar a faculdade, a duras penas. Não tive mais remédio, porém, que deixar de lado minha ambição de fazer o doutorado a seguir, e de procurar um emprego digno, para ajudá-lo em seu muito nobre propósito de chegar a ser um alto servidor do Estado como seu pai: esse pai que — assim como os meus — havia considerado uma desonra para a família que nos casássemos tão jovens com uma gravidez mais que notória arredondando meu perfil. Esse pai que jamais havia se preocupado com seu filho, nem com a mulher de seu filho, nem com os filhos de seu filho, até que o *Diário Oficial do Estado* publicou a nomeação de seu rebento. Só então pareceu esquecer nossa desonra e nos abriu de novo as portas do seu mundo. Maldita falta que já então nos fazia. Mas Alberto aceitou voltar ao rebanho com a mesma incrível naturalidade com que agora havia se acomodado ao fato de não me ter mais ao seu lado e a empreender uma nova vida com Eva. Como se nada tivesse acontecido, como se um antes nunca houvesse existido. Como se ao longo do caminho não houvesse existido a dor. Alberto era assim: o mais tenaz para o que lhe interessava, o mais insensível diante das complicações. Quanto nos conhecíamos!

Quando ele conseguiu passar no concurso, por fim pude me concentrar em arranjar um emprego regular de período integral. Minha experiência com infinitas aulas particulares para dezenas de adolescentes me fez descartar a ideia de me dedicar ao ensino no colegial de então. Eu não tinha estrutura para enfrentar a voz passiva e as orações subordinadas relativas lidando ao mesmo tempo com a explosão hormonal e a fase do patinho feio dos meus pupilos. Por isso, agarrei-me com unhas e dentes a uma vaga oferecida por uma das novas universidades que começaram a florescer naqueles anos, um cargo no degrau mais baixo do escala docente que desde o início me entusiasmou. E assim comecei.

Foi passando o tempo, terminei a tese, meu trabalho se estabilizou. Mudamos de casa: de apenas sessenta metros quadrados internos e mal distribuídos em um bairro velho passamos a quase duzentos recém-construídos com um pequeno jardim, e os meninos cresceram e começaram a entrar e sair, e assim seguiu a vida. Até que um dia, um de tantos, alguém cruzou o caminho do meu marido e, de repente, sua mulher e seu mundo doméstico lhe pareceram imensamente tediosos. E no início de julho, quando o calor começava a se impor feroz, Alberto me disse que ia embora de casa.

Pela primeira vez na vida tive consciência de como são frágeis, na realidade, as coisas que julgamos permanentes, da facilidade com que o estável se racha e as realidades podem evaporar com um sopro de ar que entra pela janela. Quando Alberto foi embora naquela noite, levou consigo algo mais que uma mala com roupa de verão. Com ele se foi também minha confiança, minha ingênua certeza de que a vida é algo unilateral que segue uma linearidade preestabelecida lavrada pelos anos, assentada firmemente em pilares sólidos e duradouros. Quando fechou a porta atrás de si, não deixou do lado de dentro somente uma mulher com o coração desolado. Para trás ficou também uma pessoa mudada para sempre: um ser que se pensava forte transformado em alguém vulnerável, descrente e desconfiado para com o resto do mundo.

Sua ligação me pegou desprevenida, um dos meus filhos devia ter lhe dado meu número. Sua voz me pareceu estranha a distância. Era a de sempre, mas já não transmitia aquela cumplicidade que havíamos trançado durante quase vinte e cinco anos de convivência. Havia se desvanecido, ou talvez ele a tenha levado consigo quando esvaziou seu armário e recolheu de diversos cantos da nossa casa alguns punhados de coisas. Já não existia entre nós aquele código imperceptível mediante o qual havíamos nos comunicado durante anos com a precisão de um franco-atirador. Sua voz agora era a de um homem atencioso e distante que me falava de advogados, contas-correntes, hipotecas e procurações. Aceitei incondicionalmente suas propostas como um autômato, não apresentei objeções nem alternativas. No fundo, tudo dava na mesma para mim.

Nunca havíamos estabelecido demarcações em nossas propriedades e em nossa vida em comum além daquelas que a força do costume havia imposto: o lado da cama em que cada um dormia, o lugar que ocupávamos na mesa, a ordem das nossas coisas nos armários e nas prateleiras do banheiro. Havíamos começado a conviver com tão poucos haveres que tudo que chegou depois foi sempre parar em uma bolsa familiar conjunta. Os dois carros com que íamos trabalhar, a casa que habitávamos e um pequeno chalé na praia eram todo o nosso patrimônio. Ele me propôs, então, pôr à venda as duas casas, pagar o que restava das hipotecas e dividir o dinheiro entre nós dois. Não me pareceu ruim. Nem bom. Por mim, podia pôr fogo em tudo.

Depois de desligar fiquei imóvel, tentando rebobinar e digerir a conversa com o telefone já devolvido ao seu lugar e a mão direita ainda segurando-o com força. Em poucos segundos, o aparelho tocou de novo, quebrando abruptamente minha quietude. Imaginei que seria ele outra vez, talvez houvesse esquecido de me dizer alguma coisa. A voz que ouvi, porém, não foi a dele.

— Blanca, aqui é Luis Zárate. Está livre para almoçar? Quero lhe propor uma coisa. Ou melhor, duas.

Encontrei-me com o diretor na entrada do Guevara Hall e juntos nos dirigimos à lanchonete do campus. Apesar de tentar aparentar absoluta normalidade, eu ainda estava com a voz de Alberto ressoando em meus ouvidos. Ele havia retornado com tanta força, com tão inesperada intensidade que, enquanto o diretor falava e eu fingia ouvir assentindo de vez em quando com a cabeça, minha mente andava perdida em outros lugares. Até que, segurando as bandejas do *self-service*, sentamo-nos um em frente ao outro e ele por fim abordou a razão pela qual queria me ver. Então, não tive mais remédio que descer à realidade e prestar atenção.

— O departamento foi convidado a participar de um novo programa de extensão universitária — disse atacando consciencioso a sua salada. — A proposta é que ofereçamos um curso que possa ser de interesse geral. Pensei que sua estada poderia ser uma boa oportunidade para propor alguma coisa relacionada à Espanha contemporânea. Por aqui se sabe pouco sobre seu país, praticamente toda a influência hispânica provém do México. Por isso, talvez pudesse ser interessante elaborar um curso destinado a mostrar outra vertente do espanhol, um curso destinado a interessados em melhorar seu domínio linguístico enquanto aprendem sobre aspectos da Espanha atual. O que você acha?

Na realidade, eu não achava nada. Aquela proposta, e naquele momento, não fedia nem cheirava para mim. Nem aquela, nem nenhuma outra que me houvesse feito. Tentei não demonstrar isso com excessivo descaro.

— Parece interessante — menti simplesmente enquanto fingia concentrar meu esforço em espetar um triste champignon.

— Não se trataria de um seminário acadêmico, seria algo mais informal — continuou. — Você poderia usar artigos de jornais, notícias, fragmentos de romances: qualquer tipo de material que lhe ocorrer. Filmes até; eu tenho uma boa quantidade de vídeos. Só lhe ocuparia duas tardes por semana, e não pagam mal.

— Quem seriam os alunos?

— Adultos profissionais, estudantes graduados de outros departamentos, talvez. Gente vinculada à universidade ou simples residentes de Santa Cecilia com interesse em aprender um pouco mais.

Apesar de meu desinteresse, a oferta era tentadora. Eu gostava do trabalho em sala de aula e de elaborar meus próprios materiais. Além do mais, não tinha nada especial para fazer à tarde, e o dinheiro sempre cairia bem. Contudo, fui incapaz de me comprometer.

— Posso pensar?

Ele me observou com olhos curiosos. Como se tentasse descobrir se na realidade eu precisava de tempo para tomar uma decisão ou se realmente não aceitava sua proposta por algum outro motivo.

— Claro, pense a respeito. De qualquer maneira, Rebecca tem os dados específicos da convocatória, caso queira saber de outros detalhes. Bem, e agora vem minha segunda proposta, mais breve e mais simples ainda.

Eu tinha certeza de que, não importava o que dissesse, aquilo também não ia despertar em mim um entusiasmo excessivo. Mas disfarcei.

— Diga.

— Não sei se você sabe que entre 15 de setembro e 15 de outubro neste país se comemora o mês da hispanidade. Acho que é algo que remonta aos anos 1960, um tributo à riqueza da herança hispânica.

— E em que consiste, basicamente?

— Em uma série de projetos diferentes, depende do âmbito. Desde festejos folclóricos até atuações políticas. O Departamento de Relações Internacionais da universidade, por sua vez, todos os anos propõe um debate no qual nosso departamento costuma participar com um representante como parte do debate. E me ocorreu que este ano você poderia participar como nossa convidada.

— Para falar sobre o quê?

— Sobre mil coisas em geral. Costuma ser um debate grande, com sete ou oito participantes de diversas áreas e disciplinas ligadas ao mundo hispânico. Professores de História da América Latina, de Relações Internacionais ou de Ciência Política; algum professor visitante, algum doutorando...

Não o deixei sequer acabar.

— Vou lhe criar problemas se lhe disser que não?

Eu não me sentia com vontade nem com forças para dar opiniões razoavelmente interessantes sobre sabia Deus o quê em um debate com tanta gente, nem sequer tinha vontade de pensar.

— Em absoluto, era apenas uma ideia. Posso propô-la a outros colegas. Ou talvez até participar eu mesmo.

— Não estou em meu melhor momento para atuações estelares, entende?

— Não se preocupe, isso acontece com todo mundo de vez em quando.

Começamos a recolher nossas bandejas e as deixamos nos carrinhos; era hora de voltar. Luis continuou falando pelo caminho, monopolizando a conversa sem me perguntar nada nem esperar que eu falasse, consciente do meu pouco ânimo para papear.

— Então, fique em contato com Rebecca; ela lhe dará os detalhes do curso caso finalmente se entusiasme. Depois você me avisa, certo? — Foi sua despedida ao sair do elevador.

Esbocei um sorriso, murmurei outro assentimento em resposta e me voltei disposta a ir embora. Uma mão, porém, me deteve antes de eu começar a andar. Uma mão em meu pulso, sua mão em um breve aperto.

— Se estiver a fim de conversar qualquer hora, sabe onde me encontrar.

Voltou-se à sala de reuniões e eu fui em busca de Rebecca, um tanto desconcertada ainda por aquele gesto inesperado. Talvez não estivesse tão sozinha como acreditava. Talvez a solução fosse encher minha vida com outros afetos em vez de continuar lamentando os perdidos.

Encontrei a porta fechada e um *post-it* amarelo. Fui almoçar, dizia. De modo que voltei à minha sala para continuar trabalhando enquanto tentava calcular a que horas ela retornaria. Ficava pensando na proposta daquelas aulas e ainda sentia os dedos inesperados de Luis Zárate em minha pele. Ao entrar, porém, um choque súbito arrancou da minha mente aqueles assuntos, e como em um passe de mágica tudo – curso, debate, Rebecca, o diretor, meus bons propósitos e o grande guarda-chuva da hispanidade –, tudo, absolutamente tudo se evaporou diante do violento assalto à memória da ligação de Alberto.

Mas resisti mais uma vez. Neguei a mim mesma o direito de remoer o que havia escutado, de analisar a proposta tão crua e tão triste daquele que havia sido durante tanto tempo a pessoa mais próxima a mim. Neguei-me a me perguntar, uma vez mais, como era possível que aquilo estivesse acontecendo conosco.

Os papéis de Fontana foram de novo meu refúgio. Mergulhei neles um longo tempo, usando-os como analgésico, até que batidas na porta me tiraram dos meus pensamentos. Ao levantar a vista, encontrei o rosto sempre agradável de Rebecca.

— Sei que andou me procurando e sei para quê. Aqui estão os detalhes.

Pedi que se sentasse enquanto tirava um monte de documentos de cima de uma cadeira. A única da minúscula sala, além da minha velha poltrona.

— Como o diretor já deve ter lhe contado — começou a falar enquanto se acomodava em frente à minha mesa —, a proposta é de um seminário de quatro horas semanais durante oito semanas. Sei de antemão que há várias pessoas interessadas nele; eu mesma gostaria de participar, mas receio que meu conhecimento de sua língua seja muito elementar.

— Já esteve na Espanha, Rebecca? — perguntei então. Nem eu mesma sabia por que lhe fazia essa pergunta. Talvez porque, apesar da corrente de simpatia que se havia criado entre nós, eu nunca havia pensado em quanto ela conhecia da minha pátria. Talvez porque, naquele momento, eu precisava recorrer a algo que me desse um pouco de calor.

Ela reagiu com lentidão diante da minha simples pergunta. Tirou os óculos primeiro e respondeu depois, enquanto limpava as lentes com uma ponta da sua camisa.

— Uma vez, quase fui para lá, já faz muitos anos. Eu tinha uma amiga espanhola, sabe? Uma grande amiga. Vivia aqui, em Santa Cecilia, e havíamos planejado uma viagem para passar todo o verão na Espanha. Mas aconteceu algo inesperado naquela primavera e esses planos nunca puderam se concretizar. — Ergueu de novo a vista. — Qualquer dia desses, tomo coragem outra vez.

Tornamos a nos concentrar no projeto do curso; ela já estava quase convencida de que eu aceitaria. Falamos de datas e prazos, de possíveis participantes. Até que percebemos que já eram quase cinco, hora de ir acabando a jornada de trabalho. Rebecca recolheu seus papéis e começou a se despedir. Em pé na porta, prestes a sair, olhou-me com um meio sorriso e uma ponta de nostalgia nos olhos e na voz.

— Ela era uma mulher magnífica. Sua memória ainda continua aqui.

CAPÍTULO 8

Na semana seguinte, o departamento apareceu forrado de cartazes que anunciavam o debate sobre a hispanidade, para que ninguém esquecesse a data.

— Você vai, não é? — perguntou-me Rebecca no meio da manhã, pondo brevemente a cabeça pela porta da minha sala.

— Acho que sim. E você?

— Claro, nunca perco. Passo para pegar você.

O salão nobre estava praticamente cheio; todo mundo ainda estava se acomodando. O palco, porém, permanecia vazio, exceto por dois técnicos que ajustavam os microfones em frente a nove cadeiras ainda vazias. Fiquei aliviada em saber que nenhuma delas seria minha.

Encontramos Luis Zárate conversando no corredor com colegas e estudantes. Assim que nos viu, afastou-se do grupo e se aproximou de nós.

— Espero que achem interessante, talvez até divertido. Eu teria adorado se você participasse, Blanca. Quem sabe da próxima vez.

— Da próxima vez, certamente — disse eu com absoluta certeza de que essa vez nunca chegaria. — Você vai participar, no fim?

— Receio que sim, pois não me resta outra opção. Espero não entediar vocês.

Eu tinha certeza de que não o faria. Ele tinha facilidade de sobra com a palavra, era rápido e sagaz em suas intervenções e acumulava um depósito considerável de conhecimentos. Isso tudo eu podia comprovar cada vez mais, porque continuávamos nos vendo com frequência: encontros nos gabinetes e nos corredores, um ou outro almoço na lanchonete, onde nunca nos faltava o que conversar.

Rebecca e eu nos sentamos na lateral de uma das primeiras filas. Apagaram-se algumas luzes até deixar um ambiente aconchegante, e os integrantes do debate por fim subiram ao palco enquanto a sala pouco a pouco se enchia de silêncio.

Luis Zárate, de terno escuro como quase sempre, ocupou o terceiro lugar à direita, o lugar que sem dúvida teria cabido a mim se houvesse aceitado sua proposta. O último a subir ao palco, em dois passos, foi Daniel Carter, o antigo professor daquela universidade que eu havia conhecido no Meli's Market. Com paletó sem gravata, sua barba clara e seu cabelo meio comprido. Seguro, apressado, com jeito de quem acaba de chegar de algum lugar. Antes de se sentar, distribuiu entre os participantes apertos de mãos, gestos afetuosos e algum abraço rápido. Não teve, porém, oportunidade de trocar palavra com nosso diretor: quando passou ao seu lado, ele parecia absorto anotando algo em sua agenda.

— Por que seu amigo está ali? — perguntei a Rebecca em um sussurro enquanto ele finalmente se acomodava à esquerda do mediador.

— Sempre convidam algum professor visitante que tenha algo a ver com o mundo hispânico, assim como Zárate convidou você.

— Ele não estava por aqui só de passagem?

Embora fosse impossível que me tivesse ouvido, justamente nesse momento ele reparou em nós e nos fez um cumprimento fugaz.

— Ele está pensando em ficar mais tempo do que havia planejado de início — esclareceu Rebecca em um sussurro acelerado.

Não houve mais explicações, o mediador havia começado com a apresentação dos diferentes participantes. Uma pintora guatemalteca docente do Departamento de Arte, vestindo um *huipil* cheio de flores e pássaros. Um jovem professor argentino, magro, cavanhaque loiro, especialista em relações econômicas internacionais. Uma jornalista madura recém-chegada do Equador, onde sua filha trabalhava com os Peace Corps. Uma estudante de pós-graduação com uma tese por concluir sobre as relações entre Estados Unidos e Chile nos tempos de Allende. Mais meus dois conhecidos e alguns outros participantes cuja procedência fui incapaz de reter.

O debate avançou fluido. Em atenção à maioria dos espectadores, o inglês foi a língua veicular, mas quase todos o salpicavam com espanhol quando as referências ou as evocações assim requeriam. Somente a pintora se enroscava além da conta de vez em quando em algum aspecto totalmente sem importância, mas o mediador lidava com os turnos com perícia e conseguia que as intervenções de cada um durassem somente o que tinham de durar. Houve ideias claras e dados interessantes, frases engenhosas, piadas que arrancaram risos da plateia e apenas dois pequenos pontos polêmicos que se resolveram com rapidez.

Falaram sobre mil coisas diferentes do panorama doméstico e internacional ligadas ao mundo dos hispanófonos e anteciparam opiniões, prognósticos e perspectivas para o milênio que haveria de começar em menos de três meses. Os temas foram desde a chegada de Hugo Chávez ao poder na Venezuela até os diálogos de Pastrana, na Colômbia, com a guerrilha das Farc. Das políticas crescentemente flexíveis de Clinton para com Cuba à invasão latina na música pop, ou do Oscar recebido por Pedro Almodóvar por *Tudo sobre minha mãe*. E então, foi bem aí que a coisa pegou fogo.

— A menção a esse prêmio me causa uma enorme satisfação — disse Zárate assim que o assunto surgiu em cena. — E não só pelo reconhecimento à magnífica qualidade criativa do próprio cineasta, mas, fundamentalmente, porque por fim vem confirmar o que alguns dos meus colegas não quiseram ou não souberam valorizar na mais recente produção cinematográfica em espanhol.

Ninguém replicou, todos os participantes ficaram à espera de que continuasse sua intervenção, sem compreender o sentido de suas palavras.

— Estou me referindo — prosseguiu — à posição reacionária de um setor muito específico de nossa comunidade acadêmica hispanista.

Tornou a ficar sem réplica enquanto o silêncio se mantinha entre seus colegas de debate. Até que, de maneira totalmente inesperada, Daniel Carter afastou lentamente as costas do encosto de sua cadeira, inclinou-se para a frente e, em vez de falar para o público, voltou-se para ele.

— Por simples curiosidade, professor Zárate, esse dardo prudente que acabou de lançar no ar tem, talvez, algo a ver com minha pessoa?

— Não creio que a intenção do doutor Zárate tenha sido... — tentou interceder o mediador.

— Porque, nesse caso, e desculpe-me, Raymond, por favor — continuou interrompendo o mediador ao mesmo tempo em que tocava levemente seu braço para que o deixasse prosseguir —, digo que, nesse caso, talvez pudesse ser mais direto e explícito em sua argumentação em vez de se escudar em floreios retóricos confusos para a audiência.

— O senhor tem total liberdade de interpretar minhas palavras como desejar, professor Carter — replicou Luis Zárate com um pouco de arrogância.

— Pois, então, explique-se com mais clareza e assim se livrará de interpretações subjetivas.

— A única coisa que eu quis dizer é que talvez esse prêmio sirva a certos pesquisadores acadêmicos para reconsiderar o valor da produção almodovariana...

— Não creio que ninguém em nossa profissão tenha jamais posto em dúvida a qualidade e a originalidade do cinema de Pedro Almodóvar — interrompeu Carter de novo.

— ... o valor da produção almodovariana e de outras produções de similar interesse, insisto, como produto cultural digno de ser submetido a rigoroso estudo científico — continuou Zárate ignorando seu interlocutor.

O debate plural tornara-se, de repente, uma espécie de acre partida de pingue-pongue na qual a bola pulava, rápida, entre dois únicos participantes. O público continuava atento à ágil troca de impressões, sem saber muito bem aonde ambos pretendiam chegar.

Entre a sofisticação das noções teóricas, porém, eu julguei perceber algo mais. Algo pessoal, carnal, humano. Algo que rastejava subterraneamente pelas intervenções de ambos, mesmo que nenhum dos dois o mencionasse com clareza. Algo que, fosse o que fosse, devia ter gerado em algum momento passado a evidente animosidade que naquele presente se palpava entre o veterano professor visitante e o diretor do Departamento de Línguas Modernas.

A disputa continuava. Luis Zárate atacava com um borbulhar incessante de palavras e muito pouca linguagem corporal: estático, apoiando-se apenas no movimento de uma caneta que cravava ocasionalmente na mesa para enfatizar de vez em quando suas intervenções. Daniel Carter, por sua vez, acompanhava suas palavras com uma gesticulação mais generosa enquanto permanecia de novo recostado no encosto de sua cadeira, com o aparente conforto de quem tem acumulado nas costas um bom número de disputas.

— O que estou tentando dizer é que certos acadêmicos ainda vivem cristalizados em velhas práticas materialistas vinculadas à mera crítica social — insistiu o diretor. — Como se não houvessem ocorrido avanços nem na metodologia de pesquisa nem na cultura espanhola a partir do cinema de Carlos Saura ou da publicação de *Tiempo de silencio*, de Martín Santos. Como se ainda perdurasse o compromisso marxista e a Espanha continuasse sendo um país de charanga, pandeiro e touros.

— Por Deus, Zárate, não me diga que vamos falar de touros hoje também...

Talvez tenha sido o tom mais que o comentário em si que arrancou um riso geral. Então, olhei ao meu redor e percebi que, longe de se encontrarem confusos, quase todos os presentes estavam se divertindo com a irada discussão.

— Nesse âmbito o senhor se defenderia muito melhor que eu, sem dúvida alguma. Sua particular afeição por tão sangrento espetáculo é de conhecimento público, pelo que sei. Talvez seja mais uma mostra da classificação imobilista a que me refiro.

— Não acha que seja também um apoio manifesto de minha parte à mais rançosa e retrógrada sobrevivência do franquismo? Porque é a única bobagem que lhe falta dizer.

— Não banalize o tema, professor Carter, por favor. Estamos mantendo um debate intelectual.

— Eu não banalizo, em absoluto, meu querido colega. Quem desenterrou os velhos lugares-comuns recorrentes da cultura espanhola foi o senhor. Mas faltaram alguns para completar o catálogo infernal do perfeito hispanista pós-moderno. Que tal uma menção à morena da *copla* e aos tricórnios da Guarda Civil?

Essa última intervenção saiu de sua boca em espanhol, e embora noventa e nove por cento da audiência não a tenha entendido, eu tive de fazer esforço para não deixar que minha gargalhada fosse ouvida pelo público. Daniel Carter deve ter notado algo em meu rosto a distância, porque, levantando brevemente uma sobrancelha, deu-me uma piscadela cúmplice, quase imperceptível, mas certeira.

— Eu agradeceria se recorresse a argumentos de verdadeiro peso, professor Carter.

— Não preciso que me instrua sobre o tipo de argumentos a que devo recorrer, obrigado — replicou retomando uma serenidade já desprovida de qualquer tom de brincadeira. — O senhor é o único que desde o início está pervertendo esta discussão, manipulando-a para transformar uma mera conjuntura pessoal que não vem ao caso em um suposto desencontro de altura intelectual.

O diretor se dispôs de imediato a contra-atacar, mas Daniel Carter, em cuja paciência já se começava a perceber certa saturação, decidiu unilateralmente dar por encerrado o assunto.

— Bem, meu amigo, acho que devemos parar por aqui. — E dando uma ênfase agregada a suas palavras com uma sonora palmada na mesa, concluiu: — Acredito que já entediamos o bastante a audiência com nossa pequena disputa dialética. Vamos deixar que nosso mediador encerre o ato, porque, senão, vamos ficar atolados nele até que cheguem as nomeações do Oscar do ano que vem, quando o grande candidato for um filme sobre os dissabores de um órfão no Uzbequistão e nós tenhamos esquecido a razão pela qual um distante dia começamos a discutir.

Percebi no rosto de Luis Zárate um leve ar de contrariedade. Intuí que ele teria gostado que a briga continuasse: prosseguir espremendo suas argumentações, apertar o punho até tombar o braço do adversário. Mas não conseguiu. Não houve oportunidade de que ninguém vencesse, não houve ganhador. O debate, simplesmente, diante da nula perspectiva de alcançar um entendimento harmonioso, foi encerrado. Sobrevoando o palco, porém, ficou para mim a incógnita da verdadeira causa daquela soterrada aversão entre os dois.

O mediador concluiu o ato agradecendo presenças e atenções, a sala tornou a se encher de barulho, movimento e luz. Enquanto todos nos levantávamos, os participantes do debate foram descendo do palco. Daniel, a distância, pediu a Rebecca e a mim com um gesto que o esperássemos conforme começou a avançar para nós, abrindo caminho por entre o público.

Para chegar ao lado de fora, porém, teria de passar necessariamente por Luis Zárate, que nesse momento trocava algumas palavras com dois professores, vizinhos do Departamento de Linguística. Pensei que se evitariam ou que, no máximo, se despediriam com frieza. Mas, para minha surpresa, vi Daniel parar ao seu lado, colocar uma mão no braço de Zárate e lhe dar um leve aperto.

Se para as duas frases que disse a seguir tivesse usado o inglês, com toda a certeza teriam me passado despercebidas em meio às dúzias de vozes nesse idioma que se cruzavam ao meu redor. Mas, talvez porque tenha escolhido minha língua, suas palavras me chegaram aos ouvidos com toda a nitidez.

— Não leve as coisas tão a sério, rapaz. Tire essa cabeça do meio dos papéis e jogue-se na vida de uma vez por todas.

CAPÍTULO 9

Enquanto Daniel Carter acabava de se despedir de alguns colegas que resistiam a deixá-lo sair, nós trocamos umas palavras com nosso diretor à saída do ato. Se o debate havia causado nele algum desconforto, não demonstrou. A frase final que seu oponente havia lhe lançado em particular também não parecia ter lhe causado irritação. Pelo menos essa era a impressão que dava.

— Para isso existe a universidade, não é? Para estimular o debate e a reflexão crítica, para confrontar ideias e opiniões. Enfim, a vida acadêmica e suas tortuosidades... — brincou antes de ir embora. — Aliás, Blanca, já decidiu se vai aceitar o curso?

— Havia planejado lhe dizer amanhã que sim. Parece interessante, acho que vou gostar.

— Conto com você, então. Rebecca cuidará das formalidades.

Vimos Zárate partir aparentemente sozinho. De soslaio, porém, percebi que um pouco mais longe, na semiescuridão, uma das professoras jovens do departamento cujo nome naquele momento não consegui recordar o estava esperando. Juntos se dirigiram ao seu Toyota com placa do distante estado de Massachusetts. Juntos se perderam na noite.

— Achei que nunca conseguiria escapar — anunciou Daniel aproximando-se por fim. — Estou feliz por tornar a vê-la, Blanca. Você era a única realmente autêntica nesse conturbado fim do debate sobre a essência espanhola no qual nós todos apenas ouvimos. O que você tem na geladeira, Rebecca? — perguntou então esfregando as mãos com brio. — Alguma coisa saborosa para nos convidar a jantar?

Fiquei surpresa com seu comentário tanto quanto com seu espontâneo autoconvite. Com seu comentário, por conta da alta consideração em que parecia me ter apesar de mal nos conhecermos, e com seu autoconvite não tanto pela naturalidade com que o propôs, mas por me incluir nele sem ter sequer me consultado. Não fiz objeções, porém. Aquela proposta era infinitamente mais estimulante que o que me esperava esta noite: um omelete ou qualquer coisa sem graça na chapa enquanto via na tevê alguns episódios isolados de alguma série velha.

— Um pedaço fantástico de salmão do Alasca — respondeu Rebecca. — E acho que ainda restam duas ou três garrafas da caixa de Merlot que você trouxe de Napa.

— Está decidido, então. Vamos dar um passeio?

À medida que caminhávamos para a casa de Rebecca, que ficava próxima, fomos conversando sobre o debate que havia acabado de acontecer. Sem tomar partido por sua posição nem pela de Luis Zárate, confessei a Daniel que suas menções inesperadas à Espanha cigana quase me fizeram cair na gargalhada.

— Provavelmente você me serviu de inspiração.

Não reagi, não sabia o que dizer.

— Vendo-a no público lá de cima — prosseguiu então —, de repente me vieram à cabeça mil imagens da sua pátria, e não só as rançosas que seu diretor e eu mencionamos.

— Desde que não tenha me imaginado tocando castanholas com um vestido de cauda à sombra de um touro de Osborne... — repliquei cúmplice em minha língua, sem poder resistir.

Ele riu a gosto e explicou a Rebecca em inglês a imagem impossível que eu havia acabado de esboçar.

— Essa Espanha na qual seu diretor pretende me ancorar, e que eu mesmo conheci a fundo um dia, com suas luzes e suas sombras, está enterrada há décadas — continuou explicando à sua amiga.

— Felizmente — apontei.

— Felizmente, sim. O que não podemos fazer é negar que existiu e que, gostando ou não, contribuiu para moldar o país que vocês têm hoje.

— Talvez o professor Zárate desconheça essa essência — comentou Rebecca. Sempre leal, pretendia, sem dúvida, destacar um ponto a favor de seu chefe. — Embora seu pai seja espanhol, talvez não tenha vivido o suficiente lá para conhecer a fundo o país. Além do mais, divide sua raiz hispânica com o Chile, terra de sua mãe; talvez se incline mais para essa cultura.

— Isso não justifica sua atitude — interrompeu Daniel. — Nossa valia profissional não é reconhecida em proporção ao grau de ligação afetiva ou de paixão que sintamos por um ou outro país, mas em função dos trabalhos que publicamos, dos congressos de que participamos, das teses que orientamos ou dos cursos que ministramos. O afeto não é um *plus* quantificável, e sim uma questão totalmente pessoal.

— Mas esse afeto deve ajudar um pouco, suponho — disse eu.

— Graças a Deus ajuda — confirmou com astúcia. — Mas algumas pessoas ainda não sabem disso.

Eu nunca havia percorrido o campus à noite; era a primeira vez que via seus edifícios com as classes e os gabinetes quase apagados e suas residências totalmente iluminadas. Era a primeira vez que não via os estudantes indo apressados de uma sala de aula a outra, e sim sentados com indolência em suas portas, fumando, conversando, rindo, terminando o dia. Era a primeira vez que contemplava as luzes estrondosas das quadras de basquete acesas enquanto as bolas rebotavam sonoras nas tabelas e um leve odor de comida coletiva saía dos exaustores das cozinhas.

Deixamos para trás também meu apartamento enquanto nos encaminhávamos para a praça de Santa Cecilia, a zona mais urbana da pequena cidade. Ainda não havia se passado um mês desde a minha chegada, mas, ao vê-la, subitamente, tive a impressão de que havia passado um século desde aquela manhã em que me sentei ali para tomar meu primeiro café, deslocada e desorientada, esforçando-me para aceitar que aquele haveria de ser, por um tempo ainda impreciso, meu novo lugar no mundo.

Meu pensamento durou o que dura um lampejo, porque, ao ouvir Daniel mencionar Andrés Fontana, retornei veloz ao presente.

— Ele adorava se sentar nesta praça, sabia, Blanca? Sempre dizia que tinha ar de vilarejo espanhol.

— De certa maneira, acho que sim, que tem algum ar remoto — reconheci.

— Faz sentido, não? — apontou Rebecca. — Os fundadores desta cidade foram os antigos califórnios, mexicanos de ascendência puramente espanhola, quando não propriamente espanhóis em si.

— Talvez por isso esta praça e Los Pinitos eram seus lugares de lazer. Caminhava por eles pensando em suas coisas; costumava dizer que assim oxigenava o cérebro.

Eu já sabia que Los Pinitos era a área pela qual eu havia passado naquela tarde em que a visão das fotografias do professor morto modificou o enfoque do meu trabalho.

— E agora, parece que há problemas com essa área, que vão construir um centro comercial, não é?

Responderam quase em uníssono.

— Isso mesmo — corroborou Rebecca. — Um centro comercial que talvez traga benefícios econômicos a Santa Cecilia, mas que arrasará um lugar maravilhoso que nós que vivemos aqui sempre consideramos muito nosso. Um lugar muito ligado a nós e nossas famílias, um lugar de relaxamento, de piqueniques com as crianças...

— De um monte de estudantes... — apontou Daniel.

— De simples passeios...

Continuaram me explicando a situação, ambos abertamente contrários ao projeto.

— De qualquer maneira, a batalha não está totalmente perdida. Há dúvidas sólidas a respeito da viabilidade do projeto — prosseguiu Daniel —, porque a propriedade legítima do terreno parece estar emaranhada há mais de um século.

— Pensei que fosse terreno público, que pertencia à prefeitura local — disse eu.

— A prefeitura dispõe dele e pode negociar sua concessão porque não existe registro fidedigno de sua propriedade histórica. Trata-se de um assunto muito confuso.

— Por isso existe uma plataforma cidadã tentando encontrar alguma sustentação legal que o detenha, mas estão há meses atrás disso e ainda não encontraram um jeito — mediou Rebecca. — E o prazo para contestar o projeto acaba em dezembro, de modo que todos nós tememos o pior.

Estávamos naquela conversa quando, apenas alguns metros à nossa frente, uma porta se abriu e alguém saiu à calçada, detendo momentaneamente nosso passo e a palavra.

Era uma pequena clínica; as luzes de dentro estavam quase todas apagadas já. As pessoas que estavam indo embora deviam ser os últimos funcionários fechando. A porta, segurada por uma jovem enfermeira de pijama e tamancos de hospital, permaneceu aberta alguns instantes sem que ninguém saísse por ela e também sem nos permitir seguir nosso caminho em linha reta. Entre esperar ou desviar os passos, optamos pelo segundo e, abandonando a calçada, pisamos no asfalto. Nesse exato momento, uma cadeira de rodas emergiu com lentidão lá de dentro.

O cabelo claro comprido até abaixo dos ombros, o rosto muito pálido cheio de rugas, os lábios pintados de vermelho paixão e, por vestimenta, um velho moletom. Essa era a imagem de sua ocupante. Chocante, certamente. Ou, no mínimo, muito longe da imagem de uma idosa convencional. Apesar de a noite já estar havia um bom tempo no ar, ela se protegia com uns grandes óculos de sol. Sobressaindo da armação, sobre seu olho direito notava-se um quadrado de gaze e esparadrapo, como se houvessem acabado de lhe fazer algum tipo de curativo.

— Ora, ora, ora... — ouvi Daniel murmurar ao meu lado com uma voz rouca quase inaudível.

— Senhora Cullen, doutora Perea, que surpresa vê-las por aqui! Professor Carter, embora já o tenha cumprimentado outro dia na biblioteca, fico feliz de encontrá-lo outra vez. Veja, mamãe, veja, os três!

Quem nos recebia com tão arrebatado entusiasmo enquanto empurrava a cadeira de rodas era Fanny. Até que parou de empurrá-la, plantando-se imóvel no meio da calçada enquanto a enfermeira desaparecia de novo veloz dentro da clínica.

— Boa noite, Fanny. Prazer em vê-la de novo, Darla — cumprimentou Rebecca cordial. — Algum problema? Espero que não seja nada grave desta vez.

A idosa não deu a mínima às suas palavras: Não respondeu, nem sequer a olhou, como se não a houvesse escutado. Pensei que talvez tivesse suas faculdades mentais um tanto diminuídas; a julgar por sua estética, poderia ser. Para confirmar meu juízo equivocado, e saber que estava em perfeitas condições, só precisei ouvi-la falar.

— Mas ora, ora... Veja quem está aqui...

De imediato soube que se referia a Daniel. Talvez fossem também velhos amigos, pensei. Todos por ali pareciam receber com grande afeto aquele filho pródigo da universidade.

— Quanto tempo, Darla — disse ele com certo desapego. — Como vai?

Cumprimentaram-se na distância de três ou quatro metros que os separavam. Ele, com as mãos nos bolsos das calças, não fez nenhum movimento para se aproximar dela. Não deu um passo adiante nem se agachou para ficar à altura de sua cadeira, nem ameaçou estender-lhe a mão ou roçar um milímetro de sua pele.

— Espetacular, como pode ver, meu querido — respondeu a idosa com cinismo. — E você, como anda, professor?

— Também nada mal. Trabalhando, como sempre...

As frases de ambos se ajustavam aos moldes da cortesia, mas não era necessário ser nenhum lince para perceber de imediato que faltava calor. Antes que eu pudesse intuir para onde derivaria aquele aparente desafeto, Rebecca decidiu intervir.

— O que aconteceu com seu olho, Darla?

— Mamãe bateu outro dia na porta do armário do banheiro; fez uma bela ferida e saiu um monte de sangue. Hoje retornamos ao médico.

— Cale-se, Fanny, cale-se, não seja exagerada... — grunhiu Darla. — Foi só um pequeno acidente doméstico, uma bobagem, nada mais.

— Esta é a doutora Perea, mamãe — prosseguiu sua filha. — Eu falei dela um monte de vezes, finalmente você a conheceu.

— Muito prazer — disse apenas. Por alguma razão da qual não tive consciência, imitei o comportamento de Daniel e não me aproximei.

— Outra espanholinha em Santa Cecilia, veja você que interessante. Minha filha já me contou o que anda fazendo por aqui.

— Trabalhando também, Darla. Como todos na universidade — irrompeu Daniel sem me dar tempo de responder.

— Disseram-me que anda enroscada com os documentos que nosso velho amigo Andrés Fontana deixou por ali — disse dirigindo-se de novo a mim como se não o houvesse escutado. — E então, encontrou algo interessante? Cheques? Mensagens anônimas? Cartas de amor?

— Entre os papéis do doutor Fontana há apenas documentos profissionais, Darla — esclareceu Rebecca. — A doutora Perea simplesmente...

Para minha sorte, a porta da clínica se abriu outra vez atrás de nós e interrompeu aquela incômoda conversa sobre meu trabalho. Dela saiu um homem com expressão carrancuda e uma maleta, cinquentão. Imaginei que devia ser o médico que a havia atendido. Atrás dele, de jeans dessa vez, sua enfermeira fechava a porta pelo lado de fora com um molho de chaves de respeito.

— Lembre-se, senhora Stern, nada de tirar o curativo até a próxima visita, na semana que vem. E marquem consulta antes, por favor.

Seu tom não demonstrava a menor simpatia, com certeza mãe e filha haviam aparecido sem avisar, de última hora, e o obrigado a ficar um bom tempo além do seu horário habitual.

Fanny se justificou com explicações atropeladas, alegando suas inúmeras obrigações entre o trabalho, suas reuniões espirituais e os cuidados para com a mãe. Mas ninguém a escutou: aproveitando a intervenção do médico e seus últimos conselhos, Daniel já havia começado a andar e Rebecca e eu o seguimos, deixando atrás de nós algumas despedidas difusas.

— Apareça para me fazer uma visita dia desses, Carter! — gritou a idosa a distância.

— *Ciao*, Darla, tudo de bom — foi sua resposta. Nem sequer se voltou.

— Que dupla, não? — disse eu enquanto atravessávamos a faixa de pedestres.

— Que dupla, que dupla... — repetiu Rebecca com uma breve gargalhada um tanto artificial. Como se tentasse aliviar a situação.

Daniel continuava caminhando em silêncio; notei que Rebecca segurava seu braço esquerdo e o apertava carinhosamente. Ele, agradecido, mas um tanto ausente, por fim tirou a mão direita do bolso das calças, colocou-a sobre as mãos dela e lhes deu um tapinha.

— Ninguém nunca disse que o passado não tem sombras.

CAPÍTULO 10

Faltavam apenas dez minutos para que começasse a primeira aula do meu novo curso quando o velho telefone da sala começou a tocar estrondosamente. Não atendi, não tinha tempo. Apenas meia hora antes, depois de revisar o programa mil vezes, eu havia decidido mudar a ordem de alguns conteúdos, mas, ao tentar imprimir as novas cópias, a impressora engasgou e se negou a prosseguir. Então, optei por recorrer à máquina de xerox e a encontrei com um cartaz: temporariamente fora de serviço. Nem Fanny, nem Rebecca, nem o diretor, nem nenhum dos professores conhecidos estavam à mão; a porta fechada da sala de reuniões indicava uma longa reunião de departamento. Voltei desesperada para a impressora, abrindo-a e fechando-a um monte de vezes, tirando o cartucho de tinta, tornando a colocá-lo. E então, no meio daquela queda de braço contra a tecnologia, o telefone soou insistentemente outra vez. Atendi, por fim, contrariada, e soltei um cortante *hello*.

— Você perdeu a cabeça? O que é que há de errado com você, sua imbecil? Ontem à noite encontrei Alberto no Vips com sua Barbie prenha e ele me disse que vocês decidiram vender tudo que têm e começar a assinar papéis. Você sabe o que está fazendo, filha de Deus? Você nunca foi assim, Blanca, você sempre encarou tudo que aparecia à sua frente... O que é que há com você, ficou maluca de repente, é?

Minha torrencial irmã irrompia em minha vida como tantas outras vezes, sem se anunciar e no pior momento. África, treze meses mais velha que eu e tão radicalmente diferente que nem sequer parecíamos ter o mesmo sangue. Aberta, espontânea, língua solta. Médica de pronto-socorro, mãe de quatro filhos. Hiperativa, mordaz, alheia às convenções e sempre propensa ao intervencionismo. Pura energia capaz de devorar o mundo pelos pés, estava me ligando em pleno plantão noturno, talvez no intervalo entre uma cólica renal recém-liberada e algum acidente de moto que ainda estava por chegar.

— Sei o que estou fazendo, África, claro que sei o que estou fazendo — respondi com tanta pressa quanto pouca convicção.

— Você está muito doida, irmã, mas muito doida — prosseguiu avassaladora. — Toda essa história da fuga do seu marido afetou sua cabeça muito mais do que você imagina. Onde está essa calma que você sempre usou na vida? Ora, aquele filho da mãe trai você durante meses; depois, da noite para o dia, anuncia que vai embora viver com a outra, e logo depois você fica sabendo que ela está grávida, provavelmente desde antes de ele abandonar você. E como prêmio pelo bom comportamento dele, você deixa que ele vá embora numa boa e que faça com suas coisas o que bem entender. Que venda sua casa, que a deixe na rua enquanto você se manda para a Califórnia tão tranquilinha, de férias, para comemorar... Acorde, Blanca, minha filha! Volte a ser a de sempre, acorde de uma vez, por favor!

— Depois conversamos com calma, eu prometo. Agora não é bom momento, estou trabalhando.

— O que você tem de fazer é dificultar as coisas o máximo possível para aquele Alberto filho da mãe.

— Ora, vamos!

Minha exclamação, na realidade, era dirigida à impressora. Já que não respondia a intervenções razoáveis, decidi tentar radicalizar com ela. Mas minha irmã, longe, não entendeu.

— O quê? — insistiu com um grito irado. — Ainda por cima vai defendê-lo?!

— Não há nada para acusar ou defender, África. Aconteceu o que aconteceu: ele encontrou outra mulher a quem ama mais que a mim. E foi embora. Ponto final — disse eu dando um tapa no lado esquerdo da máquina. — Não vejo necessidade de deixar as coisas mais complicadas do que já são por si mesmas. Não ter nenhum contato com ele já me basta. De qualquer maneira, não se preocupe, vou pensar em tudo que você me disse.

Na realidade, eu não tinha nenhuma intenção de pensar em nada; a única coisa que queria era que ela sossegasse, que desligasse e que se esquecesse de mim. Para enfatizar minhas palavras, dei um novo tapa na impressora, atacando dessa vez pelo flanco direito. Não adiantou nada.

— Vai pensar, sei! — gritou. — Se vai esperar para pensar como anda pensando até agora, está ferrada, minha irmã. O que tem de fazer é voltar para casa e continuar sendo a de sempre. Tocar sua vida. Sem seu marido, mas com sua vida. Com seu trabalho, com seus filhos perto, com seus amigos de sempre, com o restante de sua família...

— Depois conversamos, África. Agora tenho de desligar...

Nesse exato momento, o rosto redondo de Fanny surgiu na porta.

— Seus novos alunos já estão esperando na sala de aula — anunciou.

— Outro dia eu ligo, beijos a todos, tchau, tchau, tchau...

Enquanto com uma mão colocava na base o telefone que ainda emitia a voz barulhenta da minha irmã, com a outra descarreguei na impressora um último tapa frontal. E, milagrosamente, como uma tempestade no meio do campo seco, a máquina começou a fazer seu barulho de sempre e a cuspir papel.

— Ajude-me, Fanny, por Deus — roguei com voz acelerada. — Grampeie estas folhas de duas em duas, por favor. Assim, está vendo?

Ela correu ao meu resgate rápida e eufórica. Tanto que, com o ímpeto, derrubou um monte de material do legado de Fontana que esperava sua vez a um canto da mesa.

— Sinto muito, doutora Perea, lamento de verdade — murmurou preocupada enquanto se agachava para recolher tudo.

— Não se preocupe, termine com isto que depois eu recolho.

Pus o blazer em um segundo e meio enquanto recolhia em punhados o que havia acabado de cair no chão: algumas folhas manuscritas, uma boa quantidade de velhas cartas e vários cartões-postais. Tentei pôr tudo em cima da mesa de novo, mas Fanny, com esse seu peculiar jeito de fazer as coisas, havia coberto por completo sua superfície com as cópias do programa. Então, deixei tudo em cima da minha cadeira precipitadamente enquanto pendurava a bolsa no ombro, com tão pouca atenção que alguns postais deslizaram para o chão. Tornei a recolhê-los enquanto Fanny, triunfal, me entregava as cópias prontas.

— Você é um amor, Fanny, um amor... — disse eu enquanto abria minha pasta para guardá-las. Sem tempo para arranjar outro lugar para eles, lá foram parar os postais de Fontana também.

Entrei na sala de aula quase sem fôlego, aliviada por ter me livrado de África e por ter os programas prontos, no fim, desculpando-me pelos cinco minutos de atraso.

O curso havia sido divulgado com o nome de *Espanhol avançado através da Espanha contemporânea*, uma mistura entre aula de cultura e de conversação. Eu me apresentei, eles se apresentaram. Havia de tudo entre os interesses dos participantes: paixão por viagens, necessidades profissionais, curiosidade pela história... Variadas eram também as idades e situações, desde um professor emérito do Departamento de História até uma escultora na casa dos trinta apaixonada pela obra de Gaudí.

O nível geral era bastante aceitável, e desde o primeiro momento, por pura e simples intuição conquistada a pulso após quase vinte anos dando aulas, soube que aquilo ia funcionar.

Eu havia decidido começar a aula com um simples jogo; sabia de sobra quão bem nós, adultos, aceitamos as brincadeiras imprevistas quando nos tiram do nosso habitat natural. O que menos importava era se, depois da ligação da minha irmã, eu tinha ânimo para brincadeiras e piadinhas ou uma vontade enorme de me trancar no banheiro e chorar. Contudo, apliquei uma regra de ouro para qualquer bom professor: deixar os assuntos pessoais no corredor. Depois, como o ator que entra em cena, comecei.

— Lá pelos anos 1970 houve um programa muito popular na televisão espanhola que se chamava *Un, dos, tres, responda otra vez*. Estão a fim de jogar?

Minha intenção, obviamente, ia além do mero entretenimento. O que eu pretendia era ligar o mundo deles ao meu de uma maneira totalmente informal. A resposta foi um sim sem exceção.

— Muito bem. Então, por vinte e cinco pesetas imaginárias, quero nomes de cidades do estado da Califórnia com nome de santos em espanhol. Por exemplo, Santa Cecilia. Um, dois, três, responda outra vez...

Não tive tempo de explicar que uma norma daquele velho programa era começar a lista de respostas com o exemplo, porque antes de conseguir abrir a boca, já estavam uns tirando a palavra dos outros com todo o santoral. San Francisco, Santa Rosa, San Rafael, San Mateo, San Gabriel, Santa Cruz, Santa Clara, Santa Inés, Santa Bárbara, San Luis Obispo, San José...

— Ok, ok... — disse eu quando chegaram a duas dúzias de santos e vi que a coisa não parecia esfriar. — Bem, e agora, nomes de lugares que povoem o mapa da Califórnia com nomes de simples coisas em espanhol.

Alameda, Palo Alto, Los Gatos, El Cerrito del Norte, Diablo Range, Contra Costa, Paso Robles, Atascadero, Fresno, Salinas, Manteca, Madera, Goleta, Monterey, Corona, Encinitas, Arroyo Burro, La Jolla... Com uma pronúncia bastante afastada da original, na maioria das vezes distorcida até o limite do compreensível, a lista interminável pulava de uns a outros cobrindo portos e cidades, montanhas, condados e baías.

Com um gesto enfático, indiquei que já podiam parar.

— E Chula Vista, perto de San Diego — insistiu um dos alunos, sem resistir a incluir um nome a mais.

— E o condado de Mariposa — disse outra, incapaz de se reprimir.

— Ok, ok, ok... — insisti.

— E não vamos nos esquecer de Los Padres e Camino Real: são a origem de tudo.

Quem falou foi o professor emérito de História, Joe Super era seu nome. Todos nos voltamos para olhar para ele, para sua camisa havaiana e seus olhos sábios e azuis. Então, ele me pediu licença para dizer algo mais.

— Claro. Desde que seja em espanhol.

— Vou tentar com todas as minhas forças — disse com uma expressão simpática que arrancou uma gargalhada geral. — Los Padres National Forest faz referência aos monges franciscanos espanhóis que começaram a exploração e colonização da Califórnia na segunda metade do século XVIII. *Legendary men...* como se diz *legendary*?

— Lendários. Homens lendários você quer dizer, Joe?

— Exatamente. Homens lendários *pushed*...

— Empurrados — esclareci.

— Obrigado. Homens lendários empurrados por uma força que, equivocada ou não, os levou a perseguir seus objetivos com determinação. E Camino Real é o resultado: a rede de missões que esses padres fundaram ao longo de toda a Califórnia.

— Vinte missões, não é? — perguntou Lucas, um estudante graduado em política internacional.

— Vinte e uma — corrigiu Joe. — Começam no Sul, com San Diego de Alcalá, e acabam no Norte, muito perto daqui, em Sonoma, com San Francisco Solano. Na Espanha em geral não se sabe muito sobre essa grande aventura californiana, não é, Blanca?

— Pouco — reconheci com certa vergonha coletiva. — Sabe-se muito pouco sobre essas missões, é verdade.

— E é triste, porque tudo isso é parte da herança de vocês. Uma herança histórica e sentimental que é essencial para vocês, para nós e para todos.

Acabamos o *un, dos, tres*, retomei o comando da aula e avançamos em uma sessão divertida e proveitosa durante mais uma hora e quinze. Mas, em um cantinho do meu subconsciente, devem ter ficado fervendo aquelas alusões a padres, missões e caminhos abertos, porque em algum momento impreciso recordei que, dentre os muitos papéis de Fontana que ainda me faltavam analisar com atenção, eu havia visto por cima algumas referências àquele assunto dos franciscanos e suas construções. Todos esses documentos estavam ainda em algumas caixas encostadas a um canto da minha sala, eu não havia começado a processá-los ainda. Talvez quando o fizesse poderiam me ajudar a tampar o buraco da minha ignorância.

Saí para o campus no fim da aula, satisfeita com o resultado e exausta após o dia todo sem parar de trabalhar. Respirei fundo por fim, absorvendo o cheiro dos eucaliptos no fim da tarde.

— Como foi o novo curso?

Caminhava pela calçada distraída; a voz proveio de um carro que acabava de parar ao meu lado. A voz de Luis Zárate, pronto para ir para casa, como eu.

Em vez de sua habitual roupa de trabalho, estava de bermudas e um moletom grená com o escudo de alguma universidade que não era Santa Cecilia. Ao seu lado, uma mochila ocupava o banco do passageiro.

— Bem, bem. É um grupo excelente, muito motivado, tive sorte.

— Fico feliz. Quer uma carona para casa?

— Bom... agradeço, mas acho que vai me fazer bem caminhar um pouco para espairecer. Estou trancada desde as nove da manhã, nem sequer saí para almoçar.

— Como quiser. Aproveite seu passeio, então, amanhã nos vemos.

Eu ia devolver a despedida, mas ele já havia fechado o vidro, de modo que não me esforcei. Apenas levantei a mão com um gesto de adeus. E, de repente, inesperadamente, o vidro foi abaixado.

— Talvez pudéssemos jantar juntos um dia desses.

— Quando quiser.

Não achei o convite surpreendente. Nem pouco atraente. Na realidade, se a proposta houvesse sido para essa mesma noite, eu teria dito que sim. Por que não?

— Conhece Los Olivos?

Mais um integrante da longa lista de rótulos em minha língua naquela terra alheia, pensei rememorando minha aula recém-terminada.

— Não, não conheço. Ouvi falar várias vezes, mas nunca estive lá.

— Eles têm uma massa fantástica e vinhos excelentes. Vamos combinar, ok?

O carro se perdeu na distância e eu continuei andando rumo a minha casa enquanto em minha cabeça as diversas partes daquele intenso dia continuavam dando voltas aceleradas. Fiz esforço para afastar a lembrança da ligação de África, neguei-me ferrenhamente a parar a fim de pensar se por trás do ímpeto das palavras da minha irmã havia um pedaço indiscutível de razão. Mais me interessava voltar a olhar para questões agradáveis, como a proposta que acabava de receber de Luis Zárate. Ou até mesmo para os documentos de Fontana, esses papéis que me mantinham cada vez mais absorta e me capturavam na tentativa de pôr um pouco de congruência neles, a ponto de eu deixar para o último minuto as outras obrigações e até de me rechear com um mísero sanduíche cuspido de uma máquina na hora do almoço. Concentrar-me neles era um trabalho que se tornava cada vez mais agradável e constituía, em paralelo, uma boa terapia. Quanto mais o legado do professor morto me absorvia, mais consciente eu ficava de seu carisma e valia. E, de quebra, menos pensava em mim.

Àquela altura eu já sabia que, após uma estada como professor convidado, sua intenção foi um dia voltar à Espanha para dar prosseguimento aos seus projetos lá: candidatar-se aos então prestigiosos cargos de docentes do ensino secundário, talvez até voltar à universidade, talvez arranjar, nesse meio-tempo, algum emprego em uma faculdade particular ou em uma escola privada. A guerra civil, porém, congelou na distância sua vontade e sua alma. Impressionado, impactado, desolado, decidiu não voltar.

Nunca encontrei em seus dados um interesse evidente por voltar àquela pátria já irremediavelmente diferente da que havia deixado para trás, mas de seus escritos se intuía de vez em quando a sombra da nostalgia. Mas jamais hesitou: embalou os sentimentos com as emoções e as imagens de seus anos jovens, amarrou tudo com nós bem apertados para que nenhum escapasse e os armazenou no fundo do pensamento. A partir de então, estabeleceu-se em seu país adotivo com definitivo senso de permanência, dedicando-se a ensinar a língua e a literatura de sua pátria, a transferir suas opiniões, seus saberes e a memória do seu mundo perdido a centenas, talvez milhares de estudantes que às vezes entendiam quanto aquilo significava para ele, e às vezes não.

Entre seus papéis havia inúmeros testemunhos daqueles alunos que haviam passado por suas aulas ao longo de décadas completas. De fato, recordei de repente, aqueles cartões-postais que eu mesma havia guardado atropeladamente em minha pasta nessa mesma tarde antes de sair correndo da minha sala eram, se não me enganava, demonstrações daquele afeto que eu ainda não havia tido tempo de processar.

Peguei-os enquanto continuava caminhando. Havia anoitecido já, mas os postes me proporcionavam luz de sobra para lê-los por cima. Deviam ser pouco mais de uma dúzia, não os contei. Não se tratava de documentos especialmente memoráveis, apenas cartas curtas com saudações ao antigo professor, as quais transmitiam recordações desde cidades remotas ou narravam em meia dúzia de linhas como ia a vida. Nenhum deles continha mais que breves frases e, à primeira vista, não estavam organizados seguindo critério algum, de tal modo que os lugares mais díspares se emparelhavam com datas que dançavam caprichosamente no tempo: Cidade do México, julho de 1947; Saint Louis, MO, março de 1953; Sevilla, abril de 1961; Buenos Aires, outubro de 1955; Madri, dezembro de 1958. Imagens das pirâmides de Teotihuacán, do rio Mississippi, do parque de María Luisa, do cemitério de La Recoleta, de Puerta del Sol.

Sorri ao vê-la. Puerta del Sol. Achei engraçado topar de repente com uma imagem tão familiar, uma foto daqueles tempos em que a fotografia colorida estava ainda engatinhando. Lá estava o anúncio luminoso de Tio Pepe, o relógio que marcava a entrada do ano, a constante multidão do coração da capital. Parei embaixo de um poste para olhar com mais atenção enquanto ao meu lado, com suas pressas e suas mochilas, os estudantes continuavam indo e vindo.

Procurei a data do carimbo: 2 de janeiro de 1959. O conteúdo do postal, parco, estava escrito com tinta de pena e letra precipitada.

> *Querido professor,*
> *A Espanha continua sendo fascinante.*
> *Meu trabalho vai bem.*
> *Depois das uvas, sairei em busca de Mr. Witt.*

O texto em si não era mais que outra pequena amostra da boa relação de Fontana com seus discípulos e nada de substancioso aportava ao meu trabalho.
O que me chocou foram as últimas linhas do cartão. As da despedida.
Não pelo que diziam, mas por quem as assinava.

> *Desejo-lhe um feliz ano.*
> *Seu amigo,*
> *Daniel Carter*

CAPÍTULO 11

A Espanha que acolheu Daniel Carter na primeira vez que atravessou o Atlântico já havia despertado do brutal estupor do pós-guerra, mas ainda continuava sendo uma nação lenta, atrasada e assombrosamente pitoresca diante do olhar de um estudante norte-americano.

Ele tinha vinte e dois anos e um punhado difuso de razões para embarcar naquela aventura: certa desenvoltura na língua espanhola, uma crescente paixão por sua literatura e uma vontade imensa de pôr o pé nessa terra à qual estava vinculado a distância desde que decidira dinamitar temerariamente as linhas não escritas do seu destino.

Filho de um dentista e de uma culta dona de casa, Daniel Carter crescera na confortável convencionalidade da pequena cidade de Morgantown, Virginia Ocidental, abrigado pelo ar dos Apalaches e pelo sonho comum de seus pais segundo o qual seu primogênito – bom aluno, bom atleta, bom rapaz – haveria de se transformar, com os anos, em um brilhante advogado ou um prestigioso cirurgião. No mínimo. Mas, como costuma acontecer nesses casos de inocente convicção unilateral, os planos dos progenitores acabaram indo por um lado e os passos e interesses do filho por outro.

— Andei pensando em meu futuro.

Soltou a frase como quem não quer nada, entre um pedaço de carne e ervilhas cozidas. Em um jantar como tantos outros. Em um entardecer de um domingo qualquer.

— Direito, enfim? — perguntou a mãe risonha, com o garfo cheio de purê de batata a meio caminho entre o prato e a boca.

— Não.

— Medicina, então? — perguntou o pai mal disfarçando sua satisfação.

— Também não.

Olharam para ele atônitos enquanto narrava com voz firme o que nem em mil e uma noites poderiam chegar a imaginar. Que ao término dos seus estudos universitários iniciais, não tinha nenhum interesse em se especializar em leis, apesar de ter sido admitido na Universidade de Cornell. Que a Medicina não lhe interessava nem um pouco, que não sentia a menor fascinação pelo funcionamento da jurisprudência ou do corpo humano, que não achava nem remotamente atraente um futuro cercado de juízes, centros cirúrgicos, réus ou bisturis. Que o que queria fazer de sua vida era conhecer outras culturas. E dedicar-se ao estudo da Literatura. Estrangeira, especificamente.

O pai tirou o guardanapo do colo com extrema lentidão; os olhos concentrados na toalha de mesa.

— Com licença — murmurou.

A batida da porta retumbou na rua toda. A mãe, com o garfo ainda suspenso no ar, ficou sem fala enquanto as lágrimas começavam a brotar dos seus lindos olhos verdes e se perguntava onde e quando haviam errado na criação daquele filho a quem julgavam ter proporcionado uma educação exemplar.

Contudo, conheciam Daniel. Conviviam diariamente com sua veemência e sua feroz capacidade de se apaixonar. E por isso sabiam que aquela resolução, por mais extravagante que parecesse, por mais ridícula e descabelada que soasse, dificilmente teria volta. Os irmãos pequenos trocavam pontapés por baixo da mesa, mas não se atreveram a abrir a boca, com medo de que no meio da briga sobrasse para eles também.

Contra a ação, reação. A partir daquele dia, o silêncio se estendeu como uma manta pela casa, deixando passar as semanas sem lhe dirigir a palavra, acreditando ingenuamente que talvez o desgaste acabasse enfiando na cabeça do jovem rebelde um pouco de sensatez. A única coisa que conseguiram, porém, foi aquecer o entorno com uma temperatura tão desagradável que, longe de incitá-lo a mudar de atitude, conseguiram o efeito contrário: despertar nele uma ânsia incontrolável de ir embora.

O passo seguinte consistia em solicitar uma vaga para fazer pós-graduação na Universidade de Pittsburgh. Na última hora e por um fio, conseguiu ser aceito no programa de Línguas Clássicas e Românicas: as matérias de Francês e Espanhol que havia cursado nos anos anteriores foram seu passaporte. A boa situação financeira familiar e a precipitação com que solicitara a vaga, porém, inabilitaram-no para receber uma bolsa de estudo. Visto que o pai manteve férrea sua negação a financiar aquele absurdo, no fim do verão o jovem Carter abandonou a casa familiar carregando uma mochila de lona nas costas, sessenta e sete dólares no bolso e a cisão com sua família ainda aberta.

Seu primeiro objetivo, já em Pittsburgh, foi procurar um emprego de meio período: previa que pouco durariam as parcas receitas que havia ganhado trabalhando como salva-vidas naquele verão, seu único capital. Rapidamente encontrou um na Heinz, a grande fábrica de ketchup, feijão cozido e sopas enlatadas. Tinha enormes anseios e poucas exigências; a partir daí, chegou o início de um tempo fundamental.

O primeiro trimestre passou voando. Alugou um quarto em uma casa capenga dividida com sete estudantes, cinco gatos e uma bela quantidade de janelas quebradas. Sua decadência o preocupava bem pouco, usava a casa apenas para dormir; o restante do tempo passava entre a universidade e os turnos na Heinz. Comia em qualquer esquina, tanto uma lata de feijão frio, sentado em um degrau enquanto repassava seus exercícios de Gramática, como um sanduíche de queijo em três mordidas enquanto avançava apressado pelos corredores entre duas aulas. Em seu pouco tempo livre – tinha apenas uma hora disponível –, calçava seus tênis e corria como um possesso pelas pistas de atletismo da universidade. A presença daquele rapaz alto, extrovertido, cheio de energia e sempre com pressa tardou pouco a se tornar popular entre os colegas e professores com quem convivia em seu ambiente acadêmico. Na outra facção, a fábrica, zombavam dele cada vez que o viam com um livro nas mãos nos momentos de descanso, sentado entre pilhas de caixas com o macacão de trabalho. Mas não se isolava totalmente. Em um exercício de caótica multifuncionalidade, também não desperdiçava qualquer assunto que houvesse no ar: da última honrosa derrota dos Pittsburgh Steelers na liga de futebol às piadinhas sobre os chefes, as mulheres e a vida que circulavam entre os trabalhadores de mil origens com quem trabalhava.

No segundo trimestre fez quatro matérias. Literatura Espanhola do século XX foi uma delas; seu horário, das duas às três e meia da tarde, na Cathedral of Learning, o edifício emblemático de Pitt, como todos ali chamavam a universidade. Grande parte do orçamento para a construção daquela monumental obra havia sido custeado com contribuições financeiras de filantropos, corporações e governos, bem como com pequenas doações privadas. Algumas delas foram especialmente gratas, como as aportadas pelas crianças da região durante as etapas mais duras da Grande Depressão, quando existia o risco de que o projeto daquela torre do saber nunca pudesse ser finalizado. Graças à criativa campanha *Buy a brick for Pitt*, os estudantes dos arredores realizaram quase cem mil minúsculas contribuições de dez centavos que ajudaram a conclusão da obra em 1937. Em troca, cada criança acabou recebendo um certificado oficial de propriedade de um tijolo do edifício.

Daniel havia chegado à primeira aula da matéria apenas alguns minutos antes do início, justamente depois de almoçar, arrebatado como sempre. Com as pernas esticadas e os braços cruzados, dispôs-se a esperar a chegada do professor. Mau momento para a cabeça sustentada por jovens ombros cansados após o esforço noturno carregando caminhões: em apenas dois minutos estava com o queixo no peito, o cabelo caído sobre os olhos e a mente tomada por essas presenças estranhas que costumam pulular por entre os neurônios durante os primeiros acordes do sono.

Recobrou a lucidez ao sentir em seu pé esquerdo um chute breve e certeiro. Acordou imediatamente e murmurou um preocupado *"I'm sorry"* enquanto retomava, rapidamente, a compostura. À frente viu um homem moreno, de barba fechada de corsário, cabelo escuro penteado para trás e olhos redondos como dois minerais.

— Cochilos, em casa e no verão. E, se possível, à sombra de uma videira com uma moringa de água fresca ao lado.

— *I beg your pardon, sir...*

— Estamos aqui para trabalhar, jovem. Para cochilar, há outros lugares melhores. Seu nome, por favor?

Com um espanhol ainda um tanto hesitante, Daniel se debatia entre a especialização nessa língua ou em francês, sem saber muito bem em qual das duas culturas acabaria marcando seu território. Mas captou o sentido daquela mensagem de forma automática. Captou o sentido e captou seu emissor, aquele homem seco que não parecia disposto a transigir em sua aula com a menor bobagem.

Suas aulas demoraram pouco tempo para desequilibrar a balança: os poetas de 1927 e a fascinação pelo conflito sangrento entre irmãos se impuseram com contundência, e os estudos em língua e literatura hispânicas para os quais finalmente se inclinou perpetuaram no estudante a convicção de que, apesar do repúdio familiar, seu empenho havia valido a pena. A relação com seus pais, porém, não se endireitou. Eles ainda não entendiam a excêntrica obsessão do filho pelas letras alheias, incapazes de assumir seu afã de desperdiçar uma notável capacidade intelectual naquela absurda especialidade acadêmica que, aos seus olhos, augurava um futuro profissional incerto e uma posição social muito pouco promissora.

Talvez o próprio Daniel também não fosse capaz de fundamentar sua decisão com argumentos convincentes. De fato, antes de acabar para sempre com as expectativas familiares, seu contato com o mundo de fala espanhola havia se limitado aos conhecimentos elementares daqueles cursos intensivos em que lhe ensinaram algumas listas de palavras e a distinguir mal e mal os caminhos tortuosos de presente, passado e futuro. Os livros didáticos o haviam equipado, ainda, com um arsenal de dados um tanto desconexos sobre pintores, monumentos, museus e uma ou outra excentricidade gastronômica como polvo, rabo de touro ou esses doces com o sinistro nome de *huesos* de santo. E a isso, no máximo, poderia ser acrescentada a leitura em uma longa noite de verão de *Por quem os sinos dobram*, de Hemingway, e algumas expressões soltas que nas tardes de sábado os mexicanos bigodudos dos filmes do Velho Oeste diziam na grande tela do Warner Theatre de sua Morgantown natal. Pode ter sido nesse sedimento tão pequeno que se enraizou a semente de sua decisão. Ou pode ser que não: que tudo se devesse a um simples impulso de rebeldia, a um mero e inconsciente desejo de arremeter contra a ordem estabelecida das coisas.

Fosse qual fosse a centelha, e por mais insignificante e precária que tenha sido sua origem, o desenlace culminara em uma chama que carbonizou os planos de seus pais e deixou o terreno limpo para assentar nele o alicerce do restante de sua vida. E sobrevoando tudo isso, intangível, mas poderoso, houve definitivamente o empurrão de Andrés Fontana.

Quase sem que nenhum dos dois tivesse consciência disso, tudo chegou com um verso. Um verso simples, escrito à mão, encontrado nas dobras do bolso de um poeta morto. Nove palavras de aparente simplicidade que Daniel jamais teria entendido em toda a sua dimensão se seu professor não lhe houvesse aberto os olhos. Nove palavras que Andrés Fontana escreveu com giz branco na lousa. *Esos días azules y este sol de la infancia.*

— Como era o sol da infância de Antonio Machado, professor?

A pergunta veio de uma estudante hiperativa com cara de rato e grandes óculos de acrílico que sempre se sentava na primeira fila.

— Amarelo e luminoso, como todos — respondeu um engraçadinho sem graça.

Alguns riram timidamente.

Fontana não.

Daniel também não.

— A pessoa só valoriza o sol da infância quando o perde — disse o professor acomodando-se na borda de sua mesa com o giz na mão.

— Quando perde o sol ou quando perde a infância? — perguntou Daniel erguendo um lápis no ar.

— Quando perde o chão que sempre pisou, as mãos que o seguraram, a casa onde cresceu. Quando vai embora para sempre, quando forças alheias o empurram e ela tem a certeza de que nunca voltará.

E então, o professor, sóbrio e escrupulosamente respeitoso para com o programa docente até aquele dia, despojou-se de constrições acadêmicas e falou. Falou de perda e exílio, de letras desterradas e do cordão umbilical da memória; esse que, apesar das montanhas e oceanos que acabam separando as almas dos sóis da infância, jamais se rompe.

Quando o sinal tocou no fim da aula, Daniel já tinha certeza absoluta de para onde se encaminhariam os passos do seu futuro.

Umas semanas depois, ao término da leitura de *Nanas de la cebolla*, de Miguel Hernández, Fontana os surpreendeu com um pedido.

— Preciso de um voluntário para...

Antes que acabasse a frase, Daniel já havia erguido o braço para o teto em toda a sua notória extensão.

— Não acha, Carter, que antes de se oferecer, devia saber para que o solicito?

— Não importa, professor. *Conta* comigo.

— *Conte* comigo.

— Conte comigo, perdão.

A atitude do rapaz não deixava de surpreender Fontana à medida que os dias se passavam. Ao longo dos muitos anos que vinha batalhando nas salas de aula norte-americanas, havia enfrentado estudantes de todo tipo e condição. Em poucos, porém, vira o entusiasmo daquele rapaz alto de franja comprida e corpo um tanto esquisito na época.

— Vou precisar de você por três dias. Vamos celebrar um encontro de professores hispanistas, uma espécie de congresso. Vamos nos reunir aqui a partir de quinta-feira. Você deverá ter total disponibilidade de horário para qualquer coisa que precisemos até sábado à tarde, desde acompanhar os visitantes a seus hotéis até nos servir café. Continuo contando com você ou já está arrependido?

Apesar de Fontana ter lhes falado do que significava o exílio depois do verso de Machado, Daniel não sabia nada na época sobre os inúmeros catedráticos e assistentes da universidade espanhola que duas décadas antes haviam empreendido aquele amargo caminho. Alguns haviam ido embora durante a contenda, outros ao fim, ao serem destituídos de seus cargos. A maior parte deu início a um périplo pelas Américas Central e do Sul vagando de um país a outro até encontrar pouso permanente; alguns deles acabaram se estabelecendo nos Estados Unidos. Houve também quem tenha voltado à Espanha e se acomodado como bem pôde aos preceitos intransigentes do regime. Houve quem tenha voltado e se mantido firme em seus princípios apesar da crueza das represálias. E houve, ainda, quem nunca foi embora e viveu um exílio interno, amargo, mudo. A lista da diáspora intelectual foi bem grande, e Andrés Fontana se reuniria com alguns deles apenas alguns dias depois.

— Certamente, senhor, *conta* comigo.

Fontana não teve tempo de corrigi-lo: antes de se embananar outra vez com o modo verbal, o rapaz, decidido a não se arriscar, antecipou-se.

— Às suas ordens, senhor.

Estava tentando soar correto e convincente, mas era mentira. Tinha um emprego na fábrica Heinz, cinco horas completas durante cada uma daquelas noites. Mediante alguns complicados cambalachos e um monte de generosas promessas de duplicar o turno nos dias seguintes, conseguiu finalmente que vários colegas o cobrissem. Sabia que devolver os favores lhe custaria um esforço extra e sabia que deveria ser um estrito cumpridor. Mas, por alguma suspeita puramente intuitiva, antevia que aqueles três dias entre hispanistas valeriam a pena.

Dirigindo o Oldsmobile de Fontana, foi buscar no aeroporto e em estações de ônibus e trem os recém-chegados. Alguns com inglês fluente, mas com sotaque carregado, e outros tantos com recursos linguísticos limitados. Levou-os de lá para cá, atendeu-lhes com suas melhores artes e maneiras, esteve atento a todos e decorou um bom número de nomes, cargos e especialidades. Um tal de Montesinos chegado de Berkeley, Califórnia; o melhor lopeveguista do mundo, disse Fontana ao apresentá-lo, e os dois soltaram uma gargalhada sob seu olhar de desconcerto enquanto se davam palmadas nas costas com força. Um tal de Américo Castro, bem mais velho que a média e a quem todos pareciam reverenciar. Um tal de Vicente Llorens, enormemente desolado pela morte de sua esposa, pelo que Daniel julgou entender. Um tio e um sobrinho que compartilhavam o sobrenome: Casalduero. E assim até mais duas dúzias de professores.

E enquanto debatiam sobre sua literatura em um território alheio à pátria comum onde ela havia sido gerada, Daniel, sem saber que estava se transformando no reverso dos velhos dias madrilenses do seu professor, voltou aos hotéis em busca de óculos e carteiras esquecidas, levou um alérgico ao consultório de um médico, abasteceu-os de cigarro quando necessitaram e acompanhou dois boêmios em busca do último bar. E, principalmente, pôs seus cinco sentidos na tarefa de decifrar o que havia por trás daqueles homens que tiravam a palavra uns dos outros, sempre com vontade de falar, e se esforçou para conhecê-los, entendê-los e descobrir o que se escondia por trás dos extravagantes rótulos de *galdosiano*, *lorquiano*, *cervantista* ou *valleinclanesco* que aplicavam uns aos outros.

Atrás deles buscou também a saudade do sol da infância de que Fontana lhe havia falado, mas só encontrou umas pinceladas soltas, como se houvesse um acordo tácito entre todos eles para não arranhar a alma nem entrar fundo em nada. Por isso se mantiveram na superfície do banal, jogando aos pássaros apenas migalhas de memória. Um amaldiçoou o frio demoníaco daquelas terras e recordou a mornidão do clima de sua terra de Almería. Outro sentiu falta do vinho de La Rioja durante um dos almoços na sóbria lanchonete da universidade. Um terceiro cantarolou uma *coplilla* quando uma garçonete especialmente generosa passou. "Ora, ora, vejo uns bons grãos-de-bico em vez de tanto milho!" De política mal falaram. Começaram com ela em algum momento, mas se negaram a prosseguir. Ninguém queria uma sombra negra sobrevoando aquele encontro que todos previam cordial.

Daniel fez tudo por eles e aprendeu mil coisas novas. Palavras sonoras e títulos de livros, frases soltas, nomes de autores e cidades, e até mesmo um ou outro palavrão, como esse "*coño!*" contundente com que muitos deles temperavam a conversa. Até que chegou o sábado à tarde e começou a devolver uns e outros a seus trens, aviões e ônibus. Até que o inesperado surgiu à sua frente sem previsão.

O vestíbulo do hotel estava praticamente vazio; juntos, a secretária do departamento e ele julgavam ter terminado com todos os traslados em várias viagens sucessivas ao longo da tarde. Ela havia acabado de ir embora. Daniel, prestes a fazer o mesmo, esperava Fontana para lhe devolver as chaves do carro.

E, então, ele os viu sair do bar.

— Quais são os planos para esta noite, rapaz? — perguntou um deles a distância. — Ainda há três de nós por aqui, e seu chefe nos disse que você cuidaria de tudo até o fim.

Um suor frio começou a correr por suas costas. Aquela noite tinha de dobrar o turno, já havia combinado com um dos seus colegas da fábrica: um polonês calado, pai de cinco filhos, que não costumava admitir piadinhas.

— Eu não sei de nada, senhor — disse procurando Fontana com o olhar carregado de urgência.

— Não me diga isso, homem! No fim, decidimos trocar nossas passagens para não viajar durante a noite toda. Acabamos de comer alguma coisa, não vai querer que fiquemos até amanhã de manhã trancados no hotel.

— Tenho de falar com o doutor Fontana, desculpem, por favor.

Tentava não se mostrar alarmado enquanto continuava procurando com avidez o professor. Encontrou-o na porta do hotel, na calçada, despedindo-se de um casal que partia rumo a Buffalo. Trocaram abraços, agradeceram as atenções.

— Bom, acabou — anunciou satisfeito dando a seu pupilo duas palmadas no ombro quando por fim o viu. — Bom trabalho, Carter, eu lhe devo umas cervejas.

— Acho que não, professor...

— Não quer tomar umas cervejas comigo um dia da semana que vem? Bom, tomaremos um café, então. Ou melhor, permita que o convide a almoçar em um bom restaurante, você merece.

— Não digo que não queira tomar umas cervejas, senhor. Digo que isto não acabou ainda.

Com um gesto dissimulado, apontou para os professores do outro lado do vidro. No vestíbulo, o trio se mantinha à espera. Com os chapéus na mão. Prontos para que alguém os tirasse dali.

— Eu tenho meus planos — disse Fontana parando bruscamente. — Ninguém me disse que esses três colegas pretendiam ficar mais uma noite.

Daniel sabia, na época, que havia uma mulher rondando a vida do professor. Desconhecia seu nome e seu rosto, mas havia ouvido sua voz. Estrangeira. Estrangeira com um bom inglês. Soube porque ele mesmo havia se encarregado de atender a sua ligação na sala de Fontana duas semanas antes. Fora até ali só para receber instruções para aquele encontro. Atenda, Carter, pediu-lhe ao terceiro toque enquanto vestia o paletó com pressa. E diga que estou indo. Só a ouviu pronunciar o nome: Andrés? E, depois, um está bem, obrigada, quando ele lhe deu o recado do professor. O suficiente para saber que se tratava de uma mulher relativamente jovem. Até então, nada mais.

— Mas havíamos combinado que minhas obrigações com o senhor acabavam sábado à tarde — insistiu. — Hoje tenho de trabalhar na fábrica, tenho de compensar meus colegas pelos dias que me substituíram.

— Não me aborreça, Carter, por Deus.

— Professor, o senhor sabe que eu faria com prazer, mas não posso, de verdade... — repetiu estendendo-lhe as chaves de seu automóvel.

O som de uma sonora buzina do outro lado da rua os fez interromper a conversa. Ambos desviaram automaticamente o olhar para um Chevrolet branco. No banco do condutor, cobrindo o cabelo com um lenço de seda florido e o rosto com óculos de sol, uma mulher. Fontana ergueu a mão, pediu que esperasse.

— Pense em alguma coisa, Carter, pense em alguma coisa... — tornou a murmurar quase sem abrir os lábios e sem pegar as chaves que seu aluno lhe entregava. — Como vê, não posso cuidar disso.

— Se eu não aparecer na fábrica esta noite, na segunda-feira estarei na rua.

Fontana acendeu um cigarro com uma tragada ansiosa. Do outro lado do vidro, os três professores retardatários pareciam começar a se movimentar.

— O senhor sabe que, se eu pudesse, não hesitaria, professor, mas...

— O departamento deve começar logo a avaliar as solicitações de bolsas de estudo para o próximo ano — atalhou Fontana expulsando uma baforada de fumaça.

— E acha que esta atividade poderia ser considerada um mérito acadêmico? — perguntou Daniel captando a indireta no ar.

— Mesmo fora de horário, não resta a menor dúvida.

A buzina tornou a tocar; os três professores estavam quase saindo pela porta giratória.

— Fico com seu carro.

A mão grande de Fontana lhe deu um aperto na nuca enquanto ele guardava as chaves no bolso.

— Cuide bem deles, rapaz.

Sem mais uma palavra, aspirou uma última tragada profunda, jogou o cigarro no asfalto e atravessou a rua rumo ao Chevrolet.

CAPÍTULO 12

Percorreram sem rumo Pittsburgh, a cidade do aço, com Daniel ao volante do automóvel de Fontana enquanto lançava constantes olhares fugazes ao relógio. Tinha de encontrar uma solução para manter os três hispanistas entretidos de algum jeito; só restavam quarenta minutos para o seu turno. Estava começando a nevar.

Como passageiro, levava um professor mexicano especialista em San Juan de la Cruz com quem falava de vez em quando em inglês. Atrás, vestindo seus casacos e fumando como possessos, um espanhol mais velho e discreto e outro mais jovem que se defendia em uma confusa miscelânea linguística que ele mal conseguia entender. Tarde demais para visitar o Carnegie Museum. Passaram pelo Pitt Stadium no campus. Daniel cruzou os dedos, mas não teve sorte: os Pittsburgh Panthers, o time de futebol da universidade, não ia treinar esta noite. Continuou dirigindo. Os arredores do Forbes Field, o estádio dos Pittsburgh Steelers, também estavam desolados. Faltavam trinta minutos para sua hora quando chegaram ao Penn Theater e ele propôs entrar para ver Elvis Presley em *Love Me Tender*. Nenhum dos professores demonstrou interesse. Que tal uma visita ao Atlantic Grill da Liberty Avenue, templo local da cozinha alemã? O velho silencioso caiu na risada sem pudor, depois teve um ataque de tosse. E um drinque no bar do Roosevelt Hotel? Nem bola. Vinte minutos para bater o cartão, calculou tornando a olhar a hora. Continuava nevando. Maldita bolsa de estudos.

— Escute, jovem — disse por fim o mexicano enquanto atravessavam uma das pontes sobre o rio Monongahela pela terceira vez. — Estes humildes professores que somos, e a quem você tem esta noite a gentileza de acompanhar, vieram de Nova York. Eu leciono no Hispanic Institute da Universidade de Columbia, o doutor Montero é professor emérito do Brooklyn College CUNY e o jovem doutor Godoy acaba de entrar no *college* da mesma universidade em Staten Island. Já estamos mais que acostumados a restaurantes, cinemas e eventos esportivos. Esta noite gostaríamos de algo singular. Algo especial, algo que só se possa fazer em Pittsburgh, entende?

— Perfeitamente — corroborou dando uma guinada no volante.

Finalmente teve uma ideia. Era uma loucura, sem dúvida, mas não lhe restava nenhuma outra carta na manga.

A fábrica não suspendia as atividades à noite. Reduzia, mas não parava totalmente. A primeira dificuldade foi o vigia.

— Esperem aqui, por favor.

Deixou-os fumando no carro, com o aquecimento ao máximo, confusos e intrigados diante de sua reação, observando-o através das janelas enquanto ele se dirigia à guarita de acesso. O que ele falou a seguir não chegou aos ouvidos dos três professores. Felizmente.

— Boa noite, Bill — cumprimentou lendo o crachá que o funcionário levava no peito.

Costumavam mudar de dia e horário, não conhecia todos pelo nome. Mas recordava ter visto esse uma vez ou outra. E sabia que não era muito esperto. Decidiu atacar por aí.

— Boa noite, rapaz — respondeu o tal de Bill sem tirar totalmente os olhos da página de esportes do *Pittsburgh Post Gazette*.

— Vou pegar meu turno agora — disse mostrando-lhe sua credencial de funcionário. — Mas você não pode nem imaginar o que aconteceu enquanto eu vinha para cá de carro.

— Furou o pneu?

— Nada disso. Salvei três vidas.

— Salvou três vidas? — perguntou atônito enquanto deixava o jornal de lado.

— Sim, senhor, três vidas. E, talvez, o futuro desta empresa também.

Então, apontou para o carro onde os hispanistas continuavam ruminando seu desconcerto entre tragadas de Lucky Strike. Em tom cúmplice, continuou elaborando sua justificativa absurda.

— Trouxe três representantes europeus do setor agroalimentício. Vinham fazer uma visita comercial à lendária casa Heinz, mas o carro alugado deles quebrou no acostamento pouco depois de sair do aeroporto. O motor pegou fogo, podiam ter morrido.

— Nossa...

— Mas veja você que grande sorte que eu os tenha encontrado por puro acaso. E ainda bem que, mesmo com um enorme atraso, eu os pude trazer de carro até aqui.

O vigia, grandalhão, gordão, bobão, coçou a cabeça com receio. Bem atrás da orelha esquerda.

— Acho que hoje já não vão poder entrar. A esta hora só está autorizado o acesso aos funcionários.

— Eu sei, mas é que eles precisam ver a fábrica agora mesmo.
— Por que não vêm amanhã?
— Porque amanhã é domingo.
— Que voltem na segunda-feira.
— Impossível, estão sendo esperados em Atlanta para visitar a fábrica da Coca-Cola.

O próprio Daniel estava impressionado com a facilidade com que as mentiras saíam de sua boca. Tudo por aquela maldita bolsa de estudos.

— Bom, não sei o que dizer, amigo...
— Quero ver como vai explicar ao encarregado, semana que vem, que esses representantes voltaram para a Europa dispostos a vender milhões de litros de Coca-Cola lá e nem um só produto nosso.

O gigantão tornou a coçar a cabeça. Dessa vez, o topo dela.

— Estou com um problema, não?
— É o que eu acho.

Dois minutos depois, estavam todos dentro da fábrica.

— Bem-vindos, senhores, à alma da América — proclamou Daniel em um espanhol arranhado que tentava parecer triunfal.
— Como? — perguntou o professor emérito.
— Qual é a essência da vida americana? — continuou.

Voltou à sua língua nativa, precisava dela para a opereta que estava prestes a montar. Sem lhes dar tempo sequer de arriscar uma resposta, automaticamente respondeu a si mesmo:

— O hambúrguer, evidentemente!

Caminhavam pelos corredores enquanto Daniel continuava soltando sandices e se perguntava que diabos ia fazer a seguir.

— E qual é o segredo de um bom hambúrguer? A carne, acreditam? Nem pensar. O pão? Também não. Nem a alface ou a cebola, claro. O segredo, senhores, é o ketchup! E onde está o segredo do ketchup, o coração do ketchup? Na Heinz!

Haviam chegado à área de enchimento dos potes, escura e fantasmagórica àquela hora, com toda a maquinaria parada e mergulhada em um silêncio de cemitério. Procurou os interruptores de luz, acionou-os com ímpeto até que todos os neons deslumbraram a imensidão do aposento. Sabia que se meteria em uma grande enrascada se algum encarregado passasse por ali, mas não tinha outra opção. Movendo-se de um lado para o outro, foi inventando para que servia cada uma das gigantescas máquinas. Mal tinha ideia das suas funções. Estivera apenas duas vezes naquela parte da fábrica antes. Mas em um arroubo desesperado de imaginação, ao encontrar o que recordava vagamente ser a máquina etiquetadora, dramatizou sua tarefa. Insistiu, depois, para que cada um guardasse no bolso um punhado de tampas de rosca quando chegaram à área de vedação e fechamento. E ao alcançar por fim o que teoricamente era o início do processo, o enchimento dos envases, Daniel, com um salto, subiu na plataforma que continha o tanque de onde se realizava essa função. Colocou um dedo lá dentro e o tirou vermelho.

— O ketchup, senhores, orgulho da grande casa Heinz! Aqui está, não precisam ir mais longe! Subam e experimentem!

Estendeu uma mão ao mais jovem dos professores. Ainda um tanto desconcertado, ele não se atreveu a negar.

— Experimente, experimente a grande glória da América, professor! — insistiu, obrigando-o a enfiar a mão no tanque.

Depois, ajudou o mexicano a subir; este um pouco mais reticente. Sua mão direita foi parar no tanque também. O maduro doutor Montero, apesar da insistência, disse que nem pensar.

Enquanto descem da plataforma após se fartar de experimentar o molho de tomate com sabor adocicado, Daniel tornou a consultar a hora. Seu tempo estava se esgotando e não tinha a mais remota ideia do que fazer a seguir. Encaminhou-os então ao vestiário, pediu-lhes que o esperassem do lado de fora enquanto vestia o macacão cor de areia que todos os funcionários eram obrigados a usar. Ao fundo se ouvia o barulho das esteiras transportadoras e dos carrinhos mecanizados que usavam para encher os caminhões com as caixas. E vozes de homens dando ordens uns aos outros, algumas risadas de vez em quando, alguma palavra mais pesada de vez em quando também. Enquanto isso, os professores, incongruentes com seus longos casacos escuros, suas gravatas e seus chapéus, continuavam se perguntando que diabos estavam fazendo ali.

No mesmo instante em que Daniel saiu do vestiário masculino, três jovens saíram do feminino.

— Olá, estudante — disseram duas delas em uníssono em um tom de deboche. A terceira corou levemente ao vê-lo.

Já estavam com suas roupas normais, batom nos lábios, o uniforme guardado na bolsa e os casacos cada um de uma cor. Violeta da morena mais alta, amarelo da loira redondinha, azul-esverdeado da castanha que ficara vermelha. O mexicano e o jovem professor espanhol por fim refletiram no rosto um minúsculo interesse. O velho tossiu de novo.

— Como é, garotas, já vão para casa? — cumprimentou Daniel com pressa.

— Que remédio... — disse a loira com uma expressão impostada de tédio. — Não temos ninguém que nos leve por aí.

A oportunidade estava se apresentando antes do esperado. E não a deixou passar.

— Senhores, quero lhes apresentar minhas amigas Ruth Ann, Gina e Mary Lou. As mulheres mais bonitas de todo o South Side. As embaladoras de latas de sopa mais rápidas de toda a indústria manufatureira mundial. Garotas, vocês estão diante de três homens sábios.

Falava a toda a velocidade, calculando que lhe restavam apenas dois minutos para que o funcionário que o antecedia em seu carrinho de transporte apertasse o botão de *stop*. Enquanto apertavam mãos e diziam seus nomes, soltou sua oferta no ouvido da loira.

— Cinco paus para cada uma se os distraírem durante três horas — disse em voz baixa entregando-lhe disfarçadamente as chaves do carro de Fontana. — E quinta-feira à tarde levo vocês ao cinema.

— Seis por cabeça — corrigiu ligeira Mary Lou. — E depois do cinema, jantar.

Nem sequer teve tempo de calcular que isso ia lhe custar o salário de toda uma semana.

— Meus queridos professores, estas encantadoras garotas desejam continuar lhes mostrando as instalações da nossa magnífica empresa. E depois, oferecem-se para levá-los a dançar. Não vão encontrar melhor companhia em toda a cidade, eu garanto. Receio que eu esteja sobrando, de modo que, se me permitem, vou deixá-los por aqui.

Os hispanistas ficaram atônitos ao vê-lo sair correndo como um louco pelo corredor a caminho do depósito. Mas as garotas, com sua graça proletária e o desembaraço da juventude, entre latas de feijão, coquetéis e passos de chá-chá--chá, fizeram que se esquecessem rapidinho dele. O trio de professores recordaria para sempre aquela viagem a Pittsburgh como um encontro acadêmico sem precedentes.

Outro corredor muito diferente foi o que Daniel Carter tornou a atravessar a grandes passos quase dois intensos anos e uma eternidade de aulas e leituras depois. Muito mais curtido no aspecto mental, moral e físico, pôs por fim a cabeça pela porta aberta da sala do professor Fontana em um dos últimos andares da imponente Cathedral of Learning.

— Entre, Carter, entre — cumprimentou com sua voz robusta em espanhol. — Eu o estava esperando. Como sempre, vem sem fôlego. Sente-se e fique tranquilo um pouco, faça o favor.

Daniel já estava mais que habituado ao amontoado de prateleiras lotadas, às pilhas de trabalhos e provas que povoavam todos os cantos, e àquela mesa sempre coberta de papéis. Com o passar das matérias e dos trimestres, Andrés

Fontana havia chegado a ser não só seu orientador acadêmico, como também o mentor respeitado e até o amigo que, pouco a pouco, foi desenterrando diante do jovem americano alguns mistérios da idiossincrasia de um país que ainda não havia conseguido cicatrizar as feridas de um dos maiores horrores da história.

O professor mantinha sua austera formalidade espanhola no trato com colegas e alunos. Era rápido, resoluto, sólido de corpo e alma, com uma vigorosa barba escura que estava começando a ficar grisalha, um torso contundente e mãos grandes que pareciam ter sido configuradas para algum fim menos sofisticado que o que o ocupava nas salas de aula, nos gabinetes e nas salas de reunião. Já a caminho dos cinquenta, com exceção de alguns fios prateados nas têmporas, mantinha intacto um cabelo denso e escuro penteado sempre para trás e uma voz áspera que jamais formulava elogios gratuitos. Apesar dos longos anos de residência em terra americana e de dominar um inglês formalmente impecável, não havia limado a firmeza de seu sotaque nativo nem se esforçava para disfarçar o repúdio que lhe provocavam certas atitudes relaxadas tão próprias do entorno estudantil onde trabalhava já por metade da vida: os risos intempestivos, as corridas ocasionais pelos corredores ou essa querência involuntária de alguns alunos de tirar um cochilo em suas aulas de logo depois do almoço. Mostrava pouca resistência para a frivolidade e uma obstinada intolerância diante da indolência e da preguiça. E, apesar disso, era vigoroso, generoso e dialogante, sempre disposto à conversa quando era solicitado, sempre capaz de escutar e debater sem preconceitos inabaláveis. Sempre pronto a estender a mão.

Usando a pluma como uma espada, ainda fez algumas rasuras enérgicas sem levantar a vista da página manuscrita por algum estudante medíocre que estava sendo massacrado pelo professor.

— Suponho que ainda continuamos interessados em passar uma boa temporada na Espanha — disse segurando o cigarro entre os lábios com o olhar em sua desapiedada correção.

— Sim, senhor, sabe que sim.

Apesar da confiança que haviam conseguido entre ambos com o tempo, no entorno acadêmico conservavam o mais requintado convencionalismo.

— Pois tenho algo para lhe contar. Dê uma olhada nisto.

As folhas presas com um clipe metálico planaram por cima da mesa e Daniel as pegou no ar. Programa Fulbright, leu em voz alta.

— Finalmente chega à Espanha, louvado seja Deus.

Para arrematar seu irônico comentário, Fontana traçou com contundência um último risco horizontal sobre o texto massacrado. Rosqueou a seguir a tampa da caneta-tinteiro e se concentrou no assunto para o qual havia convocado o estudante à sua sala.

— Trata-se de um programa de intercâmbio acadêmico internacional. Funciona há uma década, patrocinado pelo Congresso dos Estados Unidos. A Espanha, porém, havia sido mantida de fora até agora, como em tantas outras coisas. Mas, como parece que nossos países estão a caminho de um doce entendimento, por fim decidiram abrir-lhe a porta e em breve será constituída uma comissão conjunta.

— Em que consiste o programa, exatamente? — inquiriu Daniel enquanto folheava os papéis com avidez.

— Bolsas para fazer cursos de especialização ou um trabalho de pesquisa em uma universidade do país escolhido.

— Espero que para consegui-la não me peça que distraia alguns professores em troca, como na outra vez.

Fontana riu a gosto. Com a familiaridade conquistada ao longo do tempo, Daniel acabara lhe confessando os detalhes daquela noite passada na Heinz.

— Não se preocupe, garanto que desta vez tudo será feito pelo procedimento mais ortodoxo — disse apagando o cigarro em um cinzeiro já cheio de bitucas.

Ainda lhe era difícil reconhecer naquele homem jovem, consistente e desenvolvido o rapaz impetuoso que não tanto tempo atrás chegara à sua aula com um espanhol hesitante e um anseio enorme de aprender. Estava mais sereno, polido, multiplicara por dez seu domínio da língua e, apesar disso, não perdera nem um pingo do entusiasmo ou da curiosidade intelectual que trazia consigo no primeiro dia. E, conforme haviam combinado, conseguira a bolsa de estudos que por fim o livrara do trabalho noturno na fábrica e lhe permitira concentrar-se em seus estudos com determinação. Mas ainda lhe restava um longo trecho pela frente para chegar a ser aquilo que prometia desde as primeiras aulas, pensou Fontana. Ainda precisava continuar direcionando-o.

— Acha que tenho chances?

— Você é quem sabe... — replicou o professor com um toque de ironia.

— Posso dar sorte.

Dobrou as folhas, guardou-as no bolso de trás das calças e começou a recolher do chão seus livros, suas pastas, seu paletó, impulsionado pela pressa de quem sempre andava apertado de tempo e com muitas coisas para fazer.

— Um momento, Carter, espere, espere, homem de Deus. Quando vou conseguir que venha me ver sem que tenha de sair voando em cinco minutos?

— É que este trimestre tenho seis matérias, professor, e...

— Não se lamente, rapaz. Concentre-se no que acabei de lhe dizer. Precisa apresentar um projeto sério e bem elaborado a essa gente. Sente-se outra vez, faça o favor.

Obedeceu com expressão interessada.

— Pensei em alguém. Ramón J. Sender.

— Ramón o quê?

— *Jotassénder*.

— Quem é?

— Um bom escritor para começar a considerar um possível tema de sua tese. E, além do mais, um amigo.

Então, jogou-lhe um livro por cima de sua grande mesa.

— Vivo? — perguntou Daniel, pegando-o habilmente com a mão esquerda.

— E na ativa. Ensina Literatura Moderna em Albuquerque, Novo México. E continua escrevendo. Acabei de encontrá-lo no congresso de narrativa em Amherst.

— Ele não veio ao encontro de hispanistas?

— Não pôde. E você não sabe quanto senti a falta dele.

— Professor visitante?

— Permanente. Exilado.

— *Mosén Millán* — leu Daniel na capa. Depois, passou o dedo polegar pelas breves páginas. — Muito curto — acrescentou como único julgamento.

— E muito bom. Definitivo. Foi publicado no México há quatro ou cinco anos. Agora ele está pensando em mudar o título para *Réquiem por un campesino español*. E, além de tudo, tem uma grande produção anterior.

— Já há alguma coisa feita sobre ele?

— Simplesmente nada. Escritor *non grato* na Espanha e fora dela com frequência também. Por isso, se por fim se decidir, teremos de tomar cuidado.

Abandonou a sala com *Mosén Millán* agregado à sua volumosa carga e com o propósito de lutar com unhas e dentes por aquela bolsa de estudos que significaria um passo a mais na reconciliação entre seu próprio país e a Espanha que ansiava conhecer. A ideia de Sender, porém, teria de ser analisada com calma. Já havia falado antes com Fontana sobre sua intenção de focalizar uma futura tese de doutorado em algum autor contemporâneo. Mas não conhecia o escritor proposto e preferia ter uma ideia clara de quem era antes de se enroscar às cegas com um laborioso trabalho de anos sobre seus livros. Apesar de que isso de que fosse um rejeitado dentro e fora da Espanha não deixava de lhe causar uma saborosa curiosidade.

Já no corredor, quase correndo para não chegar atrasado à aula seguinte, ouviu como um trovão a voz de Fontana a distância, soltando uma última frase que não entendeu totalmente.

— Vamos ver como conseguiremos envolver todos sem que fiquem sabendo!

CAPÍTULO 13

Um Lockheed Super Constellation da TWA depositou Daniel Carter na pista de Barajas numa manhã do fim do verão tórrido de 1958. Com ele levava duas malas, uma máquina de escrever portátil e um carregamento de otimismo que não teria cabido no compartimento de carga do avião. Para sua subsistência, a bolsa de estudos Fulbright que finalmente lhe havia sido concedida. A um câmbio de quarenta e duas pesetas por dólar, esperava ser capaz de esticá-la para viver sem aperto durante um ano letivo completo.

O moço magro se aproximou rapidamente. Sem tirar da boca um cigarro mais que chupado, ofereceu-se para carregar sua bagagem em um carrinho meio enferrujado. Uma vez fora do terminal e após uma negociação com dois colegas de ofício, o proprietário de um táxi preto lhe abriu, obsequioso, seu porta-malas. *Como não lutar por um turista com pinta de americano?*, pensou o homem. *Com a vida do jeito que anda...*

— Aonde o cavalheiro mandar — disse o taxista com um palito entre os dentes.

— Rua Luisa Fernanda, número vinte e seis — pediu. Seu primeiro ato de comunicação em solo espanhol.

Foi degustando Madri por trás da janela do carro; tudo lhe parecia fascinante, tudo lhe chamava a atenção. Desde o terreno seco e desolado que a estrada adentrava na periferia até os edifícios e as pessoas que com densidade crescente iam enchendo os cruzamentos, as ruas e as esquinas. O taxista, enquanto isso, disposto a lhe arrancar uma gorjeta generosa, ofereceu-se para servir-lhe de guia. Em voz bem alta, para que entendesse direito.

— Se quiser me perguntar qualquer coisa, *mister*, estou à sua disposição.

— Muito obrigado, senhor — replicou Daniel, gentil. Mais que ouvir o taxista, porém, o que ele queria nesse momento era continuar absorvendo tudo que passava diante dos seus olhos.

Sem ter plena certeza, à medida que percorriam ruas de amplitude desigual começou a suspeitar que estavam dando mais voltas que o necessário. Às vezes, inclusive, lhe pareceu ter passado pelo mesmo lugar mais de uma vez. Operários de macacão e boina em frente a uma vala, empregadinhas domésticas na correria e duplas de guardas vestidos de cinza; viu de tudo. Cegos que vendiam bilhetes de loteria ao grito de "vinte iguais para hoje!", mães com a cesta no braço a caminho do mercado, carteiros de bicicleta, três padres de batina atravessando a rua ao mesmo tempo. Figurantes todos, em essência, desse grande cenário que havia meses antecipava em sua imaginação.

— E aqui, a Porta de Alcalá, que preciosidade — esclareceu o taxista depois de um bom tempo ziguezagueando. — E ali está a Cibeles, repare bem, como uma rainha. E logo vamos pegar a Gran Vía. Veja, veja, veja que fenômeno: a Sarita Montiel em *El último cuplé*. Cerca de um ano em cartaz já. Passo mal cada vez que atravesso a porta do Rialto. Não vá pensar em voltar para sua terra sem vê-la cantar o *Fumando espero*...

Seus olhos pulavam dos anúncios de bebidas e detergentes aos nomes das estações de metrô e aos guardas urbanos que organizavam a circulação com seus apitos. Dos cartazes gigantescos que anunciavam filmes nacionais e estrangeiros às garotas que andavam garbosas pelas calçadas com vestidos bem apertados na cintura, e aos homens magros e bem penteados que fumavam compulsivamente enquanto lhes soltavam cantadas e obscenidades sem sombra de pudor. Tudo lhe parecia impressionante sob o sol ainda combativo de setembro.

— E agora chegamos à praça de Espanha. Veja a Torre de Madri, recém-concluída, dizem que mede quase cento e cinquenta metros de altura, o que acha?

— Magnífica — mentiu Daniel. Não esclareceu que havia acabado de passar dois dias em Nova York em trânsito para a Espanha.

— Trinta e sete andares e um monte de elevadores — acrescentou tão orgulhoso como se fosse o herdeiro —, o arranha-céu mais alto da Europa. E que depois não digam que não fazemos as coisas direito aqui.

— Magnífica — reiterou Daniel enquanto detinha a olhar em uma mulher de luto que, sentada no chão e com um menino esfarrapado ao peito, estendia a mão pedindo esmola a poucos metros da entrada principal.

— E já estamos chegando ao seu destino, entrando no bairro Argüelles. Esta é a rua de la Princesa, e isso aí à direita que quase não se vê é o palácio de Liria, o barraco do duque de Alba, veja só como vive o homem. E agora viramos para baixo e entramos na Luisa Fernanda, como na zarzuela. E no fim da rua chegamos ao número vinte e seis, como disse. Então, aqui estamos, amigo. Trinta e três e cinquenta a corrida, mais dez pesetas pelas malas e o que quiser pelas informações. E não vá me dizer que o circuito não foi bom, hein, *mister*?

Daniel sabia de sobra que poderia ter feito o mesmo percurso pela metade do preço com um taxista um pouco menos espertalhão e um pouco mais honrado. Mas pagou sem reclamar o valor pedido. Um extra aceitável, pensou, pela aula de Literatura Aplicada que acabava de receber: picaresco espanhol do século XX. Ao vivo.

Outra coisa foi a gorjeta.

— Que é isto que me deu, amigo? — perguntou o taxista ao observar as estranhas moedas que o americano acabara de lhe entregar. O palito chupado que ainda segurava nos dentes, impulsionado talvez pela surpresa, foi por fim parar no chão.

— Quinze centavos, senhor. Para que também comece a conhecer um pouco do meu país.

Deixou seu guia para trás ruminando algo ininteligível sobre sua mãe e entrou carregando sua bagagem no edifício, que era amplo como uma casa burguesa. Pendurados no teto, dois lustres brilhantes. Ao fundo nascia uma escada ampla, no centro um elevador. À direita, um cubículo envidraçado, vazio naquele momento. Ao lado, a porta de uma moradia totalmente aberta. Uma placa anunciava que aquele era seu destino: porteiro.

Bateu com os nós dos dedos e ninguém respondeu. Depois, encontrou uma campainha, tocou e também não recebeu resposta. Então, pôs a cabeça para dentro e descobriu um aposento simples. Em seu epicentro, uma mesa redonda coroada por um tapete de crochê com quatro cadeiras em volta. Olá, disse em voz alta. Olá, olá, repetiu mais alto ainda. Ninguém apareceu. Convencido por fim de que não havia presença humana alguma ali, optou por empurrar sua bagagem para o aposento e sair de novo. Não estava disposto a perder um só minuto daquela primeira manhã.

Saiu andando sem rumo, absorvendo tudo outra vez com os cinco sentidos. A cada passo tentava decifrar anúncios e vozes enquanto desfrutava o aroma de estabelecimentos que nem sequer sabia o que ofereciam à sua clientela. Conservas e defumados, armarinhos, casa de churros. Até que tropeçou em uma banca de jornal, e sua atenção se desviou para as manchetes que esmiuçavam os acontecimentos do país. Leu as capas e escolheu alguns exemplares quase ao acaso, esperando encontrar neles radiografias da terra recém-pisada. *Ya*, *Pueblo* e *Abc*, porque o vendedor lhe garantiu que eram os mais vendidos. Acrescentou depois *El Caso*, que prometia detalhes suculentos sobre os quatro assassinatos perpetrados naquele verão por um criminoso de sobrenome Jarabo. E uma revista colorida que paradoxalmente se chamava *Blanco y Negro* e que mostrava um menino baixinho, moreno, apresentado como

Joselito, o pequeno rouxinol. No último momento, colados às suas pernas, notou dois pirralhos que chegavam à sua cintura. Observavam com encanto as publicações infantis enquanto um deles coçava a cabeça com afinco e o outro explorava com um dedo as profundezas do nariz. Pediu três exemplares, pode ser *Tiovivo*, senhor? Deu de presente dois às crianças e acrescentou o seu ao pacotão de publicações.

Após pagar com uma nota de cem pesetas e receber de troco algumas moedas, intuiu que a vida em Madri seria surpreendentemente barata. Melhor, pensou enquanto empurrava a porta do estabelecimento vizinho. Mais coisas poderia fazer, mais lugares visitar, mais livros comprar. Mas pensaria nisso mais adiante. Por ora, sua prioridade era descobrir com que ia encher o estômago faminto às onze e meia da manhã em uma taberna que anunciava em letras vermelhas sua especialidade em sanduíches e pratos variados.

Abriu em cima da mesa o jornal que acabara de comprar enquanto saboreava às cegas o que o garçom lhe servira diante de sua incapacidade de decifrar o cardápio com as especialidades da casa: meia baguete recheada de lula frita e um copo de vinho branco um tanto turvo servido diretamente de um barril. Devorou os jornais ao mesmo tempo que a comida e ficou sabendo assim, entre uma mordida e outra, que o barco de Franco se chamava *Azor* e, graças a ele, aprendeu o significado do verbo fundear e a localização do porto de Vigo no mapa. Soube também que um toureiro conhecido como *el Litri* voltaria à arena na temporada seguinte. Que, no fechamento da edição, um ferroviário de nome Emiliano Bermejo Salcedilla havia sido atropelado por uma locomotiva na estação do Norte.

Já eram cerca de duas da tarde quando voltou ao seu destino inicial. Pela porta ainda entreaberta da moradia da porteira ouvia-se por fim barulho e agitação. Um cantarolar, uma torneira aberta. O grito de já vou, já vou, já vou ao ouvir a campainha. Passos pequenos que se aproximavam cada vez mais.

— Virgem santíssima, mas que bom moço é o senhor, meu jovem Daniel! — Foi o cumprimento da mulher rechonchudinha que chegou à porta apressada, secando as mãos num pano.

Ele não pôde evitar uma gargalhada diante do elogio. A seguir, por exigência dela, dobrou-se quase em um ângulo reto para que a caseira pudesse lhe plantar nas bochechas dois beijos sonoros feito ventosas. Mês e meio os estava reservando, desde que recebera a carta de Andrés Fontana que anunciava a chegada do jovem americano.

— Entre, meu filho, entre, que o ensopado no fogo já está no ponto. Veja só, fui à farmácia bem na hora que o senhor chegou!

Daniel quis lhe dizer que já havia comido alguma coisa antes, que não se preocupasse com ele, que talvez fosse melhor descansar um pouco. Mas perdeu a batalha antes de começar e não teve mais remédio que se sentar à mesa já posta e ajeitar o guardanapo xadrez na gola, tal como ela lhe indicou. Quem poderia lhe dizer que aquele cozido, o primeiro dos muitos que comeria ao longo da vida, com seu caldo, seus grãos-de-bico e seus legumes — como tantas coisas a partir daquele dia, como tantos outros dias nos meses que haveriam de chegar —, teria um gosto impossível de definir. Nem mesmo com o dicionário bilíngue que levava na mala.

Outra coisa muito diferente foi a ato de dormir. O país que o acolhia já não tinha cupons de racionamento nem Auxílio Social para os pobres; havia começado a alquebrar sua orgulhosa autarquia congraçando-se com o Vaticano e com o governo dos Estados Unidos, elevara ao poder da política econômica uma equipe de tecnocratas que, mesmo com maiores capacidades e conhecimentos que seus predecessores, tinham o mesmo interesse que estes em democratizar o país. Ou seja, nenhum. Aquela imobilidade parecia permear também algumas outras esferas da vida. Na estatura média dos espanhóis, por exemplo, que mal superava um metro e setenta nos homens e alguns centímetros a menos nas mulheres. E nos móveis e utilidades domésticas, adaptadas ainda a esse porte miúdo, como o leito insuficiente que esperava por Daniel no quarto que havia sido dos filhos da caseira em sua juventude.

— Ai, Senhor bendito! Em que cama vou colocá-lo, com esse seu tamanhão?

Começara a recolher a mesa. Para sua grande satisfação, o americano havia repetido o cozido, devorado metade da travessa de arroz-doce e arrematado a refeição com quase uma panela inteira de café. Assim que a viu começar a empilhar pratos, levantou-se disposto a ajudá-la.

— Nem pensar, meu filho, nem pensar! — protestou enérgica a caseira. — Vá colocando suas malas no quarto que em um instantinho estarei aí.

A cama era, efetivamente, pequena. Mas faltava verificar até que ponto.

— Deite-se, criatura, deite-se...

A duras penas os dois conseguiram conter o riso. As pernas de Daniel sobressaíam dos pés da cama a partir do meio da panturrilha.

— Mauricio, o carpinteiro, vai dar um jeito nisso, o senhor vai ver — disse dando-lhe umas palmadinhas no braço como para tranquilizá-lo. — Quanto mede, meu jovem Daniel, para que diga a ele e ver o que pode fazer?

— Seis pés e duas polegadas — respondeu de forma automática, ajustando-se à língua, mas não às unidades de medida do país.

— E quanto é isso em espanhol, posso saber?

— Como?

— Em metros, filho, quanto mede em metros.

— Ah... então... não sei.

— Vamos resolver isso num instantinho — murmurou enquanto saía do quarto em busca de sua caixinha de costura. Em alguns segundos estava de volta. — Vejamos, apoie-se nesta parede — disse desfazendo o rolo de fita métrica. Daniel obedeceu divertido. — Espere, que não alcanço — disse aproximando a única cadeira do quarto. Dona Antonia subiu nela sem pensar duas vezes. — Vamos ver, erga a cabeça, não se mexa, pronto. Um metro e oitenta e oito, agora já sabe sua altura, caso tenha de fazer o serviço militar, que o Senhor não permita.

Daniel não chegava a entender o sentido de uma grande quantidade de palavras e frases da viúva, mas como para os sentimentos não existem línguas, compreendeu o afeto que emanava e sua mais que generosa disposição. Entre ambos, caseira e americano, viúva e recém-chegado, assimétricos em tudo, porém compassados como o pingo e a letra i, resolveram o problema noturno com um pouco de criatividade e a ajuda combinada do carpinteiro do bairro e um vizinho colchoeiro. O primeiro montou uma extensão para a cama com tábuas, o segundo fez um colchão sob medida para o apêndice. E dona Antonia costurou nos lençóis pedaços de tecido de algodão. Perfeito, afirmou Daniel quando tudo ficou pronto. *Niquelao*, esse foi o adjetivo que ela escolheu para elogiar o resultado do arranjo. Rapidamente a palavra passou a fazer parte do caderno de vocabulário em que ele inseria seu contínuo caudal de aquisições. *Niquelao*: excelente.

O problema da cama poderia ter lhe servido de desculpa para procurar, após os primeiros dias de estada, um novo alojamento. Depois de alguns dias de adaptação a Madri na humilde moradia da porteira, talvez devesse ter se aventurado a encontrar um abrigo um pouco mais espaçoso. Uma boa pensão para jovens de províncias, uma hospedaria no centro, luminosa, uma vaga na lendária Residência de Estudantes, talvez. Mas preferiu não sair dali, continuar dormindo em um quarto escuro que dava para um pátio onde sempre havia roupa estendida e cheiro de água sanitária, iluminar-se com a pouca luz de uma lâmpada nua, sentar-se para ler em uma cadeira de junco em vista da ausência de uma boa poltrona. Nada disso parecia lhe importar, nada lhe era incômodo. Ao contrário, na verdade. Percebia tudo aquilo como algo substancialmente autêntico. Realidade em sua essência mais pura, sal da vida.

Talvez existisse também em sua vontade de não se mudar um traço involuntário de intenção continuísta, o desejo inconsciente e um tanto romântico de perpetuar algo que havia sido interrompido bruscamente mais de duas décadas antes. Na casa de dona Antonia — em outra casa da rua de la Princesa antes de se mudarem para a Luisa Fernanda, antes de ela enviuvar e de seus filhos crescerem e irem embora —, o professor Andrés Fontana também havia vivido em sua época de estudante. Ele mesmo foi quem ofereceu a Daniel aquele alojamento como opção para começar em seus primeiros dias na Espanha, quem escreveu de Pittsburgh para a caseira e a incumbiu da acolhida de seu aluno americano por duzentas pesetas semanais. Se Fontana, com sua solidez, havia residido em condições ainda mais adversas e com a mesma companhia, por que não haveria de fazê-lo também Daniel Carter? *Va por usted, maestro*, teria dito o americano se então soubesse que essa expressão existia. Isso mesmo, essa é pelo senhor, professor. Pena que não a aprendera antes da chegada da feira de San Isidro, uns meses depois.

Houve, definitivamente, um acúmulo de razões práticas e contundentes, que somadas umas às outras fizeram-no hesitar pouco. Os cozidos cheios de substância servidos com pão para molhar, o café de panela com que abria os olhos pelas manhãs, suas camisas lavadas à mão e passadas com primor e goma. Os casos contados por dona Antonia e sua memória intacta do ontem que, em sessões contínuas à mesa, o ajudariam a ir descobrindo o cerne da terra que pisava. O manancial de fala popular que diariamente ouvia, o borbulhar constante de estilos e piadas que ele começou a anotar aos montes no caderno que a partir de então decidiu levar sempre no bolso.

E, talvez sem saber, e acima das outras causas, sobrevoando todas de maneira imperceptível, houve algo mais. Algo impalpável, intangível. Algo que havia percebido desde o momento em que atravessara a porta da moradia e enfrentara o tapete de crochê e o retrato antigo de um casamento de aldeia do qual já faltava metade. O cheiro de comida no fogo, a imagem emoldurada do Sagrado Coração, o calendário de mulheres morenas com chapéus cordoveses e olhos tristes, e o rádio permanentemente ligado, às vezes quase inaudível, barulhento às vezes com concursos, novelas e *coplas*. O calor. A ternura. Ver-se de repente agasalhado. O fato de que alguém, depois de tanto tempo órfão de afetos, se preocupasse com ele, depois do desamparo em que se debatia desde que anunciara em voz alta que seu futuro nunca transitaria pelos escritórios de advogados, pelos tribunais ou pelos hospitais.

CAPÍTULO 14

Mas a vida doméstica não foi tudo. Desde o início dedicou-se à rua também. À rua em seu sentido mais genérico: ao ar, por aí, vagando por essa Madri que se abria diante dos seus olhos, oferecendo-lhe surpresas em cada canto. Naquele vagabundear errático investiu seus dias iniciais, passeando por bairros castiços, batendo perna em praças e parques, entrando e saindo de igrejas e tabernas, indo a adegas, lojas, escolas e armazéns, e mostrando repetidamente sua documentação cada vez que algum contumaz zelador da ordem e da segurança nacionais parava à sua frente com cara de quem comeu e não gostou na esquina mais insuspeitada.

Uma vez saciada essa primeira sede, essa necessidade quase orgânica de ver, ouvir, apalpar e cheirar, por fim decidiu dar um destino aos seus passos e uma finalidade a seu devir. O objetivo foi um lugar a oeste de Madri, vizinha do seu bairro Argüelles. Um lugar onde, apesar de constituir a justificativa formal de sua estada, ainda não havia posto o pé.

Ali, na Cidade Universitária, esperava-o a Faculdade de Filosofia e Letras: quando recém-inaugurada havia acolhido Andrés Fontana, e duas décadas e alguns anos depois, haveria de acolher também seu aluno americano em uma manhã com nuvens de início de outubro. Entre os dois momentos haviam passado uma guerra, uma minuciosa varredura de professores e estudantes indesejáveis e uma reconstrução total que alteraria radicalmente a essência da instituição.

Minutos antes de sair para lá, a viúva se aproximou dele com uma panela na mão. O cabo envolvido em um pano para não se queimar; acabara de lavar a escada, de joelhos, degrau por degrau, e estava pronta para lhe servir o café da manhã. A via-crúcis de casa em casa após a morte do seu marido, arrastando seus filhos sem nada para levar à boca e a luta constante para criá-los acabou fortalecendo-a. Tanto esconder as lágrimas para que eles não notassem sua dor, tanto carregar caldeiras, descer lixos e engolir misérias haviam feito dela uma mulher resoluta sem cabida para a palavra desânimo em seu corpo compacto e encolhido.

— E aonde vamos hoje tão elegantes, meu filho? — perguntou enquanto lhe servia o leite quente no café.

Havia reparado na gravata de Daniel, cheia de listras e cores, tão diferente das sóbrias e escuras do espanhol comum. Era a primeira vez que o via usando-a desde que chegou.

— Acho que já é hora de começar a trabalhar — respondeu ele enquanto molhava em sua xícara um dos churros recém-comprados.

— Já acabou a boa vida, então?

Em mais duas mordidas deu conta do churro inteiro. Depois respondeu:

— Ou talvez comece agora, vamos ver...

No caminho, refletiu mais uma vez sobre a maneira como iria apresentar o projeto que a Comissão Fulbright havia por fim subsidiado com generosidade. Fontana e ele haviam conversado longamente sobre isso. Às vezes, enquanto percorriam entre uma aula e outra os corredores neogóticos da Cathedral of Learning, ambos carregando um monte de livros, avançando com passo apressado por entre estudantes em busca de suas salas de aula. Às vezes, enquanto caminhavam pelas ruas do campus de Pitt. Em alguma ocasião, também enquanto compartilhavam cervejas ao fim das aulas nos dias já longos e quentes da última primavera, quando a relação entre ambos já estava firme o suficiente para prolongar a conversa além das horas letivas. Prudência, rapaz, prudência, costumava repetir Fontana. Prudência e boa cabeça.

— Por que insiste tanto na prudência, professor?

— Porque muito poucos gostam de Sender, e não nos convém instigar nenhum receio.

Fontana sabia bem o que dizia. O aragonês Ramón J. Sender, efetivamente, constituía naqueles anos de fins de 1950 uma figura com um perfil muito particular entre os escritores espanhóis exilados após a guerra civil. Escritor e jornalista prolífico já antes da contenda, sua biografia de homem de armas e letras no lado republicano estava, porém, cheia de turbulências. Dissidente do Partido Comunista, acusado por seus líderes de obscuros episódios de covardia e traição, submetido depois disso a uma longa operação de desprestígio, excluído sem contemplações dos círculos de solidariedade expatriada.

Ele mesmo sempre rebatera aquelas acusações, mas reconhecia sem escrúpulos episódios de indisciplina e até mesmo de irresponsabilidade no exercício de suas funções militares durante a guerra. Mas onde o Partido Comunista viu deslealdade e vilania, Sender e seus poucos defensores apontavam uma simples inconformidade com a política e a conduta militar das hierarquias do partido: uma forma pessoal de rebelião diante da autoridade arbitrária e uma heroica defesa de sua integridade como indivíduo. De qualquer maneira, a realidade era que o escritor, fiel a seu compromisso político, exilara-se como tantos outros. Longe de figurar como mais um no meio da maioria, porém, em inúmeras ocasiões foi tratado como um inimigo, como um desagradável colega de viagem na longa travessia da diáspora.

Contudo, manteve-se fiel à sua posição. Com sua família truncada para sempre – sua mulher foi fuzilada no cemitério de Zamora e seus filhos, acolhidos por uma milionária norte-americana –, após períodos na França e no México, acabou se assentando nos Estados Unidos, onde continuou escrevendo e dando aulas, e onde voltou a se casar. E onde fez amigos novos. Americanos muitos, um ou outro espanhol. Andrés Fontana entre eles.

O eco daquelas conversas foi voltando à mente de Daniel à medida que avançava pela Cidade Universitária em busca do seu destino. Uma vez na faculdade, um recepcionista uniformizado com a elegância de um coronel lhe deu as indicações necessárias.

— Doutor dom Domingo Cabeza de Vaca e Ramírez de Arellano, sala dezenove, ao fundo do corredor à direita.

Percorreu os corredores com atitude reverencial escutando apenas o barulho dos seus passos no chão encerado. Eram nove e meia da manhã, as aulas já haviam começado e fora das salas não se via vivalma. Por fim bateu à porta da sala indicada, e uma voz bem timbrada disse entre; entrou.

Nem procurando especificamente teria encontrado uma sala e um homem mais diferentes do que esperava. Cabeza de Vaca havia sido colega de Fontana na época de estudantes antes da guerra, e Daniel, ingenuamente, previra encontrar naquela primeira visita certa coincidência com o habitat e a pessoa do seu professor. Uma leve semelhança, qualquer pequena similaridade. Mas nem de longe.

Zelo, tradição, compostura. Três conceitos novos para anotar em seu caderno de vocabulário. Três características aplicáveis tanto ao indivíduo que encontrou como ao seu entorno. Uma grande mesa de nogueira com os pés torneados, porta-lápis de prata, bloco de calendário e um crucifixo de marfim. Um atril com um livro antigo aberto, cortinas pesadas de veludo verde-escuro, um escudo heráldico, a biblioteca envidraçada cheia de obras encadernadas, revestidas de couro. Atrás da mesa, um homem magro de aparência requintada. Pele branca, terno impecável e cabelo grisalho penteado para trás. Abotoaduras nos punhos, um alfinete de ouro atravessando a gravata. Não se levantou para cumprimentá-lo, só lhe estendeu uma mão por cima da mesa. Uma mão leve, magra e, contudo, com certa energia.

— Prazer em conhecê-lo, senhor Carter. Sente-se, por favor.

Obedeceu ciente de sua dissonância naquela sala e em tal presença. Com discrição precipitada ajeitou o nó da gravata, as lapelas do paletó e jogou para trás o cabelo que sempre tendia, desobediente, a cair em seu rosto. Seu porte físico de repente lhe pareceu excessivamente intenso, exageradamente viva a sua indumentária.

— Que honra que meu estimado colega Andrés Fontana tenha depositado sua confiança em mim para me incumbir sua tutoria. Que grande honra.

A voz de Cabeza de Vaca era modulada, seu afeto pelo professor de Pittsburgh parecia autêntico.

— Fontanita, Fontanita... — murmurou como para si. — As coisas deram certo para ele, no fim, velhaco... Fico muito feliz, muito... Bem, senhor Carter — continuou mudando de tom —, quer dizer que está interessado em se especializar em nossa narrativa contemporânea.

— Isso mesmo, senhor.

— Excelente, jovem, excelente. Um magnífico objetivo acadêmico. Uma ideia formidável.

Daniel não precisou ser um perfeito bilíngue para entender que os dois adjetivos, magnífico e formidável, haviam sido pronunciados com um toque de algo parecido à ironia.

— E teria a gentileza de expor, de maneira sucinta, a razão subjacente a essa escolha?

Levou sete minutos e meio para apresentar seus argumentos, tinha sua fala preparada. A grande literatura espanhola e suas nobres penas, a força de sua prosa, a tradição e a herança, a leal representação do espírito de um povo. Um intenso blá-blá-blá formulado em um espanhol decente com acentuado sotaque estrangeiro, no qual não tiveram cabimento adjetivos como silenciado, proscrito ou discrepante. E muito menos o nome de Ramón J. Sender.

Cabeza de Vaca o escutou com quietude de estátua de mármore e uma pena de prata na mão.

— E, a respeito de sua metodologia de trabalho, poderia me adiantar alguma coisa, por favor?

Acompanhamento próximo, rigor documental, estritas interpretações. Cinco longos minutos cheios de acrobacias verbais para evitar dizer abertamente que seu trabalho na Espanha pretendia focalizar, prioritariamente, o trajeto dos cenários pelos quais transcorreram a vida e os romances de um escritor exilado.

— Entendo, então, que não tem intenção de se trancar demasiado entre as paredes de salas de aula e bibliotecas.

Esforçou-se para que ele não notasse que estava começando a ficar nervoso com aquela atitude um tanto incisiva do professor.

— Bem, na verdade, minha intenção primordial é buscar *influenzas*, pontos de arranque, fontes e evocações.

— Influências.

— Perdão?

— O certo é influências, não *influenza*. Continue, por favor.

— Influências, sinto muito, senhor. Quero dizer... Queria dizer... que o que eu pretendo é percorrer as trilhas da vida dos autores para assim compreender melhor sua produção posterior.

A frase lhe saiu redonda, estava bem decorada. Sua satisfação, porém, foi passageira.

— *Hollar las mismas veredas, sentir el pálpito de los parajes, destripar sus entrañas geofísicas y trasladarlas a su que hacer intelectual.* É isso que pretende?

Fazia muitos anos que Daniel não tinha essa sensação: um calor excessivo no rosto e a certeza de que estava começando a corar.

— Creio que não o entendo, senhor.

— O que é que não entende?

— Quase tudo.

— *Hollar? Vereda? Pálpito? Paraje? Destripar? Entraña?*

— Todas essas palavras, professor. Não conheço o significado delas.

— Vai aprender na hora certa, rapaz. Prossigamos, pois. E diga-me agora, tem em mente algum autor em particular?

Antes de solicitar a Cabeza de Vaca que aceitasse ser seu orientador, Fontana havia avaliado várias opções e considerado alguns colegas de estudo que agora faziam parte do claustro de sua antiga faculdade. Por meio de contatos com colegas em outras universidades americanas, colheu informações sobre suas carreiras e *status*, sobre seu grau de adesão ao regime e seu nível de envolvimento com as autoridades. Não queria que seu aluno encontrasse problemas em uma Espanha cheia de controles e ditames: procurava alguém que o acolhesse oficialmente na instituição, assinasse os documentos necessários e o deixasse funcionar sozinho. Alguém que se importasse o mínimo imprescindível com aquele estrangeiro deslocado. Um mero vínculo administrativo, um simples trâmite oficial. Só isso. Das diretrizes acadêmicas que dariam corpo à sua futura tese quando voltasse a sua pátria, cuidaria ele.

Decidiu-se finalmente por Domingo Cabeza de Vaca apesar de o campo de especialização de seu velho colega distar léguas da narrativa contemporânea, e muito mais ainda daqueles escritores desterrados por causa da guerra.

Ciente de que ele pertencia aos vencedores e de que em seu mundo não existia nem a sombra de uma remota ligação com aqueles que durante três anos atrozes estiveram do outro lado, intuiu que poderia confiar nele. Mas preferiu não se envolver muito, por via das dúvidas. Esperava que seu colega, absorto em um universo de manuscritos de sete séculos atrás, aceitasse uma cooperação burocraticamente correta, mas absolutamente distante. Contudo, para Cabeza de Vaca, pelo visto, aquilo não servia. Queria mais.

Diante da pergunta antes formulada sobre seu interesse particular em algum autor específico, Daniel sabia que não podia mentir. Sabia que não lhe convinha falar sem rodeios sobre Sender, que mais lhe valia continuar se aferrando a uma noção genérica e abstrata de narradores. Mas Fontana e ele haviam considerado remotamente esse cenário e decidiram que, caso se sentisse encurralado, seria perigoso insistir no engano.

— Hei de reconhecer que existe um autor que me interessa de maneira particular, mas todos, em geral, são dignos de...

Cabeza de Vaca ergueu uma sobrancelha, não precisou perguntar. Daniel sabia que não tinha escapatória.

— Ramón J. Sender, senhor.

— Francamente interessante... Ou seja, o que pretende é seguir os passos de Sender pela Espanha para depois pesquisar sobre sua produção.

— Isso, mais ou menos — confirmou em um tom de voz um pouco mais baixo que o normal.

— Então, e corrija-me se estiver enganado, durante sua estada na Espanha não pretende se aproximar da prosa do autor?

Remexeu-se em sua cadeira, cruzou as pernas e, automaticamente, tornou a descruzá-las. Aquilo estava indo mais longe do que Fontana e ele haviam previsto em Pitt.

— Não me é possível, senhor.

— Teria a gentileza de me explicar a razão?

Mudou de posição de novo, tornou a ajeitar o nó da gravata que o estava sufocando.

— É difícil encontrar seus livros na Espanha — reconheceu por fim.

— Difícil?

— Impossível, na verdade.

— Por alguma causa específica?

Pigarreou.

— *Censorship* — disse em voz baixa.

— Em castelhano, por favor.

Engoliu em seco com força.

— A censura, senhor. Os livros de Ramón J. Sender estão proibidos.

— E acha que isso é correto?

Sentiu a boca seca. Sua cabeça, porém, fervia.

— Considera isso correto ou não, senhor Carter? — repetiu o professor diante de sua mudez.

Sabia o que estava em jogo. Aquilo podia ser o fim de tudo: de sua estada na Espanha, de sua bolsa de estudos, de sua ainda incipiente carreira profissional. Mas arriscou. Que outra saída lhe restava?

— Não, professor. Acho que não é correto.

— Por quê?

— Porque acredito que as vozes não se devem *callar*.

— *Acallar*.

— Perdão.

— *Callar*, verbo intransitivo, é parar de falar. *Acallar*, verbo transitivo, é fazer calar. Um leve matiz diferenciador. Aqui não estamos falando de decisões próprias, mas de imposições externas, sim ou não?

— Sim, senhor — murmurou.

Não quis deixar transparecer que nesse momento não estava nem aí para os matizes linguísticos, pois o que realmente lhe importava era que não o tirassem dali a pontapés.

A reação do professor tardou alguns segundos a chegar, e em seu trajeto, enquanto os dois sustentavam o olhar um do outro, passaram pela mente de Daniel, como em uma sequência precipitada, os piores prognósticos que com seu agitado otimismo jamais chegara a imaginar. Fontana estava enganado: confiar naquele colega seu havia sido uma escolha penosa; não haviam contado com sua cilada. A decisão de trabalhar na obra de Sender seria sentenciada à morte antes de começar. Fim do seu primeiro grande projeto acadêmico. A Comissão Fulbright seria informada da improcedência do seu trabalho, retirariam a bolsa de estudos, em breve teria de voltar a Pittsburgh. Adeus, Madri; adeus, sonho de percorrer a Espanha. Talvez devesse ter dado ouvidos aos seus pais e abandonado seu absurdo empenho de se especializar em uma literatura estrangeira. Talvez seu destino profissional estivesse na escola de leis. Ou no pronto-socorro de um hospital. Ou na fábrica Heinz, carregando caminhões de ketchup e feijão até que seus ossos não pudessem mais.

— Bom, senhor Carter, muito, muito bom... — sentenciou finalmente o professor apontando no canto da boca um leve sorriso um tanto divertido. — Apesar dos maus bocados que o fiz passar, não tenho dúvidas de que acabará sendo um bom hispanista quando consolidar seu domínio da língua e avançar em suas pesquisas. Por ora, está bem direcionado, dono de opiniões firmes e de uma evidente determinação.

Daniel quase suspirou mostrando seu alívio, a ponto de relaxar e começar a rir. De se sentir a salvo.

— Mas ainda lhe resta um árduo caminho pela frente — acrescentou Cabeza de Vaca. — E, para isso, como primeiro passo, antes que embarque em seu trabalho, temos de cumprir algumas exigências formais.

Tornou a sentir certa agitação, mas tinha certeza de que o pior já havia passado. O professor continuava elaborando seu discurso bem medido.

— Para atender a todos os requisitos acadêmicos, vamos matriculá-lo em duas matérias. Uma será Paleografia Visigoda, com especial atenção ao *Comentario al Apocalipsis*, de Beato de Liébana. Dou essa aula às segundas, terças e quartas às oito da manhã. A outra, Análise Comparativa das Glosas Silenses e Emilianenses. Quintas e sextas, das sete e meia às nove da noite.

No espanhol ainda meio cru do jovem americano, começaram a se amontoar as palavras necessárias para elaborar um pretexto que o eximisse de estudar algo tão disparatadamente alheio a seus interesses.

— Desculpe, senhor, mas... eu, bem, minha intenção...

— Mas ficará dispensado de assistir às aulas das duas matérias sem comprometimento da aprovação se estiver aqui de volta no mês que vem e me contar como foram as coisas no Alto Aragón.

O rosto de Daniel deve ter refletido algo parecido com o estupor. Cabeza de Vaca, quebrando sua frieza até então requintada, soltou uma sonora gargalhada.

— Suas palavras foram convincentes, como também as cartas de recomendação que chegaram a mim da Universidade de Pittsburgh e o relatório da Fundação Fulbright. Mas, naturalmente, eu não estava disposto a aceitar um aluno do meu querido Andrés Fontana sem antes retomar com ele o contato perdido. Não porque desconfiasse, entenda bem: teria aceitado qualquer pedido dele sem sequer hesitar. Mas não queria perder a oportunidade de tornar a saber do meu velho colega e do que foi dele ao longo de todos esses anos.

De modo que já havia conversado com Fontana. De modo que Cabeza de Vaca sabia de suas intenções e da vida de seu colega nas últimas décadas. De modo que estava só testando-o. Seu alívio foi tão imenso que quase teve vontade de chorar.

Juntamente com seu alívio, porém, Daniel de repente sentiu que ele também não sabia grande coisa sobre o passado do seu professor. As conversas entre ambos quase sempre se centravam no presente e, principalmente, no futuro: planos e projetos, programas a cumprir, objetivos a alcançar. O passado de Fontana que conhecia se circunscrevia apenas às aulas e às leituras, ao passado histórico e literário que envolvia sua pátria. E nada mais.

— Foi emocionante, acredite. Jamais soube do seu paradeiro desde que ambos terminamos a faculdade, em 1935. Eu sabia que ele tinha a intenção de passar um ano como professor convidado em uma universidade norte-americana, mas não sabia se voltara alguma vez, se lutara na guerra ou não, se o mataram ou se sobrevivera.

— Nunca voltou — adiantou Daniel.

— Eu sei, sei. Agora sei de tudo. Já descobri em que se transformou a perseverança e o empenho daquele filho de mineiro que jamais se sentiu constrangido entre os jovens cavalheiros que pululavam por aqui naqueles dias. Sempre admirei isto nele: a confiança em si mesmo, sua capacidade de não se intimidar, de se adaptar a tudo sem nunca perder a perspectiva de quem era e de onde vinha. Foi uma enorme alegria recuperá-lo. E ele mandou um recado para o senhor. Aqui está, transcrito letra por letra.

Estendeu-lhe um papel dobrado. Dentro, um breve punhado de monossílabos em sua própria língua.

— *Let him do his way* — leu para si. Deixe-o fazer do seu jeito, aconselhava seu professor.

— Contrariamente ao que vocês dois tramaram de início, eu me comprometi com Andrés Fontana não só a atuar como seu orientador nominal para cumprir os requisitos formais de sua bolsa de estudos, senhor Carter, mas também a realmente ajudá-lo em tudo que estiver ao meu alcance.

— Eu agradeço, senhor.

Pretendia parecer sincero, mas estava confuso, incapaz de vislumbrar se aquela reação do professor seria positiva para suas intenções ou se viria um lastro difícil de arrastar.

Cabeza de Vaca continuou falando como se não o houvesse ouvido.

— Diferente do que pensavam inicialmente, no fundo seu projeto me agrada. Vou me esforçar para que me agrade, para ser mais exato. Logo entenderá por quê.

Então, inclinou-se lateralmente, pegando algo que estava oculto da vista atrás da mesa que os separava. Tratava-se de uma muleta. Uma muleta que o professor ajustou com destreza debaixo do braço direito enquanto fazia um esforço enérgico para ficar em pé. Só então Daniel pôde perceber a deficiência em seu corpo.

— A guerra me tirou minha namorada, dois irmãos e uma perna. É preciso ser muito forte para superar algo assim e olhar sem angústia para o futuro. E eu não fui. Faltou-me coragem, e, por isso, refugiei-me no passado. Retrocedi até a época medieval — disse desabando na cadeira outra vez e jogando a muleta no chão. O barulho sonoro da madeira ao cair nas lajotas não pareceu alterá-lo. — No meio de códices, crônicas e cantigas encontrei a calma que a memória e os pesadelos me roubavam. Fiz deles algo mais que minha profissão de medievalista: transformei-os em uma guarida onde me abrigar ao longo desses anos.

— Entendo... — murmurou Daniel não totalmente sincero. Julgava entender, mas não tinha certeza de assimilar a exata densidade do que estava ouvindo.

— Mas não acho que minha postura seja a mais sensata, longe disso. E, por isso, acho que devo fazer esforço para compreender e ajudar quem se empenha em seguir adiante. Estive pensando muito sobre isso desde que retomei o contato com Fontana, sabe? E embora jamais tenha imaginado que me veria defendendo essa postura, cheguei à conclusão de que este país estaria perdido se todos os intelectuais se escondessem como eu em uma caverna pretérita, ausentes e alheios, surdos, cegos e mudos diante do presente que nos cerca.

— Entendo... — tornou a murmurar. No fundo, ainda não compreendia.

— Minha vida passa voltando um olhar reflexivo para o passado, mas acho que também é necessário que nossas letras continuem se nutrindo, que deixemos nossa cultura avançar por todos os caminhos para o futuro. E nesses caminhos, gostando ou não, estão as vozes de todos os que sobreviveram à atrocidade da guerra: os que ficaram e os que se foram. Os que continuam aqui e os desterrados.

— Refere-se aos exilados como Sender, senhor? — perguntou Daniel hesitante.

— Exatamente. Os únicos que estão silenciados para sempre são os mortos. Os outros, mesmo a distância, continuam sendo filhos desta pátria, mantêm viva sua memória e enobrecem nossa língua com sua palavra. Ignorá-los e perpetuar a cisão dolorosa que separa os de fora dos de dentro só ajudará a deformar ainda mais o desenvolvimento intelectual do nosso país.

— Assim pensa o doutor Fontana também, professor — aventurou-se a dizer.

— E assim creio que deveríamos começar a pensar todos aqui também. Considerar os que não podem ou não querem voltar como parte essencial de nossa cultura é, gostando ou não, uma responsabilidade moral. De modo que conte comigo para recuperar seu escritor, meu amigo, e também para ajudá-lo a compreender este país e para tudo que necessitar. Tenho a impressão de que não poderei fazer muita coisa por você. Mas aqui estou, por via das dúvidas. Só lhe exijo em troca que me informe periodicamente sobre seus avanços.

— Farei exatamente como me pede, muito obrigado, professor — foi a única coisa que conseguiu replicar. Muita informação, muita emoção contida para digerir de uma vez.

— Estarei esperando — concluiu Cabeza de Vaca estendendo-lhe a mão sem tornar a se levantar. — Este Heroico *Requeté*[6] e Cavalheiro Mutilado pela Nobre Causa de Deus, da Pátria e dos Foros se despede. Um iludido que não teve a sorte de seu mentor, engoliu a balela da grande cruzada e não soube cair fora no momento oportuno.

Daniel apertou-a com força, transmitindo com seu aperto uma mistura de admiração e aturdimento.

— Voltarei em um mês, senhor, eu prometo.

— Assim espero. E mais uma coisa antes que se vá. Provavelmente você não conhece o filme *Bem-vindo, Mr. Marshall,* não é?

— Não conheço, não...

— Estreou há alguns anos, em 1953, se bem me lembro. É divertido e amargo ao mesmo tempo, desolador no fundo. Assista se tiver oportunidade e reflita depois. Tente não fazer o mesmo que seus compatriotas fizeram no filme. Respeite este povo, rapaz. Não passe por nós sem parar e entender quem somos. Não fique nas histórias, não nos julgue de forma simplista. Confiamos em você, Daniel Carter. Não nos decepcione.

---

6   Corpo de voluntários que lutaram nas guerras civis espanholas. (N. T.)

CAPÍTULO 15

O calendário atravessava o outono, passou Halloween com suas bruxas, seus espantalhos e suas abóboras. Vieram dias chuvosos depois e, em paralelo, meu ânimo também começou a ficar nublado.

A causa não estava agora a um continente e um oceano de distância, mas muito mais perto. Gravitando sobre meu entorno imediato e o trabalho cotidiano, na confusão em que a produção escrita do professor Fontana ia se transformando com o passar dos dias. Os textos com que eu estava trabalhando datavam já dos anos 1960, alguns estavam datilografados, mas a maioria continuava sendo de manuscritos. Meu problema, porém, não estava na grafia, e sim no conteúdo: na falta de coerência entre uns e outros, nas lacunas e na ausência de nexo. Como se faltassem grandes pedaços de informação, como se alguém houvesse arrancado pedaços inteiros.

Além do mais, como se não bastasse a desconexão entre textos, sua temática tinha um aspecto muito diferente do das décadas anteriores. Os autores espanhóis, a literatura do exílio e outros tantos temas recorrentes pareciam ter sido progressivamente abandonados desde que Fontana se estabeleceu na Califórnia, no início dos anos 1960. No lugar que antes ocupavam romancistas, poetas e dramaturgos, agora eu encontrava nomes de exploradores e monges franciscanos sobre cuja vida e ações não tinha a menor ideia. O lugar das obras literárias era preenchido agora por velhas crônicas sobre os espanhóis naquele extremo norte da Nova Espanha; onde antes houve crítica literária, agora eu encontrava nomes de presídios e missões. Pôr um pouco de coerência em toda aquela informação estava me transtornando toda a semana. Eu passava os dias trancada em minha sala, estendendo as horas como um elástico enquanto tentava casar folhas, estabelecer vínculos e conectar parágrafos aqui e ali. Muitas vezes tinha a sensação de estar montando um quebra-cabeça gigante com um bom número de peças faltando.

Amontoei dúvidas até quinta-feira à tarde, quando, por fim, decidi recorrer a quem talvez me fosse necessário desde o início. Antes, fiz uma parada na sala de Rebecca para que ela me dissesse aonde devia ir.

— Tente no Selma's Café, perto da praça. Ele costuma ir lá quase todas as tardes quando está por aqui.

Para lá decidi me dirigir, dando por terminado o trabalho daquele dia muito mais cedo que a hora habitual.

Ao abandonar o Guevara Hall encontrei o tempo e os arredores agitados. Estavam aquecendo os motores, conforme me contaram alguns estudantes na porta, para dar início a uma manifestação contra o projeto de construção do centro comercial que ameaçava a área de Los Pinitos, aquele lugar de calma e verdor que conheci no mesmo dia em que descobri o rosto de Andrés Fontana nas fotografias da sala de reuniões. O mesmo lugar onde, segundo soube depois, ele costumava passear com frequência.

O *Santa Cecilia Chronicle* e o jornal da universidade dedicavam cada vez mais páginas àquele assunto: reportagens informativas, artigos de opinião a favor e contra, cartas de leitores que se pronunciavam a respeito... O núcleo rígido contra, conforme fui sabendo com o passar dos dias, nascera dentro da universidade e entre suas cabeças visíveis estava meu aluno Joe Super, professor emérito do Departamento de História que havia falado no primeiro dia de aula sobre epopeia dos franciscanos e suas missões. Esgrimiam razões contundentes: prejuízo ambiental e até um possível uso ilegal dessa terra visto que não estava totalmente clara, conforme me contaram Rebecca e Daniel, a legitimidade de sua posse. Não era terreno privado, mas também não era público. As autoridades locais o controlavam, mas não detinham a propriedade. Um conflito de interesses, enfim, em cuja base formou-se uma plataforma contra o projeto que, à falta de soluções definitivas, batalhava com empenho e vontade de fazer barulho.

Vi que alguns estudantes seguravam cartazes, outros, megafones; mais longe, havia um rapaz de cabelo rastafári com um enorme tambor. O ato não havia começado ainda, mas o movimento era já intenso. Abri caminho por entre um grupo de idosas de cabelo branco cheio de laquê; uma delas tentou me vender uma camiseta cor de laranja decorada com frases de protesto, outra me entregou um adesivo com a palavra "Não!". No caminho, cruzei também com carros com bandeirinhas que tocavam a buzina como demonstração de apoio.

Consegui atravessar a balbúrdia e atingir meu destino ziguezagueando por entre os manifestantes. Na realidade, eu não ia muito longe. Meu objetivo era um café que parecia funcionar há várias décadas, um local diante do qual eu havia passado dúzias de vezes sem nunca atravessar a porta. Nessa ocasião, porém, entrei. E ali, junto à cristaleira que dava para a rua, encontrei-o.

— Vim atrás de você.

— Quanta honra — disse levantando-se para me cumprimentar. — Estava vendo-a enquanto tentava avançar no meio desses malucos, mas não imaginava que vinha me ver. Sente-se, diga tudo...

Na mesa, em frente à poltrona de couro velho, havia um notebook, alguns livros e um bloco cheio de anotações e rabiscos. Eu não sabia se era o melhor momento; talvez minha invasão tivesse sido um pouco abrupta. Contudo, foi ele quem se ofereceu para me dar uma mão com Fontana e seus enredos na noite em que compartilhamos um jantar imprevisto na casa de Rebecca.

— Tem certeza de que não estou interrompendo, Daniel? — disse eu enquanto tirava o casaco. — Podemos conversar outra hora, se agora não puder.

— Claro que está interrompendo. E você não sabe quanto agradeço, a esta hora, depois de um dia todo de trabalho, um pouco de interrupção.

O lugar era confortável, acolhedor: chão e paredes de madeira, poltronas espalhadas e duas mesas de bilhar. Atrás do balcão comprido e vazio, um garçom secava copos com parcimônia enquanto assistia a um jogo de futebol americano em uma grande tela sem som. Quase inaudível pelos alto-falantes, Crosby, Stills, Nash & Young rasgavam suas guitarras e esmigalhavam a lendária "Teach Your Children".

— Rebecca me disse que você vem aqui quase todas as tardes — disse eu enquanto tentava ajeitar o cabelo após a caminhada ao vento.

— De manhã costumo trabalhar em meu apartamento e à tarde prefiro mudar de cenário, arejar um pouco. Este é um bom lugar, a esta hora quase nunca tem gente. E o café não é nada mal. Nada a ver com um bom café com leite de bar espanhol, claro, mas já é alguma coisa.

Ergueu sua xícara para chamar a atenção do garçom e lhe indicar sem palavras que trouxesse outra para mim.

Entre seus livros, descobri alguns títulos lidos aos tropicões durante a infância dos meus filhos. Costumava carregar grandes bolsas em que se acumulavam as coisas mais inusitadas: membros da saga Playmobil misturados com maços de Ducados, duas bananas, canetas sem tampa e sanduíches de presunto de York pela metade. E algum livro. Sempre algum livro que ia lendo aos poucos como bem podia enquanto David descia por um escorregador ou Pablo dava seus primeiros pontapés em uma bola, enquanto aguardava nossa vez na sala de espera da pediatra, enquanto meus filhos começavam a crescer. Com o tempo, parei de fumar, meu poder aquisitivo melhorou, os meninos esqueceram os bombeiros e os caubóis e começaram a pedir videogames e liberdade para entrar e sair. E aquelas bolsas enormes foram se transformando em bolsas autênticas, de couro, na moda, de verdade. Todavia, não consegui me livrar da tendência a que fossem grandes e a levar quase sempre um romance dentro delas.

O garçom se aproximou com minha xícara e uma cafeteira de vidro na mão e tornou a servi-lo também.

— Narradores espanhóis do fim de século, estou neles; os vinte e cinco últimos anos de suas letras. Os que já vinham de antes e os que surgirão depois. Mas imagino que você não veio me ver para falar sobre toda essa tribo que com certeza você conhece tanto quanto eu.

— Na verdade, não — disse eu enquanto abria um sachê de açúcar. — Queria falar com você sobre outra coisa.

Ele me olhou com olhos de quem leu e viveu muito antes daquela tarde cinza.

— Sobre Andrés Fontana, imagino.

— Acertou.

— O legado está ficando complicado?

— Você não imagina quanto.

Respondi com a vista concentrada na negrura do café. Quase sem perceber, eu havia baixado a voz. Como se estivesse falando dos problemas íntimos de alguém próximo em vez de comentar um assunto de trabalho. Como se todo o meu trabalho houvesse, de repente, se tornado algo profundamente pessoal.

— Estou aqui para ajudá-la em tudo que necessitar, Blanca, já lhe disse isso.

— Por isso vim. Aliás, sabe que outro dia encontrei no meio dos papéis dele um postal seu?

— Não pode ser! — disse ele com uma gargalhada de incredulidade.

— Véspera de Natal de 1958. Você falava de sua partida de Madri para não sei onde em busca de Mr. Witt.

— Meu Deus... — murmurou enquanto sorria com certa nostalgia. — Aquele foi meu primeiro Natal na Espanha, quando ainda andava me preparando para minha tese. Foi justamente ele quem me propôs a trabalhar sobre Sender, e aquilo, quem diria, mexeu nas profundezas da minha vida para sempre. De qualquer maneira, não quero ocupá-la com batalhas melancólicas do tempo das cavernas... Diga-me em que confusão meu velho professor está metendo você agora.

Demorei para escolher as palavras adequadas, tomei tempo enquanto dissolvia o açúcar com a colherinha. Não sabia muito bem como definir o que queria dele.

— Já terminei a classificação por décadas até os anos 1950, e agora estou começando com os textos da etapa da Califórnia, já na década de 1960 — disse por fim. — São interessantes, mas muito diferentes dos anteriores.

— Menos literários, imagino.

— Isso mesmo. Já não focalizam prioritariamente autores nem crítica literária, como até então, embora sempre haja anotações a esse respeito. São, em geral, mais históricos, mais californianos, menos familiares, por isso está sendo mais difícil processá-los. Além do mais, os dados se misturam, e às vezes me perco porque tenho a impressão de que falta informação.

— E o que você quer agora é saber se eu sei se realmente falta alguma coisa.

— Isso mesmo. E já que estou aqui, por mera curiosidade pessoal, também gostaria que me contasse, se souber, por que ele deu essa guinada em sua carreira. Por que de repente a literatura praticamente deixou de lhe interessar e ele adentrou todo esse mundo da história da Califórnia, algo em princípio alheio a ele e a seus interesses acadêmicos.

Ele também tomou tempo antes de me responder, refletindo sobre a resposta com suas mãos grandes em volta da xícara.

— A primeira questão, se falta informação e até se eu sei o que pode ter acontecido com aquilo de que você sente falta, tem uma resposta fácil: não tenho a menor ideia. Eu fui embora de Santa Cecilia muito pouco tempo depois de sua morte e, até onde sei, todos os seus documentos ficaram na universidade e ninguém mexeu neles até sua chegada. Eu mesmo, de fato, nunca cheguei a vê-los fora de sua própria sala.

— Quanto tempo você passou aqui? — perguntei à queima-roupa, um tanto indiscreta, talvez. A vida privada de Daniel Carter e seus assuntos não tinham nada a ver com meu trabalho sobre Fontana, mas repentinamente fui invadida pela vontade de saber.

— Dois anos e pouco, não chegou a três.

— Há quanto tempo?

— Fui embora em 1969, de modo que... — Fez uma rápida operação mental e acrescentou: — Meu Deus, trinta anos já, que absurdo...

Estava recostado na poltrona de couro. Suas pernas longas cruzadas, o cotovelo esquerdo sobre o encosto, uma blusa de lã azul-marinho. Parecia confortável, com a aparência desse tipo de pessoa que, de tanto ir e vir pela vida, é capaz de se sentir à vontade em qualquer lugar.

— E a respeito de sua segunda pergunta, sobre a causa dessa virada em seus interesses investigadores, a verdade é que minha resposta é só especulação, porque, depois de tanto tempo, minhas recordações já estão um pouco enferrujadas. Mas acho que se apaixonou pela história da Califórnia assim que se estabeleceu aqui, e daí possivelmente a mudança que você disse que percebeu em sua produção. Descobriu uma conexão entre esta terra e a Espanha, e isso, não me pergunte por quê, encantou-o.

— E por que veio para cá, por que deixou Pittsburgh?

Eu também estava bem acomodada. Graças ao ambiente acolhedor ou à xícara de café reconfortante, imaginei. Ou à habilidade natural de Daniel para me fazer sentir à vontade perto dele.

— Todos que o conheciam acharam estranho que, depois de ter passado tantos anos em um campus tão grande e tão urbano como o de Pitt, decidisse se mudar para essa pequena cidade na outra ponta do país. Mas ele tinha suas razões. Em primeiro lugar, ofereceram-lhe um cargo de diretor bastante atraente. Em segundo lugar, ele havia acabado de se divorciar, havia saído de uma relação que não lhe deixou boas lembranças e imagino que quis se afastar de tudo.

Fiquei surpresa com aquilo, não me lembrava de ter visto nenhuma referência a casamentos ou divórcios em seus documentos. E disse isso a Daniel.

— Foi um casamento breve com uma professora de Biologia de origem húngara. Eu mal a conheci, mas sei que estiveram alguns anos juntos se separando, voltando e se torturando mutuamente, até que decidiram se casar. Na época, eu já não estava em Pittsburgh, mas, segundo ele mesmo me contou anos depois sem entrar em detalhes, poucos meses depois ambos perceberam que aquilo havia sido um erro.

Eu gostaria de ter ouvido um pouco mais sobre essa história, mas ele não parecia ter muita informação adicional.

— E, embora ele não houvesse dito a ninguém — continuou —, talvez a principal razão pela qual decidira mudar de ares tenha sido porque estava começando a adoecer. Era de aspecto forte e firme, seus alunos o chamavam com frequência de touro espanhol, mas tinha os pulmões castigados, era um fumante ferrenho, e o inverno implacável e a fumaça das fábricas de Pittsburgh lhe faziam cada vez mais mal. De modo que decidiu se mudar, estabelecer-se em um lugar tranquilo de clima moderado e sem poluição. E assim chegou a Santa Cecilia.

— E você o seguiu...

De novo percebi minha indiscrição tarde demais, mas ele não pareceu se incomodar nem um pouco.

— Não, não, nada disso — disse mudando de posição. — Eu vim anos depois; antes, andei por outros lugares. Com o tempo, surgiu uma vaga interessante neste departamento, ele a ofereceu a mim e assim acabei *arribando* aqui. Mas, na verdade, para onde eu realmente queria ir era para a Universidade da Califórnia em Berkeley; pensei que isto seria só uma parada transitória.

Seu espanhol cada vez me espantava mais. Poucos nativos da minha língua teriam usado o verbo *arribar* para falar de um destino profissional.

— E conseguiu ir para Berkeley no fim?

— Bom, na verdade, tudo acabou tomando um rumo que ninguém havia previsto... Resumindo uma longa história, o resultado foi que eu nunca cheguei a ser professor em Berkeley e que Andrés Fontana, dois anos e pouco depois de minha chegada a Santa Cecilia, faleceu.

— Estava tão doente assim?

— Em absoluto. Na verdade, aqui estava muito melhor.

— Então?

— Ele morreu em um acidente. — Tornou a beber um gole de café antes de continuar. — Dirigindo seu próprio carro, o velho Oldsmobile que tinha fazia um século.

Nunca aquele fim havia me passado pela cabeça; inconscientemente, eu imaginava que sua vida se apagara por causas naturais, pelo desgaste próprio da idade.

Queria continuar lhe fazendo perguntas, Daniel parecia aberto a responder sem reservas. Na realidade, o que estava me contando eram só umas pinceladas sobre a vida de Fontana, mas me eram valiosas para encaixar seus escritos em suas épocas e circunstâncias, para ver tudo sob outra luz. Lamentei não ter recorrido a ele antes, teria me poupado horas de dúvidas e dor de cabeça.

O barulho da rua desviou subitamente a nossa atenção e ambos concentramos a vista no que se aproximava do outro lado do vidro do café. O rapaz do rastafári e do tambor, como um flautista de Hamelin alternativo, abria a grande manifestação. Atrás dele, a fauna mais heterogênea: estudantes com cartazes e megafones, jovens casais com bebês em carrinhos, professores e cidadãos de meia-idade, crianças de escola com balões coloridos, vovozinhas enérgicas que vendiam camisetas e berravam como caminhoneiros, e um ou outro personagem extravagante mais próprio de um bloco carnavalesco ou de um desfile de *drag queens*.

— Vamos? — disse começando a recolher seus livros.

Vesti o casaco enquanto ele terminava de guardar suas coisas, deixava alguns dólares em cima da mesa sem esperar que o garçom trouxesse a conta e anotava algo com pressa em um guardanapo.

— Caso ainda precise de mim — disse entregando-o a mim.

Enquanto eu guardava os dois números de telefone no bolso – casa e celular, imaginei –, ele pendurou no ombro sua mochila carregada e eu fiz o mesmo com minha bolsa.

— Muito obrigada por me esclarecer algumas coisas — disse eu enquanto nos encaminhávamos à saída.

— Ao contrário, Blanca, você é que está me fazendo um favor. Gosto de recordar meu velho amigo, de falar dele de novo. É saudável desentupir a tubulação da memória e fazer as pazes com tudo que ficou para trás.

A tarde estava cada vez mais desagradável; mal pisamos na rua, fechei meu casaco cruzando os braços com força sobre o peito e ele levantou o colarinho de sua jaqueta. O vento agitou o cabelo dos dois.

— Sabe de uma coisa? — acrescentou com meio sorriso no meio de sua barba clara. — Se ainda estivesse vivo, Andrés Fontana sem dúvida estaria nesse protesto. Sempre se oporia a qualquer intervenção naquele lugar. Eu lhe contei que ele costumava andar com frequência em Los Pinitos, não é? Principalmente nos últimos meses, quando ainda não antevia quão pouco lhe restava para chegar ao fim.

Então, passou o braço por meus ombros, em parte me protegendo do tumulto, em parte me arrastando para ele. Em apenas alguns segundos estávamos no meio da manifestação. Entre gritos, cantos, palavras de ordem e o barulho retumbante do tambor, Daniel, sem me soltar ainda, teve de gritar para que o pudesse ouvir.

— Ele costumava dizer, meio brincando, meio a sério, que andava por ali em busca da verdade.

CAPÍTULO 16

Em meados de novembro, chegou o meu aniversário e com ele boa quantidade de parabéns cibernéticos de minha família e amigos. Juntamente com seus melhores desejos, a maioria me perguntava, de quebra, quase como quem não quer nada, quando pretendia voltar. Mas não dei a ninguém dados ou datas, e não porque quisesse manter sigilo, mas porque nem eu mesma sabia. Minha bolsa não determinava uma data-limite precisa, simplesmente estipulava uma duração de três a quatro meses, até a conclusão da tarefa atribuída. Ainda tinha trabalho e tempo pela frente, por ora não tinha nenhuma intenção de voltar.

Acumular anos, contudo, não era o mais fascinante que podia acontecer com uma mulher cujo marido havia acabado de trocá-la por outra mais nova, mais loira e com salário melhor. Também não me ajudava a levantar o ânimo o fato de estar longe dos meus filhos, nem receber as ligações insistentes de minha irmã a cada quatro ou cinco dias incitando-me com fúria a sabotar meu ex-marido em seu caminho para a felicidade. Nessas circunstâncias, decidi comemorar a data, talvez para provar a mim mesma que a vida, apesar de tudo, seguia em frente.

Ninguém em Santa Cecilia sabia que eu fazia aniversário; o dia poderia ter passado em branco, sem comemoração alguma. Mas, talvez por isso, por querer tirar eu mesma a data dos dias comuns do calendário e pôr um pouco de cor ao meu tempo, resolvi organizar uma festa. Uma festa espanhola para os recentes amigos americanos que me haviam aberto as portas de suas casas e me oferecido sua dedicação e seu afeto. Uma festa na qual não faltasse nenhum ingrediente clássico espanhol digno de um guia de viagens, uma mensagem implícita, talvez, àquele dia já quase remoto do debate sobre a hispanidade. *Tortillas* de batatas, gaspacho, sangria, azeitonas. Decidi, porém, manter oculto o motivo do evento: não interessava a ninguém saber dos avanços da minha idade.

Em um arroubo criativo, confeccionei alguns convites na velha impressora da minha sala, que, como quase sempre, continuava funcionando quando bem queria, agora sim, agora não. Coloquei-os nos escaninhos do departamento e distribuí outros tantos aos alunos do meu curso. De acordo com as normas habituais da etiqueta norte-americana, eu deveria ter avisado com mais antecedência. Mas as coisas vieram assim. Impensadas, imprevistas. Como quase tudo nos últimos tempos.

À medida que foram confirmando presenças e ausências, calculei que seriam mais de trinta entre convidados e acompanhantes. Luis Zárate aceitou desde o início, assim como mais alguns colegas. Rebecca não faltaria, claro. Daniel Carter passaria se conseguisse chegar a tempo, pois voltava essa mesma noite de um congresso em Phoenix, Arizona – foi o que disse quando liguei para ele. A maioria dos meus alunos também não deixaria de ir.

Após hesitar inicialmente, decidi convidar Fanny também, mas ela declinou o convite alegando que aos sábados sempre jantava com os membros de sua igreja. Pouco a pouco, eu me acostumara à sua estranha personalidade e chegamos a nos entender bem. Com carinho até. Eu já não estranhava suas pequenas excentricidades nem seu jeito às vezes alvoroçado de proceder. Os dias a foram transformando em uma presença próxima e quase íntima. Não uma amiga, exatamente, mas alguém um tanto especial.

— Precisa que a ajude ou que lhe empreste alguma coisa? — ofereceu Rebecca quando lhe detalhei meus planos.

Antes que eu pudesse responder, deu por certo que minha resposta seria afirmativa e começou a enumerar as coisas imprescindíveis para transformar meu apartamento de apenas quarenta metros quadrados em um lugar apropriado para uma festa decente.

— Deixe-me pensar... Tenho uma mesa e cadeiras dobráveis para quando reúno muita gente em casa. Também posso lhe emprestar utensílios de cozinha, se precisar, e, se quiser, uma toalha de mesa grande, e taças, e talheres...

Não tive mais remédio que deter sua avassaladora generosidade; do contrário, teria enchido o parco espaço com tantos trastes excessivos que não caberia nem um quinto dos convidados. Aceitei a mesa, algumas cadeiras e outras coisas soltas. O resto seria descartável. Zero de complicações, não havia necessidade.

— Na sexta-feira à tarde, espero você no fim do expediente e vamos juntas para minha casa. Carregamos meu carro e levamos tudo ao seu apartamento. No sábado de manhã, tenho de ir a Oakland e com certeza vou voltar em cima da hora para a festa, de modo que é melhor deixar tudo pronto no dia anterior.

Estacionamos em frente à sua casa pouco depois das cinco, um lar de anos com um jardim frondoso e uma piscina na parte de trás. Com um cachorro grande, tranquilão, peludo entre branco e cinza, com pouco *pedigree*, paixão pelas bordas das pizzas e tanta simpatia quanto sua dona. Macan, era seu nome. Chegara um dia qualquer, contou-me Rebecca, colado à roda traseira da bicicleta de uma de suas filhas quase uma década antes. Nunca ninguém o procurou, apesar de haverem distribuído cartazes pela região em busca de seu dono. Macan não foi mais embora.

Ainda havia na casa marcas indeléveis dos habitantes que haviam passado por ali: patins e bicicletas na garagem, capas de chuva no cabide atrás da porta. Os filhos eram três, cinco os netos, nenhum perto. A casa, porém, não parecia ser de uma mulher madura independente, e sim o lar de uma família cujos membros haviam acabado de sair para ir ao cinema ou fazer alguma coisa na rua, e não para construir sua própria vida nos recantos mais remotos do país. Não era mais um ninho vazio, e sim um refúgio ao qual todos poderiam voltar a qualquer momento e se sentir como se nunca tivessem saído.

— Vamos começar pela cozinha — propôs.

Uma grande janela se abria para o jardim, e uma ilha de madeira no centro continha o fogo. Sobre a ilha, de uma armação de ferro pendiam frigideiras, panelas e maços de ervas secas. A eficiência de Rebecca se estendia além de seu escritório e ficava evidente em seu entorno doméstico. Tudo estava no lugar, os potes etiquetados, o calendário pendurado da parede com anotações perfeitamente caligrafadas, as flores recentemente cortadas em cima do balcão.

— Isto é para o gaspacho — disse tirando de um armário uma enorme geringonça elétrica sobre a qual se acoplava uma grande jarra de vidro.

Tentei esclarecer que uma simples batedeira já serviria, mas, no país em que tudo se faz em grande estilo, aquela era a ferramenta mais básica que Rebecca tinha para triturar alguns tomates.

— E isto para a sangria. Pablo González, o professor colombiano, trouxe da Espanha para mim há alguns anos — proclamou levantando triunfal um enorme recipiente de louça com uma válvula na base. — E agora, vamos ao porão buscar as cadeiras.

Descemos até um espaço diáfano onde se acumulavam ordenadamente as coisas mais inverossímeis. Uma mesa de pingue-pongue, caixas de papelão com nomes de proprietários e conteúdos, pôsteres de cantores fora de moda, centenas de discos de vinil e montes de fotografias, bandeirinhas e diplomas pregados em uma cortiça gigante fixada na parede. O paraíso de um comerciante de artigos de segunda mão a organização de um desfile militar.

Enquanto Rebecca localizava as cadeiras dobráveis, não pude resistir a dar uma olhada nas fotografias pregadas com tachinhas. Lá estava a história remota de sua família: piqueniques na praia, festas infantis, bailes de formatura.

Bebês que já eram adultos, jovens que já deviam ser pais e avós que só continuavam vivos na memória dos seus descendentes.

— Muito bem, isto já está resolvido — anunciou depois de amontoar algumas cadeiras ao lado da escada. Ao me ver observando as fotografias, aproximou-se. — São muito antigas — disse sorrindo.

Do mesmo modo que quando chegara ela me mostrara o rosto de Andrés Fontana na sala de reuniões do departamento, dessa vez me indicou quem era quem em seu grande álbum familiar. Para cada imagem tinha uma recordação, uma história.

— Isso foi em um Quatro de Julho na praia. No fim, fomos surpreendidos por uma tempestade imensa e os fogos de artifício estragaram. Aqui, estávamos em uma excursão a Angel Island, na baía. Isto foi no dia em que meu filho Jimmy acabou caindo de patins; abriu o supercílio e teve de levar sete pontos.

Prosseguiu esmiuçando cenas, transportando-se no tempo à medida que apontava instantâneos. Até que encontrou uma de um grupo de jovens adultos.

— Meu Deus, que caras! Quantos anos! Faz muito tempo que não via esta foto. Vamos ver se você consegue reconhecer alguém — desafiou-me.

Observei a foto com atenção. Quatro humanos ao ar livre, dois homens nas laterais, duas mulheres no centro. Todos apoiados em um grande carro vermelho coberto de pó. Ao fundo, uma paisagem desértica e algo que parecia ser casas mexicanas. Ao longe, o mar. O primeiro da esquerda era um homem moreno com uma faixa larga na testa. Muito magro, com uma camisa florida e uma cerveja na mão estendida para a frente, como se a estivesse oferecendo ao fotógrafo. Ao seu lado, uma garota pequena, puro sorriso, com as mãos nos bolsos dos shorts, duas tranças e uma camiseta amarela com a palavra "Peace". A terceira figura era uma mulher jovem, esbelta, linda. Sua boca grande parecia ter sido capturada no momento de soltar uma gargalhada. Seu vestido branco chegava quase até os pés descalços, muitos colares coloridos cercavam seu pescoço. Ao seu lado, um homem alto fechava o grupo, com uma camiseta desbotada e jeans rasgados. Não se distinguiam os traços do rosto, escondidos em uma cabeleira loira até o ombro, barba fechada e óculos de sol. Parecia verão, estavam morenos, transpiravam alegria.

— Não faço ideia.

Eu não sabia quem eram, mas não teria achado ruim ser algum deles. Tão radiantes... Tão despreocupados...

— Esta sou eu — esclareceu apontando a jovem de tranças.

— Não! — disse eu com uma gargalhada.

Era realmente difícil imaginar que a Rebecca Cullen elegante e madura que eu conhecia fosse aquela garota de shorts mínimos cujo peito proclamava a paz mundial.

— E há mais alguém que você conhece. Observe devagar.

Observei, mas não consegui reconhecer ninguém. Então, ela pousou seu dedo na última figura, a do homem alto de cabelo e barba.

— Repare bem...

Então, julguei distinguir. O rosto mal se percebia, mas havia um não sei o quê em sua imagem que me fez intuir quem poderia ser.

— Daniel Carter? — perguntei hesitante.

— Ele mesmo — confirmou com um sorriso nostálgico. — Meu Deus, quanto tempo se passou! Veja como éramos jovens, a roupa que usávamos, que cabelos! — Tornou a apontar a fotografia movendo alternadamente o dedo pelas duas figuras restantes. — Esta era a mulher dele, e este meu ex-marido, Paul.

Mordi a língua para não perguntar imediatamente o que havia sido deles, onde acabaram, o que aconteceu depois. Porém, não foi preciso que mostrasse minha curiosidade porque, à medida que Rebecca se afastava das fotografias e recolhia as cadeiras, começou a falar sem que eu perguntasse.

— Essa foto é do verão de 1968 no cabo San Lucas, na Baixa Califórnia. Embora eu pareça muito jovem, meus três filhos já haviam nascido. Paul, meu marido, era professor de Filosofia aqui, em Santa Cecilia. Havíamos nos mudado para a Califórnia, de Wisconsin, três anos antes. Os Carter chegaram pouco depois e nos tornamos grandes amigos.

Estávamos subindo a escada, ela carregando cadeiras dobráveis na frente. Eu, arrastando uma mesa atrás.

— Na época, eu me dedicava só à família. Não trabalhava, as crianças ainda eram pequenas e haviam nascido muito perto uma da outra. Havíamos acabado de comprar esta casa, estava destruída e ainda a estávamos arrumando. Naquele verão, meus pais vieram de Chicago e ficaram com nossos filhos durante uma semana para que pudéssemos finalmente tirar umas férias.

Havíamos chegado de novo à cozinha; a Rebecca do presente e sua eficiência retornaram à realidade.

— Bom, agora vamos pôr tudo isto no carro. Acho que é melhor guardarmos primeiro a mesa, porque é o que ocupa mais espaço. Depois, colocamos as cadeiras e em cima o resto das coisas, o que acha?

Assenti mentindo. Não, na realidade não achava bom. Preferia que continuasse me contando coisas de sua vida, daquele verão quando eram jovens e percorreram a costa do Pacífico em um carro coberto de pó.

Para minha sorte, como a mulher eficaz que sempre mostrava ser, ela se virou sem problemas para fazer as duas coisas ao mesmo tempo.

— Paul nos deixou quatro anos depois. Foi embora com uma estudante de doutorado. Minha filha Annie tinha nove anos; Jimmy, sete; e Laura, cinco. Ele me disse que era uma paixão animal, uma força superior a ele que não podia controlar.

Já estávamos no jardim da frente, ao lado do carro. Havia escurecido.

— Ficou indo e vindo um tempo, confundindo as crianças e me deixando maluca — prosseguiu. — Desaparecia uma semana e depois voltava suplicando perdão, jurando que seu caso havia acabado, prometendo que me seria fiel pelo resto dos dias. Foi assim durante quatro ou cinco meses.

Deixou as cadeiras no chão e abriu o porta-malas sem parar de falar com naturalidade. Sem dramatismo e, ao mesmo tempo, sem excesso de frivolidade, com o desapego exato que o tempo passado proporciona à nossa maneira de rememorar as realidades que a vida nos força a deixar para trás. Macan, o cachorro, havia nos seguido desde a casa e observava calmamente a cena deitado no gramado. Acompanhando-nos apenas, perguntando-se talvez para que diabos sua dona estava guardando tantas cadeiras se era tão maravilhosamente bom ficar na horizontal.

— Annie, que até então havia sido uma menina doce e aplicada, ficou arisca e parou de se esforçar no colégio. Jimmy começou a fazer xixi na cama. Laura só conseguia dormir se eu me deitasse com ela. Quando não pude mais suportar a situação, enchi duas malas e fomos embora para Chicago, para a casa dos meus pais. Ponha a mesa primeiro no fundo, por favor.

Obedeci sem uma palavra e ela depois começou a enfiar as cadeiras uma a uma, ordenadamente.

— Fiquei lá com as crianças, mas Paul me ligava mil vezes por dia — acrescentou enquanto ajeitava as primeiras. — Reconhecia que tudo havia sido um erro, que havia se portado como um verdadeiro imbecil. Insistia que seu romance havia acabado, que não veria mais aquela garota, Natasha era o nome dela, meio russa. Implorava que voltássemos a Santa Cecilia dizendo que não podia viver sem as crianças e sem mim. Gritava feito um louco que eu era seu único amor. Por fim, apareceu em Chicago. Falou com meus pais e conosco, pediu perdão pelo que nos havia feito sofrer, jurou que tudo voltaria a ser como antes. Agora, passe-me a batedeira.

Falava sem dor, com a voz de sempre, metódica e concentrada em seu trabalho.

— Até que me convenceu. Voltamos juntos para casa e durante dois meses foi tudo perfeito. O melhor pai, o marido mais carinhoso. Passava horas brincando com as crianças, comprou um cachorro para elas. Cozinhava à noite e punha velas na mesa, me trazia flores a toda hora. Até que certa manhã, depois de deixar o café da manhã pronto para nós, foi para a universidade; essa noite não voltou para casa. Nem na seguinte, nem na seguinte. No quarto dia, reapareceu. Falta alguma coisa, Blanca?

— E o que você fez? — perguntei enquanto lhe passava o recipiente para a sangria, a última coisa a guardar.

Fechou o porta-malas com um golpe seco.

— Não o deixei entrar. Mandei-o para o inferno e arranjei um emprego.

A seguir, virou a cabeça e me olhou com seus olhos claros no meio de um punhado harmonioso de pequenas rugas à luz das lâmpadas do jardim. E apesar da história triste que estava me contando, com um gesto não carente e com certa doçura, sorriu.

— Quem dera aquele verão no cabo San Lucas tivesse sido eterno. Ninguém imaginava na época quão dura a vida acabaria sendo com todos nós.

CAPÍTULO 17

Daniel Carter partiu no fim de outubro de 1958 para Aragón, comunidade autônoma natal de Ramón J. Sender. Na província de Huesca visitou o povoado que o viu nascer, Chalamera, e aqueles lugares onde havia passado sua infância e que sempre viveriam na memória do escritor. Alcolea de Cinca, sob a montanha que, como ele mesmo disse, parecia cortada à faca. Tauste, onde situaria *Crónica del alba*, revisitando aquele amor de infância por Valentina.

Seguiu caminhos, refugiou-se da chuva em ermidas em ruínas, dormiu em hospedarias ruins e falou com os compatriotas, com quem aprendeu um sem-fim de palavras. Bebeu vinho dos odres que lhe ofereceram e comeu o que havia quando a generosidade alheia lhe pôs um prato à mesa. De Aragón passou a Navarra, de Navarra a Castilla a Velha, da Velha à Nova. E tomando trens e ônibus quando pôde, e entrando em carros, caminhonetes e furgões de condutores bem-dispostos que cruzaram seu caminho, o estudante americano foi rodando pelo mapa da velha pele de touro, dominado por tudo o que viu. Capitais de província com ruas maiores, cangas e flechas; com casas nobres e casas menos nobres e casas que de nobres não tinham nada, entre charcos, mercados e bairros. Nas cidades e nos campos, encontrou cenários em que quase sempre apareciam, recorrentes, os mesmos personagens: crianças sujas, mulheres que andavam com cestos equilibrados como por mágica sobre a cabeça, porcos e galinhas pelas ruas enlameadas e homens de boinas e sem dentes no lombo de mulas velhas. No norte, encontrou pedra e cal à medida que avançava para o sul, mas as diferenças nunca eram substanciais. Atraso e miséria em uma Espanha que apenas cinco anos antes havia conseguido alcançar a mesma renda *per capita* do pré-guerra, já na época lamentavelmente pobre.

Nada mais diferente do que deixara em sua pátria ao partir: uma nação próspera e dinâmica onde o *baby boom* estava no ponto mais glorioso e os cidadãos assentavam com otimismo suas casas modernas nas zonas arborizadas dos subúrbios. Um país onde os Ford Fairlane e os Chevy Impala enchiam as ruas e onde os eletrodomésticos já não eram objetos de luxo, e sim aparelhos básicos para as rotinas caseiras mais cotidianas. Uma América consumista e contraditória onde o bem-estar e o entretenimento conviviam com a paranoia anticomunista, os estertores da segregação racial e a ameaça da guerra nuclear.

Apesar dos imensos contrastes com que foi tropeçando em sua longa viagem espanhola, desfrutou cada instante daquela terra dura cheia de pão, *gachas* e toucinho, de chicória e fumo de corda, sinos de igreja, cânticos imperiais e duplas da Guarda Civil. O frio já mordia quando voltou a Madri, no fim de novembro, com os pés cheios de calos, cinco cadernos lotados de anotações, um punhado de rolos de fotografias sem revelar e a sensação de ter espremido até o extremo cada minuto daquela viagem plena e de iniciação.

Uma vez instalado de novo sob as asas de dona Antonia, após dois dias desfrutando até se fartar do sabor de seus ensopados, cumpriu suas obrigações e voltou à sala de Cabeza de Vaca.

Entregou-lhe o relatório que havia passado dois dias datilografando em seu quarto. Nele pormenorizava sua aventura passo a passo: o percebido na terra de Sender, as conversas com seus compatriotas, suas visitas agregadas a povoados, cidades e paragens distantes. O visto, o vivido, o sentido, o aprendido.

— Excelente, senhor Carter, excelente — disse o professor guardando as folhas em uma gaveta. — E agora, é hora de espremer Madri. Espero-o amanhã de manhã no Museu do Prado.

— Obrigado por seu interesse, professor, mas eu já conheço o Prado. Estive ali toda uma tarde, vi *As meninas*, *A rendição de Breda* e *Os fuzilamentos do três de maio*, e também...

A sobrancelha esquerda arqueada de Cabeza de Vaca sugeriu-lhe que era melhor se calar.

— Considere isso minha contribuição com sua formação integral, rapaz. Duas semanas intensivas de introdução à pintura espanhola. Às dez. Sob minha tutela.

Assim o americano foi atravessando o último trecho do ano, entre quadros e ensinamentos com seu novo mentor mutilado enquanto ambos percorriam as galerias com lentidão descompensada. Por intermédio dele, assistiu também a algumas aulas afins a seus interesses e conheceu alguns estudantes que o convidaram a festas e uma excursão a La Granja. E assim continuou virando as páginas dos dias e pisando as ruas de outono cheias de castanheiras e vendedores de loteria que prometiam um futuro opulento a um povo ainda cheio de carências em tantos, tantos aspectos da vida.

Sem que dona Antonia tivesse de insistir muito, aceitou passar a véspera de Natal com o restante da família dela na casa de seu filho Joaquin, que então vivia na rua Santa Engracia e tinha uma mulher que se chamava Teresa e três meninas que ficaram encantadas com aquele gigantão que falava espanhol com um sotaque estranho, comia os sequilhos de dois em dois, cantava canções natalinas com elas a plenos pulmões e perguntava o significado de palavras que ninguém conhecia, como o fogareiro que ia na burra com a chocolateira e o pilão. Aquela ruidosa celebração natalina a ritmo de zabumbas, pandeiros infantis e uma garrafa de anis La Asturiana raspada com um garfo o divertiu muito. E tão absorto esteve nela, tão entusiasmado que nem sequer se deu conta das lágrimas furtivas que deslizaram dos olhos cansados da viúva em recordação de seu Marcelino e daqueles tempos perdidos, atrozes e calorosos na mesma medida, que haviam ficado congelados para sempre em sua memória.

— A véspera de ano novo também vai passar conosco, não é, filho? — perguntou-lhe alguns dias depois. Após meses de insistência por parte de Daniel, ela finalmente havia se acostumado a não o chamar de senhor.

— É que... sabe que agradeço de todo o coração sua hospitalidade, mas estava pensando... estou pensando... que talvez gostaria de passar essa noite por aí, se não se incomodar.

Ele tinha outros planos. Ou, para ser mais exato, tinha outro plano. Ir andando até Puerta de Sol em busca da balbúrdia da massa. Nada mais. Tentava ser fiel ao conselho de Cabeza de Vaca: não se deixe levar pelas histórias, rapaz, não fique na superficialidade. Contudo, sabendo que com isso cairia no mais banal e no mais comum, não pôde resistir à tentação de comer suas primeiras doze uvas ao som dos sinos, cercado de uma multidão festeira em que a sidra e as línguas de sogra corriam soltas entre soldados de licença, cavadores de índoles diversas e caipiras vestidos de festa recém-chegados à capital.

— E por que não janta conosco e depois vai? Já disse à minha nora que vou à casa dela hoje à tarde cedinho e vou assar um leitão que vão me trazer da minha aldeia, vai ficar tão gostoso, no mínimo como os da Casa Botín.

— Acha que vai dar tempo? — perguntou Daniel saboreando-o de antemão. A viúva sabia que o estômago do rapaz era um flanco seguro por onde atacar.

— Não se preocupe, que eu me encarrego de que às onze já tenhamos terminado.

Assim foi: às onze e meia estava em Puerta de Sol. Sobraram-lhe até alguns minutos para comprar alguns postais, escrever alguma coisa e colocá-los em uma caixa de coleta do correio com destino ao ultramar.

Ao acordar, na manhã de ano novo, na parede da sala de jantar Chiquita Piconera o estava esperando, abrindo o mês de janeiro no novo calendário de 1959. Em cima da mesa, café feito na hora e churros quentinhos. Como todos os dias.

— Bom, filho, já temos um ano a mais nas costas. O que pretende fazer agora, ficar em Madri ou ir embora como da outra vez, andar por esses caminhos de Deus?

— Ir embora, ir embora. É o que planejei, tenho de trabalhar.

— E para onde vai desta vez, posso saber?

— Ao Cantón de Cartagena, se conseguir descobrir como se chega até lá.

Míster Witt en el Cantón era o romance com que Ramón J. Sender havia vencido o Prêmio Nacional de Literatura em 1935, e Daniel havia decidido que sua viagem seguinte teria como destino aquele enclave tão significativo na produção literária do autor. A viúva, leiga em geografia como em tantas outras coisas que não seus afazeres, foi incapaz de ajudá-lo, de modo que não teve mais remédio que ir em busca de seu velho mapa da Espanha depois de acabar o café da manhã.

Afastou a xícara vazia de café com leite e o abriu em cima da mesa. Tomando como referência a capital, margeou com o dedo indicador os arredores de Madri, mas não encontrou seu objetivo. Continuou ampliando seu raio de ação às províncias próximas, mas também não aparecia o que estava procurando. Estendeu-se até a periferia, sem sorte, e finalmente abordou as costas. Levou um longo tempo para localizar aquele recanto da Península e só encontrou o nome de Cartagena, porque Cantón não aparecia em nenhum lugar. Mas lá estava, em um canto do sudeste. Pegou um lápis vermelho e o marcou com uma cruz. Aquele seria seu próximo destino.

CAPÍTULO 18

Atravessar a Península de trem desde a capital era, no fim dos anos 1950, uma aventura heroica que Daniel Carter viveu em sua poltrona de terceira classe como um espectador em lugar de honra. Na hora de comprar a passagem na estação de Atocha, hesitou sobre a categoria em que viajar. Embora em seu país provavelmente não houvesse podido escolher entre uma ou outra classe, os baixos preços de sua nação de acolhida lhe permitiam considerar todas as opções sem grande prejuízo para seu bolso. Primeira, pensou, prometia uma viagem confortável, mas sem sabor. Segunda, nem grande conforto nem novas experiências. Decidiu-se por fim pela terceira, mais um passo em seu anseio de conhecer a fundo a verdadeira essência do povo espanhol. E como encontrou essência... De montão.

As locomotivas a carvão continuavam sendo a alma dos trens nacionais, uma alma capenga para a qual o cumprimento dos horários era mera ilusão dependente da passagem entrecruzada de dúzias de trens de correspondência e mercadorias. Nos vagões com assentos de madeira, suportava-se o inverno mal e mal com o aquecimento gerado pelos corpos amontoados. O barulho da marcha era substituído em incontáveis paradas pelas marteladas nas rodas e pelo abastecimento das caldeiras e o rangido de manobras intermináveis a cada três por quatro. Pelas janelinhas entravam e saíam montes de malas de madeira, caixas de papelão amarradas com cordas, mochilas militares e fardos enrolados em tecido que continham sabia Deus o quê. Até duas galinhas e um colchão enrolado Daniel viu um pai e um filho carregando em La Roda.

Ficou maravilhado com as plataformas transformadas em mercados provisórios onde, conforme a localidade, anunciavam tortas de Alcázar, navalhas de Albacete ou números para a rifa de um presunto. E ficou mais ainda fascinado, na ausência de serviço de restaurante, com o sobe e desce daqueles cestos dos quais, acompanhados sempre por um solidário "gostam disso?", emergiam pães e formas de estanho transbordando de fatias de toucinho. Os odres de vinho iam de mão em mão, enquanto com mordidas ferozes os viajantes devoravam sanduíches de sardinhas grandes como torpedos embrulhados em jornal, um coquetel de óleo com notícias que esparramava manchas negras como o carvão. Dê um trago, amigo, insistiam com o americano. Experimente este chouricinho, pegue um pedaço de morcela, é de nossa matança, vai ver que delícia. A nada nem a ninguém Daniel disse não.

A fumaça densa dos Celtas curtos e do fumo de corda misturava-se, ao longo de quilômetros eternos, com o pranto de crianças de colo, os suspiros de velhas em luto eterno e um denso cheiro de pés. Pelo ar planavam conversas entre desconhecidos que misturavam prognósticos para as colheitas vindouras com comentários sobre a última corrida de Antoñete e algumas façanhas épicas protagonizadas por parentes que haviam emigrado a Barcelona no ano anterior.

De vez em quando, com grande esforço, conseguia se concentrar em *Míster Witt en el Cantón*. Bem encapado, para que não houvesse problemas. Já o havia lido em Pittsburgh no inverno anterior, mas agora precisava coletar alguns dados. Na medida em que o desconforto do entorno lhe permitia, esforçou-se para sublinhar a lápis cenários, passagens e nomes nas páginas daquele romance sobre o afã independentista e revolucionário da cidade à qual se encaminhava. Vinte e três dias, segundo lhe contara Fontana, foi o que Sender levou para escrever com sua prosa ágil as aventuras e desventuras da Cartagena insurgente da Primeira República.

Dois policiais à paisana passaram pelo vagão algumas vezes. À medida que pediam documentação com cara de cachorro bravo, o volume das conversas baixava mansamente e os olhos dos viajantes se concentravam no chão, sem um único protesto. Passado o trâmite, a viveza da palavra voltava a se acender enquanto alguns passageiros trocavam olhares rápidos ou disfarçavam um suspiro de alívio. Até que o sono começou a contagiar, e enquanto um ou outro se deitava no chão para roncar à vontade, outros começavam a dar cabeçadas aos trancos no ombro do vizinho.

Em Chinchilla, Daniel saiu para esticar as pernas e respirar um pouco de ar fresco; um ar que se mostrou um relento gelado assim que pôs o pé na plataforma. Refugiou-se na lanchonete e pediu com um gesto o mesmo que consumiam os dois soldados que conversavam apoiados no balcão: um copo de raiz de chicória com leite e uma taça de anis Machaquito.

Até que, por fim, chegou ao seu destino. E, para sua surpresa, a cidade que encontrou no fim daquela viagem perpétua em nada era parecida, inicialmente, com outras que conhecera no interior da Espanha. Ou talvez tenha tido essa sensação por ser aquele seu primeiro contato com a luz invernal do Mediterrâneo. Ou talvez porque o cansaço acumulado no trem havia alterado seu senso de percepção. De qualquer maneira, adentrou-a disposto a abrir um novo capítulo em seu perambular ibérico.

Era domingo e as pessoas se vestiam de domingo, imersas nas rotinas do grande dia da semana. Saindo da missa, tomando um aperitivo, escolhendo doces em La Royal. Deixou-se aconselhar por duas senhoras que abordou no meio da rua. Um lugar para dormir? Aqui mesmo, no albergue da rua Del Duque. No centro e asseado, para que procurar mais? Pelo módico preço de setenta e cinco pesetas diárias, pegou um quarto a princípio para três noites. Ao carregar a mala escadas acima, sentiu pontadas de dor na cabeça e uma sonolência um tanto forte, mas atribuiu seu mal-estar ao cansaço e ao frio que ainda estava agarrado aos seus ossos. A exígua cama do quarto de repente lhe pareceu tentadora, mas não sucumbiu ao seu canto de sereia. Em vez de se deitar como o corpo lhe pedia aos gritos, armou-se de energia e saiu de novo. Não se sentia bem e tinha consciência disso, mas seu obstinado empenho para não perder nada o levou a percorrer as ruas, a vagar sem rumo definido.

Demorou pouco para chegar a um calçadão. Longo, estreito e flanqueado por varandas, seu final se abria em uma praça que, como em todos os centros de todas as cidades que visitou, se chamava Del Caudillo. Mais adiante adivinhava-se o porto, mas não pôde chegar até lá. Sentia que suas forças diminuíam progressivamente; estava com a boca seca e o barulho da rua e as vozes das pessoas retumbavam em suas têmporas. Decidiu dar meia-volta, retornar à movimentada rua Mayor, entrar em um dos cafés e tomar alguma coisa. Nem notou que o estabelecimento que escolheu ao acaso parecia, por conta de seu nome, estar predestinado a recebê-lo com generosa hospitalidade. Bar Americano.

— Um copo d'água, por favor.

— Como disse?

O garçom de gravata-borboleta e calva reluzente o havia entendido, mas preferiu pensar antes de servi-lo. A presença daquele grandalhão despenteado e com roupa amassada despertara uma reação pouco complacente no local. Entre vermutes com azeitona e pratinhos de amêndoas, a clientela endomingada o recebeu com olhares de desaprovação, murmúrios desconfiados e nem um pingo de simpatia.

— Um copo d'água, por favor — repetiu. — Ou de Seltz...

Sem perceber os olhares nem os comentários, com a capacidade de reação notavelmente prejudicada, Daniel permaneceu alguns segundos imóvel à espera de que pusessem a sua frente qualquer líquido que aliviasse a secura de sua garganta. Mas a única coisa que recebeu foi um toque nas costas, como se alguém pedisse sua atenção.

— Acho que se enganou de estabelecimento, amigo.
— Perdão?
Ao se voltar, encontrou um indivíduo de bigodinho fino impecavelmente vestido. Chegava, se muito, à altura do ombro de Daniel.
— Aqui é lugar de gente de bem. Vá embora, por favor.
— Só quero beber um copo d'água — esclareceu. E voltando os olhos para o garçom, insistiu pela terceira vez em seu empenho por ser atendido. — Ou uma Coca-Cola, se possível.
— A água, para as rãs. E a Coca-Cola, vá tomar na sua terra. Saia daqui imediatamente. Andando, vamos — insistiu o defensor da virtude.
Daniel fez esforço para explicar de novo suas simples intenções àquele homem cujo rosto, cuja voz e cujo bigode se distorciam cada vez mais diante dos seus olhos e dos ouvidos. Suas palavras, arrastadas e incongruentes, longe de esclarecer qualquer coisa, só serviram para reafirmar a suposição inicial de quase todos os presentes: aquele desalinhado forasteiro estava caindo de bêbado. E era apenas meio-dia.
O passo seguinte foi segurá-lo pelo braço.
— Caia fora de uma vez! Aqui não é lugar para bebuns como você!
Provavelmente o espanhol de Daniel saíra embolado e difícil de compreender; talvez o houvesse misturado com o inglês sem perceber.
— Solte-me, senhor, por favor. *Please, sir, please...*
Visto que o aguerrido benfeitor não desistia, Daniel, aturdido como estava, aplicou uma inconsciente brusquidão a sua tentativa de se livrar dele. Tanto que quase o mandou ao chão.
A modo de reforço, diante da reação aparentemente temerária do forasteiro, alguns voluntários despojaram-se apressadamente de seus paletós prontos para neutralizá-lo. A briga foi rápida e, em menos de dois minutos o rapaz, desconcertado e cambaleante, estava de novo no largo da rua Mayor. Exposto aos olhares indiscretos dos transeuntes, com a camisa para fora das calças, o cabelo revirado e uma manga meio arrancada à altura do ombro.
"Miseráveis! Vão mesmo se atrever? Se querem briga, vão ter! Michael O'Reilly jamais retrocedeu!" Ao perceber a chegada do hóspede, o recepcionista nem sequer se incomodou em tirar os olhos do romance de Marcial Lafuente Estefania que o mantinha absorto. Sem olhar para ele, apenas lhe estendeu a chave do seu quarto e se limitou a estalar a língua e a mover a cabeça em sinal de resignação; depois, molhou o polegar com saliva para virar a página de *Incendiarios en Oklahoma*. "Como se eu fosse parar de ler por causa de uns tantos viajantes extravagantes que diariamente chegam a este porto", deve ter

pensado. E menos ainda nesse exato momento, quando o xerife do condado estava prestes a enfiar um carregamento de chumbo no corpo dos dois foragidos que ameaçavam armar confusão no *saloon*.

Trinta horas Daniel passou em seu quarto austero, deitado nos lençóis amassados. Umas vezes sentiu um frio congelante, outras vezes suou como se estivesse em pleno deserto. Umas vezes recobrou a consciência, levantou-se da cama e, com passo hesitante, foi ansioso beber água da pia que havia dentro do quarto. Essa foi sua única ingestão. Até que, na tarde do segundo dia, alguém bateu à porta. Primeiro de maneira discreta. Depois, insistentemente. Daniel articulou com esforço um fraco "Entre!", e uma cabeça feminina apareceu então com a preocupação desenhada no rosto. Não sabia quem era, se a dona do albergue, ou, talvez, uma empregada, ou um anjo de avental mandado pelo céu. O caso foi que aquela alma caridosa, alarmada com a ausência de sons por parte do hóspede, arrumou a cama com lençóis limpos e uma manta extra e lhe levou duas aspirinas, um copo de leite quente e um grande sanduíche de ovo, que, já um pouco melhor, lhe pareceu a glória bendita.

Naquela noite conseguiu dormir com certo sossego e não tornou a ter tremores nem pesadelos. No dia seguinte, já bem avançada a manhã, conseguiu reunir forças suficientes para se levantar e, ainda que com lentidão, tomar banho, fazer a barba, vestir-se e sair. Entre os suores e a frugalidade alimentar, perdera dois quilos e qualquer resto de memória da briga no Bar Americano.

A cidade o recebeu com um sol amistoso. Adorou as fachadas modernistas com suas caprichadas varandas de ferro, os mirantes brancos que salpicavam diversos edifícios e as ruas cheias de gente; foi seduzido pela luz e o cheiro de mar. Mas preferiu não se distrair e se concentrar em seu objetivo: encontrar uma farmácia. Sabia que aquilo não havia sido mais que um inoportuno processo gripal e que não precisava de um médico, mas ainda se sentia fraco e sabia que estava exposto a uma recaída. A primeira coisa que devia fazer para evitar isso era, portanto, encontrar um remédio infalível para não ficar de novo prostrado em seu triste quarto. Seguindo as indicações do balconista, em dois minutos encontrou o que procurava.

A farmácia de Carranza estava quase fechando para a prolongada pausa da hora do almoço. O proprietário havia ido embora um bom tempo antes a fim de passar pelo cassino, dar uma olhada no jornal e tomar um aperitivo antes de voltar para casa e almoçar, não se podem perder os bons costumes. Quando Daniel empurrou a porta, o quarentão de pele cetrina já estava desabotoando o jaleco branco, ansioso para encarar o arroz com coelho que sua mãe lhe havia prometido na noite anterior. Tentou dissuadir o jovem estrangeiro de entrar, estamos fechando, senhor, volte à tarde se não for muito incômodo. A insistência de Daniel foi firme. Nem louco estava disposto a sair dali sem um arsenal de remédios. O braço de ferro que se estabeleceu entre ambos só terminou quando dos fundos se ouviu uma voz de mulher.

— Pode ir, Gregorio, não se preocupe, eu fecho!

Embora satisfatória para seu estômago de glutão, aquela proposta não pareceu convencer o homem. A ideia de abandonar a farmácia deixando um forasteiro dentro não o entusiasmava, e ainda levou alguns segundos para tomar uma decisão. A gula, porém, se impôs por fim a qualquer outra preocupação, e o tal de Gregorio, após olhar de cima a baixo, repetidamente, o recém-chegado, tentando avaliar seu grau de decência, despediu-se da voz do interior com um até mais tarde cheio de pressa.

A farmácia tinha um odor reconfortante, antecipando os remédios que ele precisava encontrar. Tudo nela transmitia sossego e bem-estar. O balcão de mármore em frente à porta presidido por uma caixa registradora centenária. O arco amplo que dava lugar à parte dos fundos. O chão de lajotas brancas e pretas simulando um grande tabuleiro de xadrez. À espera de ser atendido, matou o tempo contemplando os potes de cerâmica que enchiam os armários envidraçados, tentando decifrar o latim de suas inscrições.

Quando ouviu de novo a voz oculta, sua proximidade o desarmou.

— Perdoe-me, por favor, é que estava desembalando um pedido.

Tirou rapidamente a atenção do latim, virou a cabeça, buscou-a. E a apenas três metros, encontrou-a. Com as maçãs do rosto acesas por conta do esforço anterior, enquanto com movimentos ágeis tentava ajeitar nos cachos rebeldes de uma cabeleira cor de palha. Diferentemente de uma farmacêutica convencional, diferentemente de suas colegas de classes e seus corredores. Diferentemente de qualquer mulher com quem até então já havia cruzado na vida.

— Em que posso ajudá-lo?

Falava com os braços ainda erguidos, empenhada em domar suas mechas rebeldes enquanto esperava que ele falasse. Sua boca grande, enquanto isso, sorria com uma mistura de simpatia e surpresa diante da perspectiva de fechar a manhã atendendo alguém tão diferente dos clientes de sempre.

— Acho que estou com *um* gripe — conseguiu dizer por fim.

— *Uma* gripe? — perguntou ela estendendo involuntariamente o sorriso diante do erro.

— *Uma* gripe, perdão.

Ainda lhe era difícil atribuir o gênero correto a algumas palavras do espanhol. E ainda mais em sua condição de convalescente meio febril. E ainda mais diante da presença mais adoravelmente desgrenhada que jamais suspeitou que chegaria a contemplar.

Escutou-a em silêncio enquanto ela lhe recomendava diversos medicamentos para acabar com os estertores de seu mal-estar. Ouviu-a falar depois sobre o jeito traiçoeiro que aquele clima enganava constantemente os forasteiros que tendiam a acreditar que perto do Mediterrâneo tudo era pura bonança. Mudo, absorto, pasmo, deixou-se aconselhar com a fé de um noviço e nem por um segundo sequer foi capaz de afastar os olhos dela enquanto suas mãos procuravam nos armários e nas gavetas com agilidade felina e colocavam os medicamentos sobre o mármore branco do balcão.

Quando as instruções sobre as doses e frequência das ingestões chegaram ao fim, não teve mais opção que pagar a conta. E enquanto contava o dinheiro, sua cabeça, turva ainda, fez esforço para encontrar um pretexto para prolongar sua estada, para não ir embora, para não perder de vista nem o cabelo desgrenhado, nem os olhos cinza, nem os dedos longos da inesperada provedora de seu bem-estar. Mas sua mente embotada parecia se negar a lhe proporcionar recursos enquanto seus movimentos se tornavam lentos e ele demorava em ordenar com toda a calma do mundo as notas do troco na carteira, em colocá-la com lentidão no bolso do paletó, em simular uma mudança de ideia para então guardá-la nas calças.

Até que não teve nada mais para fazer. Nem troco para ordenar, nem carteira para guardar, nem palavras para dizer. Pegar seu pacote e ir embora. Não havia mais opção.

— Você foi muito gentil, muito obrigado. — Foi a fórmula amável de despedida, sem margem para maior naturalidade em sua mente confusa.

— Não há de quê — disse ela estendendo-lhe o pacote. Ele teve a impressão de que, durante metade da metade de um segundo, seus dedos chegaram a se tocar. — Cuide-se. E agasalhe-se bem.

Assentiu, com os remédios embrulhados em papel de seda em uma mão e uma sensação estranha agarrada a um lugar impreciso de seu estômago. As lajotas brancas e pretas acolheram seus passos rumo à saída; julgou sentir o olhar dela se cravando em suas costas. Ao puxar a maçaneta de latão polido, o vidro da porta tilintou. A um passo, a rua. E na rua, as pessoas. Gente anônima, gente em massa em meio à qual provavelmente nunca tornaria a encontrar o rosto que estava prestes a deixar para trás.

Até que sua voz o deteve.

— O senhor é militar da base americana?

A porta voltou ao batente, o vidro parou de tilintar.

— Sou norte-americano, mas não militar — disse sem se voltar, sem olhar para ela, sem soltar a maçaneta ainda.

Por fim se voltou. E fugazmente, como em um lampejo vertiginoso de lucidez e antecipação, aquele breve movimento lhe serviu para intuir que, de alguma maneira, nunca iria embora totalmente.

Possivelmente a jovem já previa uma resposta negativa antes de fazer a pergunta; aquele estrangeiro não tinha pinta de militar, apesar de seu porte impecável. Mas seu cabelo era muito comprido para o comum em tal ofício, e suas posturas e seus gestos, embora corretos, tinham um toque de descontração que não parecia corresponder às maneiras castrenses. Contudo, perguntou. E ele lhe esclareceu.

Com suas palavras pretendia lhe oferecer algo mais que breves pistas sobre sua identidade: o desejo ansioso de que ela o visse como o homem que era em sua essência, e não como um simples cliente de passagem em busca de um bálsamo que lhe devolvesse a saúde. Estava se especializando em Literatura Espanhola, disse a ela. Que queria ser professor, que havia chegado àquele porto seguindo o rastro de um romance...

A porta se abriu às suas costas de repente, impedindo-o de prosseguir. Três pequenos furacões cheios de tosses e ranhos entraram de repente na farmácia seguidos por uma mãe agoniada.

— Por pouco! Achei que não íamos chegar!

O lugar de repente se encheu de vozes, as crianças começaram a se perseguir enquanto a pobre mulher alternava seu esforço por contê-las com a busca ansiosa de uma receita na bolsa.

Um deles empurrou o outro contra um dos armários cheio de cerâmica; o móvel balançou ameaçando tombar. O executor recebeu um cascudo da mãe enquanto a vítima exagerava aparatosamente o efeito do golpe cobrindo metade do rosto, gritando como um possesso e espernando com fúria no chão.

Atrás do balcão, a garota, ciente de sua incapacidade de recuperar a proximidade criada entre ambos, deu de ombros e fez a Daniel um gesto de desculpa e impotência.

— Não se preocupe — murmurou ele esboçando um sorriso que só saiu pela metade.

Trocaram as últimas palavras alheios à balbúrdia familiar, olhando-se por cima dos três pequenos bárbaros e sua sofrida progenitora.

— Adeus — leu nos lábios dela. Sua voz, perdida entre o pranto das crianças e as reprimendas iradas da mãe, mal lhe chegou aos ouvidos.

— Adeus — repetiu ele quase sem voz também.

Quando por fim conseguiu reunir coragem suficiente para afastar seu olhar daquela boca grande e daqueles olhos cinza, saiu da farmácia.

Nunca a rua lhe pareceu tão fria.

CAPÍTULO 19

Não a perdeu de vista nem um segundo enquanto caminhava atrás dela. Seguia-a a distância sem ter ideia de até onde o acabariam levando os passos elásticos dela e aquela impetuosa insensatez dele. Sabia que o razoável seria voltar para o albergue, tomar os remédios, descansar sem se agitar demais. Mas não conseguiu, não foi capaz. Em vez disso, postou-se em uma esquina. Esperando-a, fazendo esforço para ocultar sua estatura atrás de um furgão de entregas estacionado nas proximidades. Até que a viu sair.

Antes saíram a mãe e seus três demônios atrás. Depois, um velho cheio de achaques que conseguiu entrar na farmácia no último minuto como uma lombriga. E, por fim, ela. Acabando de pôr um casaco azul, tirando do rosto outra mecha subversiva, semicerrando os olhos quando a luz do meio-dia a cegou de surpresa. Sem a barreira intermediária do balcão, por fim Daniel pôde contemplar seu corpo inteiro enquanto ela ajeitava os botões e guardava as chaves no bolso. À medida que a observava, voltava a sentir algo que não conseguia definir. Nem mesmo em sua própria língua.

Acomodou o ritmo de suas pernas ao compasso leve com que aquela jovem atravessava ruas e avançava entre os transeuntes; seu cabelo loiro lhe serviu de guia. Viu-a cumprimentar uns e outros; em duas ocasiões parou para conversar com alguém um minuto ou dois. Ele, para continuar passando despercebido, fingia parar a fim de amarrar o cadarço do sapato, acender um cigarro com o rosto meio escondido nas mãos ou ler um anúncio colado em qualquer esquina. Várias vezes pensou que tudo isso era uma insensatez: talvez devesse tê-la abordado abertamente, perguntado seu nome, pedir que a deixasse acompanhá-la, convidado para tomar um café. Mas não se sentiu com forças. Estava difícil pensar, sentia a febre que ainda fazia estragos. Em qualquer outro momento teria passado por cima de tudo. Agora, porém, hesitava.

Andou atrás dela para uma breve ladeira que pareceu levá-los acima do nível do mar, até que a ausência de movimento ao seu redor o fez duplicar as precauções. Quase não havia gente, apenas muito de vez em quando via-se um veículo. Diminuiu o passo, voltou-se, desfez alguns metros de caminho e tornou a segui-la. Por fim chegaram a uma rua que não parecia exatamente uma rua. À sua esquerda alinhavam-se as fachadas de edifícios de várias alturas; à direita, encontrou uma espécie de passeio e uma balaustrada suspensa. Embaixo o porto, e ao fundo o mar. O feitiço de luz, salitre e calma durou apenas os segundos que ela demorou para entrar onde supôs que devia ser sua casa.

Sobre a cabeça de Daniel, algumas gaivotas guincharam; o sol se escondeu de repente. O ar soprou antipático e ele ergueu a gola do paletó, afundou as mãos sob seus próprios braços cruzados e se preparou para iniciar o caminho de volta. Voltaria à farmácia à tarde, talvez então se sentisse melhor.

Antes de deixar a rua, parou para olhar o nome. Paseo de la Muralla, leu. A seguir, sentiu uma pontada no estômago e notou, paralelamente, duas coisas importantes que até então não havia percebido. A primeira era que, cedo ou tarde, teria visitado aquele mesmo lugar: ali, imaginariamente, também havia vivido Mr. Witt, o protagonista do romance cujo rastro o havia levado até aquela cidade. A segunda era que, à exceção do sanduíche que lhe havia oferecido a mulher anônima, estava havia mais de dois dias em jejum. Para sua sorte, essa última questão se resolveu assim que encontrou um restaurante. Com o prato de cozido à frente, começou a pensar e, ao chegarem as sardinhas à mesa, a balança acabou de se inclinar. O pudim lhe trouxe a certeza: seus afãs investigadores não teriam mais remédio, por ora, que passar para um plano secundário. No instante mais inesperado, de forma quase mágica, algo que o urgia muito mais atravessara seu caminho da vida.

Voltou ao albergue disposto a se deitar um pouco à espera de que os remédios que ela lhe havia sugerido fizessem efeito. Seria bom, sentia frio outra vez, moleza nas pernas e, mesmo sem a virulência dos dias anteriores, a febre não o havia abandonado ainda. Deitou-se vestido pensando nela com a determinação de tentar retomar o contato assim que conseguisse descansar. Mas caiu em um sono tão pesado que, quando acordou, desorientado, com a cabeça embotada, já eram nove e quinze da noite. Saiu apressado de seu quarto vestindo o paletó enquanto descia os degraus de três em três, amaldiçoando seu desatino com sonoros *fuck, fuck, fuck* e se penteando com os dedos enquanto saía do albergue e percorria as calçadas a grandes passos em busca de seu objetivo. Os poucos transeuntes se dirigiam já com pressa a suas casas para jantar em família; as ruas estavam quase vazias, todas as lojas fechadas. Em breve confirmou o que temia. A farmácia Carranza também.

Levantou-se na manhã seguinte com a firme decisão de se concentrar na busca da jovem sem nome. Só o homem atendia à volumosa clientela quando

Daniel atravessou de novo o umbral da farmácia. Aguentou com paciência sua vez enquanto vinda dos fundos ouvia repetidamente a transmissão radiofônica do sorteio da loteria e escutava os clientes já prevendo em que gastariam o prêmio que nunca iam ganhar. *Dois mil quatrocentos e quinze: três miiiiil pesetas. Treze mil seiscentos e quarenta e um: três miiiiil pesetas...*

— Pois não, cavalheiro...

— Aspirinas, por favor.

Embora não as necessitasse, acreditava que, com o ácido acetilsalicílico, o tal de Gregorio lhe forneceria também alguma pista sobre sua colega de trabalho. Para sua frustração, porém, não obteve nada mais que o pequeno pacote de medicamento embrulhado em papel.

— Para o senhor, oito e cinquenta.

— Como?

Não entendeu a piada; por um momento pensou que talvez o atendente quisesse lhe transmitir algo em particular por sua condição de cliente do dia anterior. Ou por ser estrangeiro. Ou, melhor ainda, por alguma outra razão que talvez tivesse a ver com a garota ausente. Mas errou. O homem não estava lhe dispensando nenhum tratamento personalizado, e sim repetindo pela enésima vez o que ele considerava uma tirada engenhosa.

— Oito e cinquenta, senhor. Uma moeda de cinco, três pesetas e cinquenta centavos. Coisa barata. E para a senhora, dona Esperança, o de sempre, não? Duas caixas de supositórios laxantes e a água de Carabaña.

Enquanto voltava a demorar disfarçadamente o pagamento, como havia feito com ela, Daniel notou que a oportunidade de perguntar por seu paradeiro estava escapando como água entre os dedos à medida que Gregorio se esquecia dele e se concentrava com diligência em outros clientes. Agora ou nunca, pensou.

— Aquela mocinha não está aqui hoje? — aventurou-se a perguntar por fim apontando com um gesto para os fundos.

Alto, como se Daniel não fosse só estrangeiro, mas também surdo, o homem proclamou aos quatro ventos:

— Não, não! A mocinha não está aqui hoje! Foi fazer compras! Os Reis, os Reis Magos! Esta noite chegam os Reis!

E entoando aos gritos *Ya vienen los Reyes Magos, ya viene los Reyes Magos, caminito de Belén...* manobrou com habilidade a caixa registradora enquanto ao fundo se ouviam os meninos de San Ildefonso cantando em coro, eufóricos, o terceiro prêmio que acabava de ser sorteado.

Andou em sua busca, sem rumo, o resto da manhã, mudando constantemente a direção dos seus passos, varrendo com o olhar os cantos e os grupos de amigas, as entradas das lojas e as varandas dos cafés. Mas a zona comercial era limitada e, após algumas voltas, viu-se percorrendo as mesmas ruas várias vezes sem encontrar seu objetivo. À uma e meia, todos os estabelecimentos se prepararam para a pausa da hora do almoço: os vendedores começaram a baixar as portas de aço com longos ganchos de ferro, as mulheres olharam de repente para o relógio entre exclamações de alarme, e a agitação começou a se diluir pouco a pouco.

E então a viu. Viu-a por fim, graciosa como uma flor, com seus cachos rebeldes escapando uma vez mais da fivela que os tentava prender na nuca, envolta em um casaco bege amarrado com firmeza a sua fina cintura. Caminhava escoltada por duas mulheres de aspecto elegante com o dobro de sua idade, que pareciam tirar as palavras uma da boca da outra absortas em ágil conversa. Até que ela reparou nele. No americano bonito e gripado a quem havia atendido na farmácia no dia anterior, no estudante que aspirava ao extravagante ofício de ensinar Literatura Espanhola em uma universidade de seu país distante. E, pela segunda vez em sua vida, o resoluto Daniel Carter não soube o que fazer.

Aquele homem precocemente independente, que apesar de sua juventude havia já corrido mais mundo que muitos outros em toda a sua vida, que fora capaz de garantir seu próprio sustento trabalhando ombro a ombro com rudes operários industriais, que havia lido todos os clássicos espanhóis e trilhado sozinho os caminhos empoeirados daquela pátria estranha, ficou desarmado ao vê-la se aproximar dele.

— Espero que os remédios tenham ajudado.

Nunca conseguiu recordar o que respondeu, talvez alguma trivialidade cheia de incoerências gramaticais e erros de pronúncia. Só se deu conta de que o encontro havia terminado ao ver as costas dela desaparecendo por entre as pessoas. Não descobriu mais nada sobre ela, tornou a perdê-la sem saber seu nome. Mas a recordação de seu rosto e de sua voz o acompanhou ao longo do almoço e nem por um momento pôde afastá-la da mente durante a inútil tentativa de leitura desconcentrada a que dedicou as primeiras horas da tarde, deitado como um preso em sua cama estreita do albergue, sentindo-se frágil como nunca, sem ter o que fazer nem aonde ir, nem com quem compartilhar o que o estava queimando por dentro.

Quando intuiu que a vida voltava a encher as ruas após a longa parada que as famílias espanholas dedicavam à hora do almoço, preparou-se para sair. Ainda não sabia que naquela tarde Melquior, Gaspar e Baltazar, em seu milagre anual de multicorporeidade, estavam prestes a percorrer simultaneamente centenas de aldeias e cidades nos quatro cantos do mapa.

Aquele inesperado acontecimento de tumulto na rua deixou Daniel maravilhado mais uma vez. Tanto que, por alguns minutos, conseguiu afastar de sua cabeça a jovem da farmácia e se concentrar no espetáculo, observando fascinado as reações das crianças e as suntuosas indumentárias dos homens do Oriente e seu séquito. O esquecimento durou pouco, de qualquer maneira. O acaso quis que sua imagem, de repente, emergisse sem que a procurasse entre as pessoas.

Estavam em calçadas opostas, mas quase frente a frente, enquanto o desfile a cavalo discorria entre ambos abrigado por gritos e aplausos. Ela usava o mesmo casaco daquela manhã; um cachecol verde em volta do pescoço comprido foi a única mudança que ele percebeu. Ria e falava com alguém ao seu lado, alguém que fez que as ilusões de Daniel desmoronassem de repente como um castelo de cartas soprado pela brisa. Um homem jovem, de cabelo muito curto e rosto moreno, que sorria assentindo com a cabeça enquanto ela lhe dizia alguma coisa segurando seu braço com confiança. Possivelmente era seu namorado. Talvez seu marido. Provavelmente militar, talvez da Marinha. Foi isso que ele supôs.

O interesse de Daniel por tudo que o cercava desapareceu de repente como uma bolha de sabão. As crianças que aplaudiam entusiasmadas deixaram de lhe parecer criaturas deliciosas e se transformaram em pequenos demônios gritões. As majestosas vestes dos Reis Magos e seus pajens lhe pareceram, de repente, grosseiramente ostensivos para aquele país tão necessitado de muitas outras coisas. Ainda por cima, a maquiagem negra que cobria o rosto de Baltazar escorria e a barba postiça de Gaspar estava torta.

Sentiu um repentino golpe de calor, achou que a febre estava disparando. Sufocado, decidiu ir embora: voltar ao albergue, fugir daquele tumulto estrondoso que agora lhe parecia insuportável. Mas não conseguiu com a urgência que pretendia porque se deu conta de que estava imobilizado entre as pessoas, aprisionado na massa amontoada que, indiferente à derrubada de suas pobres ilusões, continuava se divertindo com a passagem do cortejo. E então, enquanto se esforçava para encontrar um jeito de fugir dali, ela reparou em sua presença e da calçada da frente fez um cumprimento. Com a mão, abrindo-a e fechando-a repetidamente, segura, cordial. Ele respondeu desajeitadamente, copiando o gesto enquanto esboçava um sorriso ortopédico e escondia uma vontade imensa de nunca ter aparecido naquela cidade onde tudo estava saindo endiabradamente complexo. Por fim conseguiu abrir caminho por entre a multidão quase aos empurrões, mas, antes de desaparecer, não pôde evitar voltar a vista para eles pela última vez. E notou que o observavam. E que falavam. Não teve dúvida de que falavam sobre ele.

No quarto ainda ouvia o retumbar dos tambores da maldita cavalgada. Quis ler, mas não conseguiu se concentrar. Quis dormir, mas o sono não chegou. Ficou deitado um tempo infinito, com os braços dobrados atrás da cabeça, a boca fechada em uma expressão carrancuda e o olhar fixo em uma mancha de goteira disforme no teto. Abalado, abatido. Quando a irritação se transformou em um fastio mais suportável e conseguiu analisar a situação com serenidade, por fim assumiu que nunca tivera muita chance mesmo.

Aquilo havia sido um absurdo desde o início. Imaginá-la acessível era nada mais que mera ilusão. Era muita pretensão imaginar que por trás de sua simpatia, por trás de seu sorriso e do brilho dos seus olhos escondia-se algo mais que a simples gentileza para com o forasteiro desorientado.

Uma vez que conseguiu mais ou menos se enganar com a convicção de que nunca havia existido a possibilidade de nada, finalmente pôde retornar às questões mais mundanas e sentiu uma sensação de fome imensa. Embora a cavalgada tivesse acabado fazia um bom tempo, faltou-lhe ânimo para sair de novo às ruas desertas onde ainda restaria o rastro triste da gritaria extinta. Desceu até a recepção com a esperança de que aquela mulher da noite em que teve febre pudesse lhe preparar outro sanduíche. De barriga cheia o sofrimento é menor, costumava dizer dona Antonia, resgatando a frase de seu catálogo infinito de ditos populares. Quem sabe fosse verdade.

Não encontrou quem procurava, mas tornou a ver o recepcionista do primeiro dia, abduzido de novo pela leitura. Transitava dessa vez pelo deserto do Arizona sem saber ainda se o governador acabaria ou não sentenciando os ladrões de cavalos. *Nacidos para la horca*, Daniel leu de relance na capa.

— Interessante? — perguntou. Por que perguntar, porque, no fundo, não lhe interessava em absoluto o conteúdo daquele romance de quinta categoria.

— Pfff! Gostei mais de *Plomo en el pecho*. E *El cobarde de Syracusa*, nem conto. Devem estar por aqui... — disse sumindo momentaneamente atrás do balcão. Emergiu em breve com dois livrinhos mais que usados na mão. — Se quiser, eu empresto para você algum para que leia à noite, só tenho de devolver à banca de jornal amanhã.

Ele havia visto um monte de filmes de Velho Oeste no cinema, mas jamais havia lido um romance do Oeste. Nem mesmo os de seu lendário compatriota Zane Grey. Não seria nada bom começar a gostar de livros escritos por um espanhol que sabe-se lá que disparates narrariam.

— Então, quer ficar com algum, amigo? — insistiu o recepcionista. — Para dizer a verdade, os dois valem a pena. E se não gostar desses, amanhã, se quiser, eu trago outros de El Coyote, tenho um monte deles por aí há anos. Esses são da Califórnia e os personagens parecem espanhóis, não sei se o senhor...

— Não se preocupe, muito obrigado. Eu trouxe meus livros na mala.

Não estava mentindo; várias leituras pendentes o aguardavam. Coisas mais sérias, mais essenciais para sua carreira. Farra por trás das cortinas, colmeias e ventos do Leste. Obras de autores espanhóis contemporâneos que estava começando a conhecer.

— O senhor que sabe, mas, na minha opinião, não vai encontrar coisa melhor que isto. Vamos, fique com um, homem...

A conversa foi interrompida pela chegada do anjo anônimo que o havia socorrido na febre. De chinelos, rondando os cinquenta anos, com um avental xadrez.

— Então, Modesto, vai fazer o turno da noite hoje, ou finalmente seu primo Fulgencio virá?

— Não sei, Catalina, não me avisou ainda.

— É para ver se vou preparando o jantar ou se espero um pouco. Sopa de macarrão e escabeche de truta, quer que leve um prato ao seu quarto para o senhor também, filho? — perguntou então dirigindo-se a Daniel, ainda apoiado no balcão. — A noite está ficando muito feia, assim o senhor não precisa sair de novo. E lhe fará bem, está muito abatido, com essa febre que teve e de tanto bater perna para cima e para baixo, que o senhor não para quieto um minuto, dever ter cuidado para não ficar doente outra vez. Já vou tirar para o senhor um pouquinho do nosso, onde comem dois, comem três.

— Espere, Catalina, antes ele tem de escolher um romance. Qual vai ser, amigo?

Plomo en el corpo foi o preço que teve de pagar pelo jantar.

Havia pensado em dedicar o dia seguinte à busca de dados que lhe abrissem os olhos para a retaguarda de Sender ao escrever seu romance. Antes de se deitar, repassou por cima suas anotações sobre lugares e personagens. A taberna da Turquesa no Molinete, Paco da Tadea em Escombreras, Milagritos com seu corpo de égua e seu ar plebeu, gente de batata e anchovas, o forte de Galeras. Tudo aquilo de repente parecia ter deixado de lhe interessar, e embora tivesse o firme propósito de se esforçar em seu trabalho, decidiu também que, se as coisas continuassem obscuras, voltaria a Madri um dia depois.

Já quase adormecendo, acrescentou uma última resolução a sua lista: não tornar a evocar a recordação da jovem da farmácia. Pensando bem, ela também não era para tanto. Seus passos, ao caminhar, eram excessivamente enérgicos, sua estatura, um tanto exagerada para a média das mulheres dessa idade.

E aquele cabelo, tão rebelde, era muito chamativo em comparação com a cabeleira morena e bem penteada que as espanholas costumavam usar. Haviam passado antes por sua vida, e haveriam de passar depois, disse a si mesmo, mulheres mais lindas, mais acessíveis, menos distantes. Caiu no sono certo de que seu interesse pela garota da Muralla havia morrido definitivamente. Para sempre, propôs-se com firmeza. Apenas meia hora depois, sonhava que mergulhava os dedos nos cachos loiros de sua nuca e, atraindo-a para si, beijava sua boca grande e doce como um poço de mel sem fim.

O dia seguinte amanheceu chovendo a cântaros e não parou até a noite. Um dia triste, escuro, de ruas vazias e estabelecimentos comerciais com as persianas abaixadas. De céu de chumbo e poças de onde respingava melancolia. Longe de se intimidar, saiu à rua armado com um guarda-chuva de propriedade de Catalina com duas varetas faltando e com sua cópia manuseada de *Míster Witt en el Cantón*. E forrada com jornal, pois não queria arranjar problemas ao andar por aí com o nome do autor exilado à vista de qualquer um. Seu vago objetivo era encontrar alguma pista sobre o que poderia ter inspirado Sender a criar o personagem do velho engenheiro inglês situado na Cartagena insurgente da Primeira República. Ou sobre os fatos de então. Ou sobre os personagens e cenários que preenchiam as páginas de seu romance. Mas ninguém o pôde ajudar simplesmente porque não conseguiu encontrar ninguém disponível naquele dia de aguaceiro, brinquedos e famílias reunidas. E nada encontrou, como já esperava, por onde passou. Nem o nome de uma rua, nem uma minúscula placa comemorativa, nem a capa do livro na vitrine de nenhuma livraria. E, para piorar, a biblioteca pública estava fechada.

A única coisa que pareceu dar um pouco de luz diante de tão penosa ausência foi um cidadão de idade avançada com jeito de que havia bebido demais. Em uma taberna da rua Cuatro Santos, explicou-lhe que Sender era um comunista filho da mãe e que não se pronunciava seu nome naquela pátria de paz e ordem que o Caudilho havia trazido. E, para arrematar seu discurso, ergueu-se cambaleante e em posição de sentido, e soltou um sonoro *Viva a Espanha!* A batida do calcanhar que acompanhou tão patriótico cumprimento o teria feito cair de costas se Daniel não o tivesse segurado.

Voltou ao albergue encharcado e com o humor tão negro quanto o dia. Deixou a tarde passar absorto em outra conscienciosa contemplação das manchas do teto e depois começou uma carta para o professor Fontana; mas não passou do cabeçalho. Por volta das sete, desceu à recepção e deu uma olhada no jornal local. Um anúncio informava que aquela tarde ia estrear no cinema *O príncipe encantado*. Em Cinemascope e Technicolor. Se ele se apressasse, chegaria à sessão das sete e meia. Assim se distrairia um pouco. Mesmo que fosse ouvindo Marilyn Monroe e Laurence Olivier flertando em espanhol.

Na volta, arrumou a mala; retornaria a Madri no dia seguinte, apesar de tudo. Sem ter conseguido nem um único dado interessante para seu trabalho e sem intenção de se dar nem mais uma oportunidade. E com a imagem da garota da farmácia ainda fresca na mente, apesar dos esforços para arrancá-la. Para compensar o primeiro problema, depois teria oportunidade de consultar outros recursos na Biblioteca Nacional. O segundo iria desaparecendo com o tempo.

A fim de evitar contingências similares às da viagem de ida, na estação comprou, sem hesitar, uma passagem de primeira classe. Teria tempo de procurar mais a essência daquele povo; por ora, a única coisa que lhe interessava era ir embora dali. Quanto antes, melhor.

Embora o trem já estivesse pronto para partir, preferiu não embarcar antes do tempo e ficar em um banco da plataforma contemplando a movimentação de pessoas e bagagens. Já sem rastro da chuva do dia anterior, sentou-se para saborear na pele o último sol mediterrâneo daquela terra à qual não tinha intenção de voltar jamais.

Gostava das estações de trem e suas rotinas, gostava de especular sobre a vida dos viajantes e seus destinos, as razões que os levavam a ir e vir. Alguns costumes dos espanhóis chamavam particularmente a sua atenção, como aquela tendência a levar até as plataformas várias gerações de famílias inteiras para se despedir ou receber algum parente.

Contemplava o ambiente com ânimo diante da iminência de sua partida enquanto atrás de si, na porta aberta da lanchonete, em meio ao barulho dos pratos e dos copos ao se chocar, ouvia-se o rádio. *Olé, olé, te mueves mejor que las olas y tienes la gracia del cielo, la noche en tu pelo, mujer española...* O cadencioso ritmo matutino entrou em seus ossos sem que percebesse, e quase inconscientemente começou a marcar o compasso com a sola do sapato enquanto continuava absorto em seus pensamentos. *Olé, olé, tus ojos son tan pintureros que cuando lo miro de cerca, prendido en su embrujo, soy su prisionero...* Já não tinha dúvida de que em pouco tempo aquela cidade cairia no fundo da vala menos acessível de sua memória. *Olé, olé, envidia te tienen as flores, que llevas esencia en tu entraña del aire de España, María Dolores.* Assim que o trem se afastasse daquela terra, para trás ficaria apenas a leve recordação de um personagem literário cujo rastro não encontrou e o de uma mulher que o atraiu momentaneamente e de quem nunca soube ao menos o nome. *Olé, olé, olé, por linda y graciosa te quiero...* Até que o movimento monótono de seu pé parou em seco, truncado no trânsito de uma nota a outra, deixando Jorge Sepúlveda terminar a canção no rádio da lanchonete sem seu acompanhamento. *Y en vez de decirte un piropo, María Dolores, te canto un bolero...*

Um elegante casal de meia-idade, uma senhora de aspecto distinto e três rapazes acabavam de chegar à plataforma correndo, cheios de pressa e de malas. Instintivamente, sem parar para pensar por quê, abriu um dos jornais que havia acabado de comprar e se escondeu atrás dele. Pelo canto direito, porém, não parou de observá-los.

Todos eles acompanhavam uma jovem de cabelo loiro que voltava para a Universidade de Madri depois do Natal para terminar seu último ano de Farmácia. Viu-os trocar beijos e abraços que se intensificaram ao chegar a vez do irmão mais velho, um jovem tenente da Aeronáutica com cabelo muito curto e rosto bronzeado pronto para voltar, em breve, ao seu destino nas Canárias.

Aguardou o último segundo para entrar no vagão com um salto. Pela janelinha contemplou a família que ia ficando pequena a distância, todos juntos, já palpando a ausência enquanto balançavam braços em que só restava o ânimo.

A garota, enquanto isso, fazia esforço para controlar uma lágrima teimosa que já havia um bom tempo ameaçava rolar. Para evitar que isso acontecesse, concentrou-se em organizar a bagagem. Uma grande mala, uma mochila, o casaco azul do primeiro dia...

— Posso ajudá-la? — Ouviu ela atrás de si.

Recebeu-o outra vez com seu sorriso glorioso e aqueles olhos cinza que brilhavam como o mar em frente a sua varanda nas manhãs de inverno. Finalmente ele descobriu as seis letras de seu nome.

CAPÍTULO 20

Sempre gostara de me entreter na cozinha em meio a frigideiras e panelas, e me divertia tanto experimentando inovações e modernidades como homenageando a comida do dia a dia. Qualquer pretexto, a celebração de qualquer pequeno evento sempre fora uma boa razão para sentar amigos e família em volta da mesa. A chegada do fim do ano letivo, um aniversário de casamento, o menor sucesso dos meus filhos ou uma noite de sexta-feira qualquer. Às vezes foram refeições barulhentas com conversas cruzadas e eternas no fim da refeição ainda em volta da mesa. Às vezes, jantares pequenos de bate-papo, vinho e velas acesas até a madrugada, com a sensação do mundo parado sob os pés.

Mas, agora, tudo era diferente. Meus amigos de sempre estavam do outro lado do planeta, minha família fora se desintegrando e eu não tinha nenhum acontecimento memorável para render homenagens, salvo o fato de que o calendário havia acabado de atestar que eu já tinha um ano a mais. Triste perspectiva que, olhando pelo lado positivo, talvez pudesse ser uma boa oportunidade para me assentar em minha nova vida. Uma vida inesperada e não escolhida, cheia de ausências e incertezas. Uma vida que, de repente, quase de um dia para o outro, havia exigido que me reinventasse e começasse a dar voltas incertas. Como uma criança que começa a andar, só que com quatro décadas e meia nas costas. Uma idade em que deveria ter atingido uma maturidade serena, avalizada na experiência e na segurança do que fora conquistado ao longo dos anos, mas que me havia pegado de jeito. Com a autoestima arrasada, a vulnerabilidade à flor da pele e o amargo sabor de fracasso na boca. Sem expectativas, sem ilusões. Dona de um destino confuso e desorientado, com um futuro tão borrado quanto a tinta na água.

No meio da manhã saí para as compras. Precisava de mais ovos, mais batatas, tomates para o gaspacho e pêssegos para a sangria; e alho. As anchovas do Cantábrico, os dois pedaços de queijo manchego curado e outras delícias eu já havia comprado uns dias antes a preço de ouro. O que me faltava era o abastecimento mais elementar; por isso, não optei pelo mercado mais exclusivo

Meli's Market, mas pelo mais barato atrás da praça. Onde compravam os estudantes e as famílias com recursos mais moderados. Onde se cozia a essência.

Fui com foco e acabei rapidamente, tinha pressa de voltar e começar a cozinhar. Até que, já na fila do caixa à espera da minha vez, recordei subitamente que faltavam guardanapos de papel. Amaldiçoei minha cabeça ruim. Meia-volta, onde estão os malditos guardanapos?, pensei. Andava procurando-os quando, no meio do corredor dos descartáveis, eu a vi. Parecia estar auscultando o conteúdo de um pacotão de lenços de papel; observava-o de todos os lados. Apoiava-se em um andador ortopédico, e, com aquele cabelo tingido de um loiro impossível para sua idade e os enormes óculos de sol, sua identidade me pareceu inconfundível. A mãe de Fanny, Darla Stern. Aquela que fora secretária do departamento nos tempos remotos, a que não conseguiu gerar em Daniel Carter a mesma cordialidade que ele sempre oferecia aos demais mortais.

Dei-lhe as costas disfarçadamente, caso me reconhecesse. Caso Fanny, que sem dúvida estaria por perto, aparecesse de repente ao seu lado e me obrigasse a parar para conversar. Evitando a oportunidade, e, com ela, o perigo, peguei meus guardanapos disfarçadamente e desapareci.

O dia transcorreu entre a fumaça das *tortillas* e o barulho dos tomates sendo triturados. Enquanto com uma mão batia ovos, com a outra espantava os fantasmas que, safados, me acossavam sabendo da magia que têm os cheiros para nos devolver ao passado e puxar nossas emoções das entranhas. Meia hora antes das oito, tudo estava pronto. A mesa dobrável de Rebecca parecia o sonho de um emigrante e meus espectros nostálgicos já repousavam, serenos, em suas gaiolas. Vesti-me de preto, pus um CD de Ketama e, para completar o clima espanhol, ajeitei no cabelo dois cravos que havia comprado por impulso na saída do mercado.

Estava terminando de passar a segunda camada de rímel quando tocou o telefone. Imaginei que devia ser Rebecca para me perguntar se tinha alguma urgência de última hora, ou talvez alguém se desculpando de última hora por não poder comparecer à festa, mas não acertei. A voz do outro lado, tão distante em quilômetros, pertencia a quem mais de vinte anos antes havia sido quase um pedaço de mim. Alguém que superava em mais de um palmo minha estatura e que já andava solto pelo mundo por mais que eu quisesse que ficasse eternamente ao meu lado sem nunca ultrapassar a altura de meu ombro.

— Eeeeeeh! Por onde você anda, mãe? Aqui é seu filho preferido!

Meu filho Pablo, previsivelmente ainda acordado às tantas da madrugada. Desde o verão estava nas praias de Cádiz abduzido pelo surfe, sua última grande paixão até que qualquer outro arroubo a substituísse. Contra todas as expectativas, havia terminado o curso de Administração em junho, algo inesperado, visto que havia levado para o quinto ano três DPs do quarto e uma do terceiro. Mas ele era assim, impulsivo e imprevisível. Imprevisível foi também sua decisão de tirar um ano sabático antes de pensar em algo útil para o futuro profissional. Diferentemente de seu irmão, que no ano anterior havia conseguido uma bolsa de estudos para um mestrado na London School of Economics, Pablo havia decidido dedicar seus primeiros meses de recém-formado a pular ondas feito um louco no sul da Península. Naquele fim de semana, porém, pretendia voltar a Madri e dali me ligava em plena noite de farra.

— Como você está velha, mami, quarenta e cinco anos nas costas... Que nada... é brincadeira... você parece uma menina... A mais lindaaaaaaaaa!

Não pude evitar sorrir enquanto uma pontada de melancolia me atravessava o peito. Imobilizada no restrito perímetro do banheiro, sentei-me na beirada da banheira para escutá-lo. Meu menino. Como crescera rápido!

— Então... está me ouvindo? — continuava falando aos gritos, com um estrondo de fundo difícil de identificar. — Estamos aqui... estávamos falando de você, saímos para jantar e depois tomar alguma coisa por aí, e fomos nos enrolando, e enrolando, e... e... e este aqui vai se ferrar quando chegar...

Uma gargalhada feroz arrematou a frase. Não sabia a quem se referia com "este aqui", provavelmente a um dos seus amigos. Não me deixou sequer tentar descobrir, só disse espere, vou passar para ele.

— Olá, Blancurria. Sou eu.

O sorriso que a voz de Pablo havia desenhado em meu rosto ficou congelado em uma expressão tensa. Era Alberto, meu ex-marido, com voz nasal. Chamando-me pelo apelido carinhoso de sempre, do cotidiano, da cumplicidade.

— Estou aqui com Pablito, ele me enrolou, que lábia... — prosseguiu sem esperar que eu dissesse nada. — Está um homem, o cara, com um cabelão, vamos ver se corta de uma vez... Mas ele não me ouve, como sempre, veja se diz alguma coisa e o convence, você sabe que o que eu digo sempre entra por um ouvido e sai pelo outro. Bom, então... feliz aniversário. Não tenho nenhum presente para você, como está tão longe... Outro dia vi um quadro, nada, uma bobagem, uma marina com uns barquinhos, uma idiotice, e pensei, para Blanca, que no inverno sempre sente saudade do mar. Mas depois me lembrei que você não estava aqui, que havia ido embora... bom, que... que eu fui embora...

Calou-se então, e eu não consegui articular uma única palavra. O barulho de fundo continuava ensurdecedor e tornava mais tenso ainda nosso silêncio. Ficamos assim alguns segundos que me pareceram intermináveis, mudos os dois, ele em seu bar e eu em meu banheiro, cada um consciente da presença calada do outro na distância. Apesar da distância transatlântica e do abismo aberto entre nós, apesar do distanciamento afetivo que eu estava havia tanto tempo lutando para superar, pela primeira vez em muito tempo Alberto e eu nos sentimos próximos. Ele foi o primeiro a falar. Sua voz soou clara. Arrastada, mas clara como o vidro.

— Não sei se isso foi uma loucura...

Um nó me atravessou a garganta, e as lágrimas encheram meus olhos. Lutei para contê-las, e com esforço consegui não derramar nem uma sequer. Contudo, o ardor foi descomunal. Alberto. Como em um relâmpago, seu rosto retornou a minha memória, sua presença que tudo preenchia. Seu trote barulhento ao descer a escada, sua costas quentes dormindo ao meu lado. Seu cabelo castanho, seu riso, seus dedos, sua pele. Por um instante desejei que tivesse razão, que tudo houvesse sido um pesadelo, que seu abandono não houvesse sido mais que um delírio febril. Que seu filho, que crescia dentro de outra mulher, não fosse mais que um desvario da minha imaginação. Pensei que talvez ainda estivéssemos a tempo de recompor nossa vida, de começar outra vez. A tempo de perdoar e esquecer. E quis dizer isso a ele.

Mas, por alguma estranha falta de coordenação neuronal entre os canais do pensamento e a linguagem, ou talvez por essa corda de auxílio que a lucidez nos joga às vezes quando estamos à beira do precipício, as palavras que saíram de minha boca foram outras.

— Adeus, Alberto. Não me ligue mais.

Sem intervalo para processar o que havia acabado de ocorrer, enquanto desligava ouvi baterem à porta. Olhei o relógio, mais de oito horas. Hora de começar. Antes de atender, chequei fugazmente minha imagem no espelho. O adereço cigano em minha orelha esquerda de repente me pareceu um penacho extravagante. Nem meu humor, nem meu rosto estavam para cravos, de modo que os arranquei do cabelo com um puxão. Joguei-os no vaso sanitário, dei descarga e, com um sorriso mais falso que Judas, fui receber meus convidados.

A primeira a chegar, claro, foi Rebecca. Com um grande patê de espinafre e uma vasilha gigantesca de guacamole, disposta a ajudar, como sempre. Depois, uma professora de Português e seu namorado canadense e, apenas dois minutos depois, três alunos meus com outras tantas garrafas de vinho debaixo do braço. Luis Zárate, o diretor, foi o seguinte, com tequila e de jeans. O apartamento logo ficou cheio de vozes, música e fumaça. Os pratos e as travessas de comida começaram a se esvaziar a uma velocidade vertiginosa enquanto eu me esforçava para diluir, pelo menos superficialmente, meu desassossego. Alguns entravam e outros saíam, começava a fazer calor, alguém abriu uma janela. Houve quem não apareceu e houve quem trouxe alguns amigos. Outro aluno meu chegou um tempo depois com um violão e um casal de uruguaios que eu não conhecia. Enquanto os cumprimentava, notei que alguém tocava meu braço pedindo a minha atenção.

— Vou buscar limão e mais gelo, já volto.

Era Luis Zárate, espontaneamente a cargo do bar desde sua chegada. Ao contrário do que eu esperava, chegara sozinho, sem a jovem professora de Alemão com quem eu o vira alguma vez e, segundo os rumores do departamento, saía já havia algum tempo. Eu nunca o havia imaginado como um homem de farra, mas, para minha surpresa, virava-se com enorme destreza preparando margaritas e caipirinhas enquanto conversava com todo mundo de muito bom humor.

— Perfeito, mas não desapareça. Precisamos de você para cuidar dos drinques, ainda há muita noite pela frente. De onde tirou essa habilidade, aliás?

— Tenho um truque — disse aproximando-se de meu ouvido. — Aprendizagem acadêmica de baixo impacto. Fiz um curso de coquetéis há alguns anos, mas não conte a ninguém.

— Ok, mas comporte-se direitinho comigo, para que eu nunca tenha que usar isso contra você.

— Tão direitinho quanto você me permitir...

Tornou a encurtar a distância entre nós. A julgar por sua atitude, com certeza a metade dos coquetéis que preparara desde sua chegada ele mesmo havia bebido. Mas estava descontraído e divertido, de modo que lhe dei corda.

— Quando trocar a impressora da minha sala, conversamos — respondi com uma gargalhada; eu também havia bebido um pouco. — Por ora, arranjar gelo já é suficiente.

— E que tal se... — insistiu, tornando a se aproximar.

Não o deixei continuar; pegando-o pelo braço, levei-o até a porta.

— Há uma loja de conveniência aqui na esquina, você sabe. Nem pense em dirigir.

— Às suas ordens, doutora — disse simulando sotaque mexicano. Não pude evitar rir enquanto fechava a porta atrás dele.

Houve mais risos, mais mistura de línguas e finalmente uma roda de violão e algumas palmas que deram pé a um repertório descompassado de velhas glórias em espanhol e em inglês, entoado a plenos pulmões e sem o menor pudor.

Em algum momento impreciso da noite, em meio às gargalhadas e às estrofes de uma rancheira, ouvi baterem à porta. Imaginei que era Luis por fim, fazia um bom tempo que havia saído e ainda não havia voltado. Mas não foi o diretor quem encontrei, e sim Daniel Carter dentro de uma jaqueta de couro escuro, com uma mochila em uma mão e uma sacola plástica na outra. Ao fundo, continuavam tocando em memória ao grande José Alfredo Jiménez.

— Achei que não vinha mais.

— Nem morto — disse enquanto tirava a jaqueta e deixava sua bagagem no chão. — Meu avião atrasou, quase estrangulei o piloto.

Sem me deixar responder e sem mais uma palavra, pegou minha mão, puxou-me pela cintura e, unindo sua voz forte ao coro desafinado – *porque tendré el valor de no negarlo, gritaré que por tu amor me estoy matando, y sabrán que por tus besos me perdi...* –, arrastou-me pela sala com quatro habilidosos passos de dança em busca de algum resto de *tortilla* de batata, já mais que improvável àquela hora.

Acabamos às altas horas sem que sobrasse nem um mísero resto do meu esforço culinário e sem notícias de Zárate. Com a saída dos últimos convidados, foram-se também minhas responsabilidades de boa anfitriã, de modo que decidi deixar tudo tal como estava e ir imediatamente para a cama. Não tinha forças para recolher nada, nem os restos da festa, nem os retalhos da conversa com Alberto, que, apesar da longa festa, não havia parado de ir e vir dentro da minha cabeça. O cansaço e a bebida facilitaram tudo: para minha sorte, adormeci imediatamente, sem dedicar àquele triste reencontro telefônico nem um segundo mais.

Na manhã seguinte, após um banho descongestionante, pus as mãos na massa. Entre bolas de guardanapos, taças vazias e dezenas de garrafas sem rastro do que originariamente contiveram, encontrei dois pertences esquecidos na noite anterior. Um era uma blusa de lã vermelha caída no chão atrás de uma poltrona; recordei que um dos meus alunos a estava usando. O outro era uma sacola de plástico verde e branca da rede de livrarias Barnes & Noble. Olhei dentro com a intenção de identificar seu dono segundo o conteúdo e encontrei um livro e um envelope com meu nome. E então, a imagem de Daniel Carter em sua chegada tardia voltou à minha retina. Estava com aquela sacola na mão.

O envelope continha um simples cartão com duas frases em letra preta e firme.

Que a luz dos anos lhe sirva para ver mais claro seu caminho.
Muitas felicidades.

E um livro. Um livro de tamanho médio com sobrecapa amarela. *History of California*. Passei as páginas. Trezentas e quarenta e quatro páginas em inglês que esmiuçavam a história da Califórnia em catorze capítulos, um mapa, uma cronologia, algumas fotografias e uma lista de referências bibliográficas.

Não entendi o sentido daquele presente inesperado, embora, presumivelmente, não tivesse nenhum além de uma compra de passagem para cumprir as formalidades. Também não sabia de onde Daniel havia tirado a informação sobre meu aniversário; imaginei que Rebecca lhe devia ter dito. Após uma última olhada, deixei-o junto à blusa de lã em cima de uma cadeira, para poder continuar limpando.

Arejei o apartamento, enchi três enormes sacos de lixo, limpei o chão criteriosamente e joguei mil garrafas no contêiner de reciclagem. Quando acabei, percebi que estava com uma fome imensa e com a geladeira vazia, de modo que saí para comer. Aproveitei para comprar jornais, fiz um curto passeio e voltei para casa. Domingo de outono à tarde. Mau momento para controlar a nostalgia, ainda mais depois da ligação de Alberto na noite anterior.

Liguei a televisão em busca de algo com que me distrair. A CNN falava de um acidente de avião com dezoito mortos no México, a explosão em uma clínica geriátrica em Michigan e a chegada de Pokémon ao cinema. Zapeando pelos canais, encontrei uma reprise de *Rambo 3*, dois canais de televendas, uma reportagem sobre salões de beleza caninos e o enésimo episódio repetido de *Miami Vice*. Na rede local de Santa Cecilia cobriam o assunto de Los Pinitos outra vez. Parei nele por alguns minutos; as câmeras percorriam o lugar e entrevistavam algumas pessoas. Com graus variáveis de entusiasmo, quase todos se mostravam abertamente contrários a sua aniquilação. Conversaram depois com meu aluno Joe Super, o professor emérito de História que eu já sabia que era um enérgico ativista na plataforma pró-preservação. Ele não pudera ir à minha festa no dia anterior, estaria fora, havia me avisado antes. Gostei de vê-lo, pelo menos na TV, dissertando de modo convincente sobre as nefastas consequências do projeto do centro comercial que pretendiam construir. Depois de Joe foi a vez de outros membros da plataforma que logo deixaram de me interessar. Enquanto um deles falava sobre a duvidosa propriedade legal do local, adormeci.

Quando acordei era noite. Olhei o relógio desorientada e percebi que havia dormido mais de três horas, um sono pesado e profundo. Pode ser que a causa fosse o cansaço após a limpeza do apartamento. Ou o preço do álcool e a noite acordada. Ou talvez um inconsciente mecanismo de defesa para fugir do encontro com a melancolia. De qualquer maneira, independentemente da razão, a crua realidade era que lá estava eu, sozinha, insone diante de uma longa madrugada, trancada em um apartamento semivazio. Havia terminado um livro na sexta-feira e não tivera tempo de comprar outro nem de passar pela biblioteca. Percorri, então, dezenas de vezes, os canais da televisão, sem encontrar nada interessante. Tomei um iogurte. Revirei os jornais, que em algumas horas pareciam ter perdido sua atualidade. Li um artigo sobre design inteligente e uma entrevista com Oprah Winfrey. Comi uma banana. Amaldiçoei minha decisão de não levar meu notebook para casa nesse fim de semana, pensara que, com a festa, não teria tempo de usá-lo. E, então, minha vista focalizou o livro de Daniel Carter. A história da Califórnia. Abri-o e comecei a ler.

Na página três intuí, e na seis ficou claro. Aquele presente tinha um sentido além de uma simples compra precipitada. Na tarde que passamos juntos conversando entre um café e outro, eu havia lhe contado a dor de cabeça que os papéis de Fontana estavam me dando nos últimos tempos. Com aquele presente inesperado, ele tentava me mostrar que meu procedimento talvez não fosse o mais adequado e me dava um conselho. Na constante fuga para a frente que parecia dominar todas as facetas da minha vida ao longo dos últimos meses, meu objetivo imediato era avançar desentranhando o legado, saltando, acelerada, barreiras e buracos, vencendo com urgência as fendas e os obstáculos que constantemente apareciam nos escritos. Textos incompletos, referências desconhecidas, comentários sobre anotações inexistentes e um imenso desconhecimento da minha parte.

O antigo aluno de Fontana estava me sugerindo agora uma solução cheia de sensatez, que, apesar de ser a mais óbvia, eu não havia levado em consideração. Sossego e calma. E uma documentação detalhada para poder completar o quebra-cabeça dos escritos do velho professor sobre o mapa real dos tempos e fatos.

Li de uma vez só os primeiros capítulos e compreendi que minha intuição era certa. Aquela leitura já estava me ajudando a apreciar com mais clareza o sentido da última parte do legado. Mas o conteúdo relativo à presença espanhola na Califórnia só tomava os três capítulos iniciais do livro, e, embora contivessem informação elementar para visualizar o panorama geral, eu sabia que precisava saber mais.

Estava quase adormecendo, por fim, quase às quatro da madrugada, quando decidi não deixar para o dia seguinte algo tão importante. Digitei em meu celular:

Lição aprendida. Tentarei estar à altura.

Imaginava que Daniel só leria minha mensagem no dia seguinte, mas alguma razão irracional me levou a lhe agradecer de imediato. Havia acabado de apagar a luz de novo quando ouvi um bip. Abri o ícone do envelopinho quase em sonho.

Como sempre.

CAPÍTULO 21

Não era nova, mas comparada com minha antiga lata-velha do Plistoceno, parecia tecnologia de outra galáxia. Nem sequer parei para instalá-la. Antes, saí em busca do responsável.

— Sua fuga está perdoada — anunciei na porta. Atrás da mesa sentava-se o Luis Zárate de sempre, controlado e profissional. Aparentemente.

— Certeza? — disse ele erguendo os olhos da tela do computador.

— Perdemos suas margaritas, mas ganhei uma impressora decente. Nada mau.

— Cheguei até a comprar o gelo, sabia? Mas, no fim, optei por ir para casa. Estava bem mamado, e mais um passo teria sido nefasto.

— Para a ressaca ou para sua reputação?

— Para as duas coisas, acho. Como acabou a festa?

— Bem, bem... Um pouco altos demais, mas bem. Foi uma noite divertida.

— E acha que poderei recuperar algo do que perdi? — propôs enquanto se levantava da cadeira.

Eu continuava em pé na porta, sem intenção de entrar. A semana estava só começando, todos tínhamos trabalho de monte. Não era momento para papo, eu só havia passado por sua sala para lhe agradecer o gesto, sem intenção de perder mais que alguns minutos.

— Receio que, como anfitriã, já cumpri minha cota de celebrações.

— Então, agora é minha vez — disse apoiando-se na borda dianteira da mesa. Mais perto de mim, mais à minha altura.

— Vai dar uma festa em sua casa?

— Gostaria, mas receio que, diferentemente de você, sou um anfitrião penoso. Mas temos um jantar pendente em Los Olivos, lembra?

Certo. Desde a tarde em que parou seu carro ao meu lado no campus no fim do expediente.

— Já disse, quando quiser.

Minha resposta era sincera outra vez. Não me desagradava a ideia de sair para jantar com ele. Sempre tínhamos mil coisas sobre o que falar, e, após mostrar em minha festa seu lado mais humano e menos formal, ele havia ganhado uns pontos em minha escala particular.

— O feriado de Ação de Graças está chegando. Prefere antes ou depois?

— Não tenho planos, quando for melhor para você.

— Minha mãe me espera em Concord para comemorar em família; obrigações de filho único. E, antes, tenho alguns compromissos pendentes. Talvez seja melhor deixar para a volta.

Eu ia responder que a semana tinha sete dias, que talvez não fosse necessária tanta antecedência, mas me contive. Ou talvez fosse mais exato dizer que me contiveram. Três mulheres chegaram nesse momento à mesma porta em que eu estava apoiada. Três professoras do departamento que tinham suas salas em outro andar e a quem eu mal encontrava. Uma era Lisa Gersen, que todos achávamos que era companheira ou namorada de Zárate, uma mulher na casa dos trinta, de pele muito clara, que costumava usar um coque apertado e sempre sapatos de salto alto. As outras eram colegas que, como ela, também davam aula de Alemão.

Afastei-me ao notar suas presenças carregadas de papéis e pastas, imaginei que tinham uma reunião com o diretor.

— Depois nos falamos — disse a Luis como despedida. Elas protestaram ao ver minha intenção de ir embora.

— Não precisa ir, nós esperamos — insistiram. Ele se endireitou e olhou o relógio.

— Perfeito. E fechamos a data para o nosso compromisso.

Apesar de falarmos em espanhol, Luis preferiu não mencionar a palavra jantar. Nosso compromisso, disse apenas. Talvez casualmente, ou talvez como um mecanismo automático diante da recém-chegada: alguém que havia sido ou talvez continuasse sendo próxima de seus afetos. A única coisa que me faltava era interferir em uma relação, pensei enquanto percorria o corredor de volta aos meus assuntos. Ainda estava me recuperando de uma história a três, na qual acabei sobrando. Má hora para me ver envolvida, sem a menor intenção, em um novo triângulo.

Não parei nem sequer para verificar o funcionamento de minha nova impressora, nem para ficar pensando em por que Luis Zárate havia preferido não chamar um jantar pelo nome. Tinha algo mais urgente a fazer. Algo que não tinha ligação direta com a minha festa, mas com suas consequências, com o livro sobre a Califórnia que Daniel Carter me dera em uma inocente sacola, como se fosse mais uma simples leitura. Esse livro que havia despertado minha necessidade de saber.

Meia hora depois, transferi meu acampamento à biblioteca com a decisão de não continuar esmiuçando o legado até conseguir ser capaz de me mover com segurança no tabuleiro onde situaria seu conteúdo. E ali, sozinha e longe do barulho, em um canto afastado do quarto andar, em diferentes fontes localizei as coordenadas geográficas e históricas indispensáveis para a melhor compreensão do que aconteceu nessa terra que com o nome de Califórnia se divide, hoje, entre duas nações.

Entre os documentos que consultei, encontrei fatos coincidentes, passagens comoventes e centenas de dados acoplados com harmonia. Graças a eles, por fim comecei a ser capaz de encaixar as grandes e pequenas histórias da intervenção dos meus compatriotas na formação da Califórnia e os escritos de Andrés Fontana em seus justos lugares e circunstâncias. E pude entender, assim, transferir tudo a outras realidades, como a coragem e a paixão podem levar os desterrados a empreender, às vezes, ações impossíveis além de suas próprias fronteiras.

Não falei com ninguém nos dois primeiros dias em que me mantive enclausurada, simplesmente avisei Rebecca de minha nova localização e mergulhei nos recursos como quem busca as peças soltas de um tesouro esparramado no fundo do mar. Mas, assim como os mergulhadores, eu também precisava me manter alimentada para recobrar as forças. E assim, por volta da uma, costumava abandonar um pouco meu trabalho para sair e comer alguma coisa rápida. Por fim, ia habituando meu estômago aos horários dos meus colegas.

Ao entrar na lanchonete do campus naquela quarta-feira, entre a balbúrdia de alunos e professores em movimento, entre mochilas, livros, barulho de pratos e talheres, e um cheiro de comida não muito apetecível, vi Daniel Carter de longe. Com seu cabelo claro, sua estatura e seu porte descontraído, sempre me era fácil distingui-lo entre a massa. Conversava animadamente com dois professores; pareciam ter terminado o almoço, eu ouvi a distância algumas gargalhadas. Imaginei que não havia notado que eu andava por ali.

Entre as diferentes opções do dia, escolhi um burrito de frango e uma Coca-Cola. Cercada de alunos com bandejas lotadas de massa em várias versões, sanduíches gigantescos e o que anunciavam como o prato estrela do dia, *goulash* de novilho, aguentei estoicamente a fila para pagar e me instalei em um canto, com o jornal da universidade por companhia. Tinha dado apenas três mordidas no burrito quando a cadeira em frente a mim foi ocupada.

— Que surpresa vê-la por aqui, doutora Perea. Já a dava por desaparecida.
— Culpa sua.

Fez uma expressão interrogativa.

— Por conta da vontade de saber mais que o seu livro sobre a Califórnia me despertou. Aliás, devia tê-lo localizado antes para agradecer, desculpe.

— Já me agradeceu outro dia às dez para as quatro da manhã. Ou será que estou começando a sonhar com você?

À medida que o ia conhecendo, ia me acostumando também a seu jeito natural de andar pela vida, ao afeto com que tratava todo mundo e com que todos que o conheciam pareciam tratá-lo. Flertava com as garçonetes; quanto mais feias e gordas, melhor. Abraçava seus amigos sem reservas, costumava olhar as coisas através da lente da ironia e fazia que tudo fosse fácil ao seu redor. Só o havia visto tenso com duas pessoas, coincidentemente no mesmo dia. Com Zárate naquela tarde já remota do debate sobre a hispanidade, e com a mãe de Fanny, um tempo depois. Nunca soube as razões daquelas faltas de sintonia, mas, na realidade, não me importava. Muito mais me preocupava continuar contando com ele para que me ajudasse a ver a luz no legado de seu velho professor.

— Você não sonhou, a única coisa que fez foi tirar meu sono. E me obrigou a me trancar na biblioteca como uma reclusa.

— Não sabe como fico feliz — disse beliscando do meu burrito.

— Você acabou de almoçar! — protestei.

— Mas você escolheu melhor que eu hoje. Meu *goulash* estava terrível. Conte mais, o que está fazendo?

— Agora vejo tudo muito mais nitidamente; estou começando a entender que, pouco a pouco, ele foi ficando fascinado com a história dos seus compatriotas nesta terra, que desenvolveu uma espécie de atração pessoal por tudo isso, e que por isso deu uma guinada em suas linhas de pesquisa e se concentrou cada vez com mais paixão na velha Califórnia. E cada vez vou entendendo com mais clareza a essência desse mundo ao qual se dedicou.

— Por onde anda, então?

— Estou trabalhando com documentos relativos às últimas missões franciscanas, já nas etapas finais da Califórnia hispânica. Alguns anos antes de que se tornasse brevemente independente e a seguir passasse a fazer parte dos Estados Unidos.

— A história das missões é muito atraente, embora eu tenha levado anos para reconhecer. Lembro que, quando Fontana andava pesquisando sobre elas, parecia-me um tema de trabalho chatérrimo.

— Por quê?

— Porque eu era, então, um completo ignorante, mas me achava um gênio. Não entendia que interesse podiam despertar em um especialista em Literatura como ele aquelas simples construções de adobe, um bando de padres andrajosos e uns tantos índios confusos que, de repente, tiveram mudados seus nomes, sua língua e os fundamentos de sua vida simples. E, apesar de muitas vezes ele ter tentado me transmitir seu interesse, não conseguiu me convencer. — Tornou a arrancar um pedaço do meu burrito com a mão.

— O último, prometo.

A lanchonete fora se esvaziando, só restavam três ou quatro mesas ocupadas. O barulho de fundo havia se amortecido e só se ouvia alguma despedida solta e o barulho dos pratos se chocando entre si conforme os funcionários os recolhiam.

— Talvez tenha se cansado de fazer a mesma coisa durante décadas — disse eu. — Talvez precisasse de novas perspectivas em suas linhas de pesquisa. E nessas missões, tão distantes no espaço e ao mesmo tempo tão próximas de sua própria cultura, talvez tenha encontrado algo diferente.

— Com certeza você tem razão. Mas, diga-me uma coisa, só por curiosidade. Encontrou alguma referência a uma suposta Missão Olvido?

— Na documentação que estou consultando agora na biblioteca?

Negou com a cabeça.

— Nos papéis de Fontana.

— Não, mas ainda falta olhar muitos escritos. Por que me pergunta?

— Porque lembro que ele mencionou várias vezes esse nome no fim de sua vida. Você vai chegar a isso, se é que há algo sobre isso, suponho.

Saímos da lanchonete ainda conversando e, após nos despedirmos na porta, cada um retornou ao seu trabalho. Com a menção ainda fresca àquela suposta missão, ao longo do caminho para a biblioteca rondaram minha mente os nomes das vinte e uma missões levantadas pelos franciscanos espanhóis nessa longa rede que ornamentava toda a Califórnia ao longo do Camino Real. Eu havia me familiarizado com elas nos últimos dias: San Diego de Alcalá, San Luis Rey, San Buenaventura, La Purísima, Santa Inés, La Soledad... Histórias de frades corajosos e de soldados violentos, de índios batizados e índios rebeldes, de reis ambiciosos, expedições em terra desconhecida e uma velha Espanha ansiosa por estender *ad infinitum* seus confins sem prever a efemeridade de suas conquistas. Mas nunca havia encontrado nenhuma referência a uma tal Missão Olvido, disso tinha certeza. Arquivando o dado na pasta *missões* de minha memória, empurrei com brio a porta da biblioteca e entrei em meu paraíso acarpetado particular, onde todos os saberes de que por ora precisava me esperavam prontos para me absorver outra vez.

No meio da manhã do dia seguinte, recebi uma visita inesperada. Fanny, acelerada e nervosa. Escoriam por suas têmporas pequenas gotas de suor. Suspirou aliviada ao me ver.

— Finalmente a encontrei, professora!

Realmente não era fácil me encontrar naquele canto escondido do quarto andar da biblioteca, uma área quase sempre deserta. A maior parte dos estudantes se concentrava no andar principal, nas partes mais acessíveis e em frente aos computadores. Imaginava que em época de provas tudo ficaria mais cheio. Mas, naqueles dias, salvo pela presença esporádica de algum aluno em busca de um livro pontual, minha área de trabalho era uma remanso de sossego. A aparatosa chegada de Fanny, porém, abalou-o.

— Aconteceu alguma coisa? — perguntei um pouco alarmada.

— Nada, nada, nada, graças a Deus. É que estou há um bom tempo dando voltas e não a conseguia encontrar. A senhora Cullen mandou isto para você.

Entregou-me um envelope cor de creme. Com meu nome, enfeitado com algumas rugas e marcas que as mãos suadas da portadora, em seu impetuoso empenho por me localizar, haviam deixado tatuadas nele. Dentro, um cartão manuscrito por Rebecca me convidando a compartilhar com ela e sua família o jantar de Ação de Graças. Uma antecipação elegante realizada com seu tato peculiar para não me propor pessoalmente e de supetão algo de que talvez eu não quisesse participar.

O dia de Ação de Graças não significava realmente nada para mim por ser uma celebração alheia a minha cultura e a meu inventário de festividades nostálgicas. Poderia ter passado a noite sozinha em meu apartamento lendo um livro ou vendo um filme sem me considerar abandonada nem sentir falta dos meus filhos, do peru ou da torta de abóbora. Mas eu sabia que para os americanos era um acontecimento fundamental no calendário, a reunião familiar mais esperada. Por isso, fiquei reconfortada ao saber que Rebecca contava comigo.

— Agradeça à senhora Cullen por mim, Fanny, por favor. Diga-lhe que aceito com prazer e que falarei com ela assim que puder.

— Ok — murmurou baixinho.

Ela havia começado a balançar. Para a frente e para trás, como uma cadeira de balanço. Com os pés firmes no chão, as mãos juntas nas costas e a vista baixa, concentrada. Sua atenção não estava mais em minhas palavras, o ok que acabava de pronunciar poderia ter servido para responder a qualquer coisa. Seus olhos, porém, vagavam por minha mesa e pelos livros, mapas e documentos espalhados sobre sua superfície.

Ficamos um tempo em silêncio, enquanto ela olhava a mesa, eu olhava para ela, e nenhuma das duas dizia nada. Até que finalmente seu olhar me buscou.

— Não está mais trabalhando com o legado do professor Fontana, doutora Perea?

Formulou a pergunta com timidez, meio envergonhada. Possivelmente devia pensar que estava invadindo minha privacidade.

— Sim, Fanny, claro que estou, e cada vez falta menos para acabar de processar tudo. Mas, antes de prosseguir, eu precisava me aprofundar em alguns assuntos, por isso estou aqui. Não levará muito tempo, estou quase acabando. Daqui a alguns dias voltarei para minha sala e continuarei trabalhando lá. Tornaremos a nos ver com frequência.

Assentiu enquanto persistia no balanço. Para a frente e para trás. Para a frente e para trás. Seu cabelo liso, preso de lado com uma presilha infantil em forma de nuvem rosa, movia-se compassadamente. Tornou a concentrar seu olhar de peixe em meu material. Três livros abertos e alguns fechados. Um monte de fotocópias. Dois mapas estendidos. Várias folhas cheias de anotações. Eu não entendia como tudo aquilo podia lhe interessar.

— Ele também trabalhava assim — disse por fim apontando tudo com o dedo. — Como você, com muitos papéis e mapas em cima da mesa, sempre escrevendo muitas coisas. Usava sua pena e uma máquina de escrever. Mas não gostava muito de escrever à máquina, então mamãe fazia isso às vezes por ele. Mamãe conseguia datilografar depressa. Muuuuito depressa. Mas ela não gostava de transcrever os papéis em espanhol, porque não entendia. Só em inglês. Mas ele preferia escrever em espanhol. E falar em espanhol. Tio Andrés era bom. Muuuuito bom. Sempre me dava coisas de presente. Sapatos. Roupa. E bonecas. E nos levava para andar em seu carro. E me comprava sorvetes e sucos. De morango, principalmente.

Demorei alguns momentos para conseguir encaixar os dados, para entender que o Fontana que me ocupava e esse tio Andrés, cujo nome em minha língua ela pronunciava penosamente, eram a mesma pessoa. Fiquei surpresa ao saber que Fanny e o professor haviam mantido uma relação tão próxima, por isso continuei escutando-a atentamente enquanto ela continuava falando sem me olhar. Embora seus olhos parecessem ainda estar pousados em minha mesa, na realidade já não olhavam para nenhum lugar fixo. Para nada real, nada concreto. Vagavam apenas sobre o passado.

Não a interrompi; acho que nem sequer teria me ouvido.

— Uma vez, ele nos levou a Santa Cruz Beach Boardwalk, perto do mar. É muito antigo, o parque de diversões mais antigo da Califórnia. Alguns brinquedos eram muito divertidos. Muuuuito divertidos. E outros perigosos. Muuuuito perigosos. Eu fui em quase todos, o que mais gostei foi da montanha-russa. Ele foi comigo e me deu a mão forte para que eu não ficasse com medo. Mamãe não foi. Foi um grande dia.

De repente, de seu rosto ingênuo e ausente desapareceu o meio sorriso dos últimos momentos.

— Fiquei muito triste quando ele morreu. Eu estava dormindo e a senhora Walker, a vizinha, me acordou. Mamãe já não estava em casa, havia saído durante a noite. Eu não gostava de ficar com a senhora Walker, ela me chamava de boba e de outras coisas feias. Tio Andrés nunca brigava comigo, sempre dizia "Muito bem, Fanny!" ou "Isso mesmo, Fanny!". Ele também é assim comigo. Nunca me diz nada feio, nem desagradável. Só coisas boas.

Pestanejei com estranheza, havia perdido o fio da meada, não sabia de quem ela estava falando agora. Olhei para ela fazendo um esforço para ler sua mente enquanto ela continuava desfiando recordações e sensações enquanto balançava ritmicamente o fardo que tinha como corpo, com seu vestido cor de salmão cozido abotoado até o pescoço e o rosto ainda suado. Seu olhar continuava perdido, e as palavras continuavam saindo de sua boca sem graça, mas com certa delicadeza.

— Ele é como tio Andrés, mas diferente. Não vejo nenhum dos dois, mas sei que estão aqui. Os dois são bons comigo. Ele também me diz "Em frente, Fanny!", "Você consegue, Fanny", "Boa garota".

Então tudo se encaixou. Recordei sua sala, os adesivos em seu carro, seus cumprimentos fervorosos. Já sabia quem era *ele*, esse outro ser que a tratava com o mesmo carinho que Andrés Fontana. Falava de seu Deus, esse Deus particular que ela mesma havia configurado sob sua própria medida para iluminar os cantos escuros de sua vida.

— Mamãe não gosta que eu fale tanto com ele e que lhe dedique tanto tempo — prosseguiu em seu tom monocórdio. — Eu acho que é porque sabe que ele não vai dar nada do que ela quer. O que tio Andrés dava quando eu era pequena, depois não mais. Presentes, passeios de carro. Às vezes ele até deixava o carro com ela para que ela dirigisse sozinha, sem ele. Eu me sentava ao seu lado e ela corria e corria e corria. Gostava muito de dirigir, mas nós não tínhamos carro porque papai o levou quando foi embora de casa e nós não podíamos comprar outro, por isso mamãe às vezes dirigia o carro do tio Andrés. Eu também gosto de dirigir. Gosto muito. Depois do acidente, o carro dele virou sucata. Mamãe teria gostado de ficar com ele, mas não dava mais para arrumar. Virou pó.

A chegada de duas estudantes interrompeu seu monólogo. Despreocupadas, de moletom, morenas de raios UVA. Falavam e riam balançando ritmicamente seus rabos de cavalo loiros, ignoravam-nos. O fato de não encontrar o livro que andavam procurando parecia ser extremamente engraçado para elas. Suas palavras frívolas trouxeram Fanny à realidade outra vez.

— Acho que devo ir, está um pouco tarde — anunciou aproximando o relógio dos olhos. — Vou dizer à senhora Cullen que irá vê-la assim que puder.

Contemplei-a enquanto se afastava com seu ritmo desajeitado; peguei o marca-texto para continuar trabalhando, mas nem sequer cheguei a destampá-lo. Fontana e Fanny ainda flutuavam em minha cabeça. Fontana e Fanny, Fontana e Darla Stern, vínculos inesperados que de repente apareciam diante de mim. Eu não sabia que mãe e filha haviam tido uma relação próxima com ele, mas também não era inverossímil. Fontana havia sido diretor do departamento; Darla, a secretária; Fanny, uma menina especial e sem pai que possivelmente despertara ternura ao seu redor.

O tempo havia recomposto a ordem e o lugar das peças. Ele agora estava ausente, elas continuavam ali. Ele morto, elas vivas. Vivas e com ele na memória, pelo menos Fanny. Talvez Darla também.

Obriguei-me a retomar o trabalho e comecei a explorar de novo o mapa das velhas missões. De Santa Bárbara a Santa Inés, de Santa Inés a Purísima Concepción. A tarde foi passando, o sol caindo por trás das janelas de vidro. A imagem do professor espanhol e uma Fanny menina em uma velha montanha-russa, porém, ficou pendurada no ar. Fazendo-me companhia, como uma pequena aranha presa a um fio que mal se pode ver.

CAPÍTULO 22

Na manhã seguinte, voltei ao Guevara Hall para ver Rebecca. Ela me recebeu calorosamente como sempre, serviu-me um chá. Ela trabalhava com música suave de fundo e flores frescas junto à janela, o cúmulo de minha inveja. Apesar de me decidir em todo início de ano, nunca consegui ter uma cafeteira ou um aparelho de som em minha sala. Nem sequer um simples buquê de margaridas ou um rádio velho. O mais longe que havia chegado foram dois vasos que acabaram secando durante as férias.

— Meus filhos e meus netos virão, como sempre. Vamos comer o peru que faço todos os anos com a receita da minha avó materna, e depois de jantar os rapazes vão ver futebol na TV e as garotas, limpar a cozinha, como manda a tradição — disse com uma piscada irônica.

— Vou adorar passar com vocês esse dia tão especial.

Ela permaneceu então em silêncio durante alguns segundos, como se estivesse decidindo se compartilhava comigo outras palavras ou se as impedia de passar da garganta.

— Daniel Carter também virá.

— Maravilha.

— E... e alguém mais.

Ficou calada de novo alguns instantes até que acrescentou:

— E Paul também.

— Paul... seu ex-marido?

Com um simples gesto disse sim, ele mesmo. Ela não havia tornado a me falar dele desde o dia em que carregamos seu carro com as cadeiras para minha festa; com base naquela conversa, imaginei que Paul havia desaparecido de sua vida para sempre. Mas tudo indicava que eu havia me enganado.

— Talvez porque...

— Se está pensando em uma reconciliação, a resposta é não.

— Então?

— É que... é que a vida sempre acaba dando voltas inesperadas, Blanca.

Porque às vezes achamos que sabemos tudo e de repente percebemos que nada é tão firme como pensamos. E o que eu quero agora é que se reencontre com seus filhos.

— Mas eu achei que vocês haviam perdido contato com ele, que...

— No início, ele nos ligava de vez em quando, tentava ver as crianças duas vezes por ano. Mas eles nunca conseguiram compreender sua atitude variável, adorando-os umas vezes, ignorando-os outras...

— E eles mesmos foram se afastando — antecipei.

— Isso mesmo. A distância foi crescendo em todos os sentidos e chegou um momento em que preferiram não saber mais dele.

— Imagino que não morava perto.

— Nunca se estabeleceu permanentemente em lugar nenhum; mudou de universidade um monte de vezes, e embora tenha mantido alguns relacionamentos, pelo que sei, nenhum chegou a durar. Enquanto isso, as crianças viraram adultos e cuidaram de sua própria vida. Mas, agora, quero reuni-los.

— Mas, por que, Rebecca, por que agora, depois de tanto tempo?

— Para que possam se despedir. Possivelmente será a última vez que o verão.

Ela tirou os óculos e fechou os olhos. Com dois dedos massageou a parte superior do nariz, bem onde a armação havia deixado duas leves marcas gêmeas. Imaginei que a pressão lhe provocava dor. Ou talvez só quisesse se proteger antes de responder à pergunta que esperava de mim.

— E eles ainda não sabem que ele estará lá, não é?

Negou com a cabeça e não foi preciso que lhe pedisse mais explicações, porque levou apenas alguns segundos para esclarecer a situação.

— Há três anos Paul está de novo na Califórnia, internado em uma instituição em Oakland. Vou vê-lo de vez em quando. Ele tem Alzheimer.

Chegou finalmente o dia, quarta quinta-feira de novembro. A universidade, tal como Zárate me havia dito, deu alguns dias de recesso e o campus ficou deserto, com o outono já assentado como único residente. A maioria dos estudantes voou para seus ninhos familiares, esvaziaram-se os dormitórios e os apartamentos divididos, viam-se bonés, bicicletas e mochilas, extinguiram-se os risos e as vozes nas salas de aula e nos corredores. E os expatriados solitários como eu, por sorte, foram acolhidos pelos amigos.

Decidir o que vestir para aquele jantar me tomou um bom tempo. Eu não tinha nem ideia do grau de formalidade com que celebravam a data, nem do ambiente que se respiraria tendo em conta a decisão de Rebecca de convidar o ex-marido sem comunicar os filhos. Talvez o aceitassem com naturalidade, entendendo os sentimentos da mãe. Talvez o recebessem como um chute na boca do estômago e fossem incapazes de compreender que o que Rebecca queria era fechar o círculo de vida de uma família fraturada. Fraturada, mas real.

Optei por um vestido de veludo bordô e brincos de prata que haviam me cativado na primavera anterior em uma viagem a Istambul com Alberto e seus irmãos. Um par de brincos compridos que nunca havia estreado. Eu os guardara para o verão, para essas noites descontraídas junto ao mar, para esses jantares com cheiro de sal cheios de risos e amigos. Para esses dias de sempre que nunca mais chegaram. Naqueles meses de calor e bronzeado, não houve jantares sob as estrelas, nem risos, nem amigos. Só raiva e desconcerto, esse desconcerto que me havia levado a mudar de vida. Mas tudo isso havia ficado para trás. Agora, tinha de olhar para a frente, e em homenagem a esse futuro que ia se abrindo à minha frente, decidi por fim usar meus brincos novos de prata velha.

Às cinco da tarde, hora inoportuna de jantar para um estômago espanhol, toquei a campainha da casa de Rebecca com uma garrafa de Viña Tondonia comprada a preço de um barril de petróleo e uma caixa de bombons para as crianças. Abriram duas capetinhas loiras que não deviam ter mais de seis anos e que me exigiram atender a uma exaustiva série de perguntas e condições antes de me deixar entrar. Como você se chama, de onde você é, para quem são esses bombons, quantos filhos você tem, posso ver seus sapatos, abaixe-se, mostre seus brincos, prometa que no final do jantar vai nos emprestar. A seguir, as duas loirinhas desapareceram rumo ao jardim e só então percebi a presença de Daniel ao lado da entrada. Com seu corpo longo apoiado no batente da porta, observando a cena divertida. De paletó cinza, camisa azul e gravata, uma taça na mão.

— Passou no teste — disse sorrindo enquanto se aproximava para me cumprimentar.

— Não pense que é fácil: as crianças são implacáveis, e se não forem com sua cara de primeira, está perdido. Você fica muito bem de gravata, mas está torta.

— As duas diabinhas tentaram tirá-la; são perigosíssimas.

— Deixe-me ver. — Entreguei-lhe o vinho e a caixa para ficar com as mãos livres e ajeitei o nó. — Pronto. Perfeito.

A casa estava anormalmente tranquila para o que supostamente deveriam ser os momentos prévios a um grande jantar em família. Atrás das portas de correr que separavam a entrada da sala de estar se ouvia, porém, o som abafado de uma conversa.

— Como vão as coisas? — perguntei enquanto ele me dirigia para a cozinha.

— Não faço ideia, cheguei há apenas dez minutos. Rebecca está falando com os filhos agora, imagino que tentando explicar a situação. Imagino que todos devem ter ficado um pouco aturdidos ao ver o pai aqui. Trouxeram há um tempo, está no jardim com a enfermeira que o acompanha. As crianças também estão por aí brincando de índio e olhando o avô como se fosse uma atração de circo.

— Não o conhecem?

— Nem sequer sabiam de sua existência.

Percorri a cozinha com o olhar enquanto ele enchia uma taça de vinho para mim. Tudo estava impecavelmente organizado para o jantar. Travessas e saladeiras, cestas de pão, tortas de abóbora. O forno exalava um odor que convidava a salivar. Sentamo-nos em banquetas altas debaixo das frigideiras penduradas.

— Paul era seu amigo, não é?

— Um grande amigo, há muitos anos. — Bebeu um gole enquanto concentrava os olhos em um ponto impreciso depois da janela. Talvez olhasse para onde ele estava. — Em uma época complicada da minha vida, ele foi meu maior apoio. Mais tarde, o destino nos levou por caminhos diferentes e perdemos contato. Ele deixou a família, acho que essa parte da história você já conhece, e eu andei por vários lugares até que, com o tempo, acabei me estabelecendo em Santa Bárbara. Ao longo dos anos, porém, mantive amizade com Rebecca. E ela foi me deixando a par do que ia sabendo da vida dele. De suas idas e vindas, suas histórias afetivas complicadas, suas andanças por todo o país de uma universidade a outra cada vez com mais azar. Assim eu soube de sua instabilidade anímica e de seu declínio profissional. E, finalmente, de sua doença.

— E não o viu mais até hoje?

Minha pergunta o fez desviar o olhar do infinito e retorná-lo para mim. Falava tranquilo, sem melancolia.

— Quando o internaram, há alguns anos, Rebecca me contou e fui visitá-lo em Oakland, perto daqui, na baía. Eu lhe devia pelo menos uma visita ao seu inferno particular, da mesma forma que ele foi, uma vez, testemunha de honra no meu. — Bebeu outro trago, tornou a olhar para fora. — São histórias de muito tempo atrás, velhas histórias praticamente esquecidas. De quando eu fui embora de Santa Cecilia, há... quantos anos lhe disse o outro dia que haviam se passado? Trinta já?

A cozinha continuava em calma. Rebecca e seus filhos ainda estavam trancados na sala de estar, de vez em quando se ouvia uma voz mais alta que outra, os risos das crianças chegavam do jardim.

— Quando o vi outra vez após todo esse tempo, não encontrei quem eu esperava — continuou. — Ali não estava aquele rabo de lagartixa que havia sido meu amigo, aquele professor de Filosofia um pouco mais velho que eu, esperto como uma raposa e imensamente divertido, a quem conheci quando cheguei pela primeira vez a esta universidade. No lugar de Paul Cullen só encontrei sua sombra. Mas, como sei que as sombras também agradecem a companhia, a sua maneira, de vez em quando, a cada dois ou três meses, vou visitá-lo.

— E ele fala com você? Ou o entende, pelo menos?

— Nem fala, nem entende. No início, ainda conseguia se comunicar razoavelmente, mas esquecia palavras, não conseguia terminar as frases e ficava desorientado com facilidade. Pouco a pouco, seu vocabulário foi se limitando até que sua memória se deteriorou por completo. Só me reconheceu durante alguns instantes fugazes na primeira visita; foi um momento duro, mas emotivo. Na última vez que nos vimos, fora em circunstâncias difíceis e, por isso, um reencontro particularmente especial. Na segunda vez me tratou com afeto, mas acho que nunca chegou a saber totalmente quem era eu nem o que estava fazendo ali. A partir da terceira, já não pudemos manter nem mínima conversa.

— Mas você continua visitando-o...

— Passo a tarde com ele e lhe conto coisas, bobagens. Falo de livros e filmes, de viagens, de política. Da liga de basquete, da bunda das enfermeiras. Do que me vem à cabeça, sei lá... — Esvaziou a taça. — Venha conhecê-lo. Ultimamente, também tenho lhe falado de você.

Quase sem perceber me vi arrastada ao jardim transformado em um zoológico cheio de estranhas espécies humanas. Os menores, supostamente sob o olhar de uma babá japonesa, aprontavam sem controle. Um *Exterminador do Futuro* de cinco anos acabava de rasgar as calças com um galho cortado, e um par de gêmeos brigava por um caminhão de plástico amarelo enquanto sua cuidadora desafiava, obstinada, um Game Boy. As duas loiras perigosas que haviam me recebido ao chegar – Natalie e Nina – estavam submetendo a namorada de tio Jimmy a uma suposta sessão intensiva de tratamento estético. Deitada em uma espreguiçadeira, a coitada aguentava estoicamente os maus-tratos enquanto as duas irmãs torciam seu cabelo em coques impossíveis e pintavam suas unhas de um verde berrante. Ao fundo, perto da piscina, uma enfermeira corada e gorda passava as páginas da revista *People* e comentava as últimas intimidades das celebridades de Hollywood com um homem sentado em uma cadeira de rodas.

— Betty, esta é nossa amiga Blanca. Quer conhecer Paul e você.

A apresentação de Daniel não deixava dúvida sobre o destaque de Betty na vida de Paul: para chegar a ele, havia que passar por ela.

— Prazer em conhecê-la, querida — respondeu oferecendo-me uma mão de leitãozinho. — Estamos passando uma tarde maravilhosa. Estava comentando com Paul que não gosto do novo *look* de Jennifer López, o que vocês acham?

— E este, Blanca, é Paul.

Ele se posicionara atrás da cadeira de seu amigo, apoiara as mãos em seus ombros e as movia em uma massagem vigorosa que ele não parecia perceber.

Em minha mente só havia uma imagem do Paul de outros tempos: da fotografia pregada no painel de cortiça do porão daquela casa que havia sido sua; do homem jovem de cabelo escuro despenteado. Com uma faixa atravessando sua testa e uma camisa colorida, com o sorriso nos lábios e uma cerveja na mão. Nada a ver com aquele ser miúdo de cabelo ralo e olhos perdidos no infinito com quem Daniel falava como se sua mente estivesse ali, no jardim, conosco, e não em um poço no qual ninguém conhecia ninguém. Nem Jennifer López nem sua própria imagem em frente ao espelho.

— Lembra que lhe falei há pouco de Blanca, Paul? Ela está trabalhando com o legado de Fontana, você sabe. Lembra-se de Andrés Fontana, não é? Lembra-se de quando discutiam sobre Tomás de Aquino em minha casa? Era duro meu amigo espanhol, hein?

A voz de Rebecca nos chamando da porta da cozinha subitamente supriu o silêncio eterno de Paul diante das perguntas de seu velho amigo. As crianças entraram de uma vez, e nós as seguimos. Daniel empurrava a cadeira de Paul enquanto Betty continuava comentando sem parar as últimas fofocas do mundo do entretenimento. Até que Rebecca, bendita seja, me resgatou.

— Adorei seus brincos, obrigada pelo vinho e pelos bombons. Espero que as crianças a tenham tratado bem.

Ela sorria, mas em seus olhos havia um poço de tristeza que não podia ocultar.

A casa, de repente, estava cheia de vozes e ruídos. As crianças lavavam as mãos em um banheiro próximo e iam se acomodando na sala de jantar. Ouviam-se subidas e descidas pela escada, conversas entre adultos, risos infantis. Rebecca falava sem olhar para mim, deslizando pela cozinha de um lugar ao outro sem parar, organizando o que faltava para levar à mesa.

— Já vou apresentá-la aos meus filhos. Desculpe por não a ter atendido antes, tivemos uma longa conversa.

— Não se preocupe, em absoluto. Estava com Daniel e conheci Paul. Diga-me em que posso ajudar.

— Deixe-me ver... Antes de tudo, acho que vamos tirar o peru do forno, não quero que no fim acabe queimando.

Em menos de dez minutos, estávamos todos sentados em volta de uma mesa grandiosa em estilo e tamanho. Quadrada, vestida com uma toalha de mesa vermelha e louça de porcelana branca. Cinco crianças e doze adultos. A família, seus companheiros, seus filhos. Mais um amigo dos velhos tempos, uma estudante japonesa e uma enfermeira gorda como um tonel. E eu. Dezesseis mentes ativas e uma ausente. Annie, Jimmy e Laura, os filhos de Rebecca, adoráveis como a mãe, haviam me cumprimentado com simpatia antes de ocuparmos nossos assentos. Paul estava entre Betty e Daniel, e depois deles um cartão indicava meu nome. Um grande centro com frutas de outono erguia-se no meio da mesa. Uma das pequenas loiras, Natalie, à minha frente, não parava de se fazer de vesga enquanto me fazia caretas monstruosas. Devolvi-lhe um par delas.

Até que a voz de Daniel penetrou meu ouvido.

— Rebecca quer que eu diga umas palavras. Lá vou eu, sem rede de segurança.

Então, pediu a atenção de todos batendo o garfo em sua taça; o tilintar alegre do metal com o vidro trouxe o silêncio por fim.

— Querida família Cullen, queridos amigos. Rebecca me pediu umas palavras para este jantar de Ação de Graças, e como eu jamais poderia negar nada a essa mulher, nem em cem vidas que tivesse, aqui estou, na qualidade do mais antigo amigo da família, pronto para exercer hoje o papel de mestre de cerimônias. Mas, antes disso, antes de agradecer, vou tomar a liberdade de contar algumas coisas que andam rondando minha cabeça há alguns dias. Desde que Rebecca comentou comigo sua decisão de nos reunir hoje aqui.

"Quando saí da vida de vocês, Annie, Jimmy e Laura, vocês ainda eram muito pequenos, portanto o mais provável é que não guardem recordações tão distantes. — Dirigiu a atenção para a área das crianças. — Vocês sabem, Natalie e Nina, que a mãe de vocês, quando tinha sua idade, fez um bolo na cozinha da minha casa e quase pôs fogo em tudo? — Um gesto teatral simulando uma explosão provocou uma gargalhada nas crianças e fez Annie cobrir o rosto com as mãos. — E você, Jimmy, adorava que eu o pusesse nos meus ombros, dizia que assim quase podia tocar as nuvens. E você, Laura, era tão pequena que ainda caía ao andar. E uma vez, com ajuda de Paul, o pai de vocês — disse tornando a pôr a mão no ombro do amigo —, eu construí uma casinha de madeira e papelão no jardim. Durou apenas três dias em pé, desabou numa noite de tempestade e nunca conseguimos levantá-la outra vez.

"Passou-se muito tempo desde então, mas, embora não os tenha visto ao longo de todos esses anos, por meio de sua mãe acompanhei a vida de vocês: suas carreiras, seus amores e progressos, o nascimento de seus filhos, esses meninos e meninas tão elegantes que hoje estão sentados conosco à mesa querendo fincar os dentes no peru. Rebecca e eu não nos vemos tanto quanto gostaríamos, mas nossas conversas telefônicas noturnas podem durar horas, de modo que estou a par de tudo. Sabem, crianças – disse dirigindo-se de novo aos menores –, que sua avó é como uma coruja e não dorme à noite? Quando o mundo inteiro vai se deitar, ela revive e começa a fazer coisas: entra na internet, cozinha receitas estranhas, entra na piscina ou liga para alguém. Até as tantas. Às vezes, sou eu que recebo essas ligações.

"Por isso, Annie, Jimmy e Laura, sei de tudo que vocês têm vivido, o que sofreram e as grandes pessoas que se tornaram. E sei que os três sabem que tudo isso nunca teria sido possível sem o estímulo dessa mulher extraordinária que preparou o jantar que agora vamos todos compartilhar. Por essa razão, quero lhes pedir que, por ela, mesmo que seja só por ela, aceitem que as coisas sejam hoje como são. Que estejamos aqui esta noite, em volta desta mesa, todos nós juntos.

"Fazer aniversário quando você é velho, crianças, não é tão divertido como quando somos pequenos. Ninguém lhe dá presentes interessantes, só livros, discos, lenços e bobagens. Mas atingir certa idade tem seu lado positivo. Você perde algumas coisas pelo caminho, mas ganha outras também. Aprende a ver o mundo de outra maneira, por exemplo, desenvolve sentimentos estranhos. Sentimentos como a compaixão. E a compaixão não é mais que querer ver os outros livres de sofrimento, independentemente do sofrimento anterior que eles nos possam ter causado. Sem cobrar nem olhar para trás. Hoje não sabemos se Paul sofre, não podemos sondar sua mente. Talvez tê-lo aqui hoje não o vá fazer nem mais nem menos feliz; se bem que dizem que as pessoas como ele nunca perdem totalmente a memória afetiva nem o paladar, e que, do seu jeito, ficam felizes com uma simples palavra afetuosa, com uma colher de sorvete ou uma carícia.

"Dizem que a compaixão é um sintoma de maturidade emocional; não é uma obrigação moral nem um sentimento que nasce da reflexão. Simplesmente é algo que, quando chega, chega. Querer que hoje Paul estivesse entre nós não é uma traição nem uma demonstração de fraqueza por parte de Rebecca. É apenas, creio, um exemplo de sua enorme generosidade. Para mim, Paul foi um grande amigo, o melhor durante um tempo. Fez por mim coisas que tomara que ninguém nunca precise fazer. Sabem, crianças, que uma vez ele até cortou minhas unhas dos pés? Tic, tic, tic, com uma tesoura enorme e muito velha que alguém lhe emprestou. Foi um grande amigo, mas isso é só uma parte dele.

"Sei perfeitamente que ele não foi uma boa inspiração como pai nem como marido, e isso é difícil de perdoar e de esquecer. Por isso, sua presença hoje não vai ajudar a superar o passado nem vai compensar o vazio de seus anos de ausência. Mas Rebecca assim quis, e eu lhes peço que respeitemos sua decisão. Paul não foi um bom pai, mas sei, porque ele mesmo me disse, que na desordem de sua vida e do seu jeito peculiar, amou muito a todos, demais. Até o último momento em que em sua mente teve um rastro de luz.

"Não quero me estender, que o peru já está pedindo aos gritos que o comamos de uma vez por todas. Hoje é dia de Ação de Graças e acho que todos os presentes, apesar do que o passado nos fez sofrer, temos muitas coisas pelas quais expressar nossa gratidão. O que não sei bem é a quem devemos agradecer, porque isso é questão de cada um. Mas, pensando sobre isso, sobre a quem poderíamos hoje agradecer todos juntos, me lembrei de uma velha canção que Rebecca adorava nos velhos tempos. Uma canção que está em um disco grande e preto que sei que às vezes ela põe nesse cacareco que tem no porão. Porque em suas noites estranhas, caso não saibam, crianças, sua avó também canta e dança pela casa, com a música a todo o volume e de camisola. Sim, sim, não riam: espiem-na de madrugada, vocês vão ver. Essa canção de que falei, outra avó, também um pouco louca, que se chama Joan Baez, cantava há séculos; ela a pegou emprestada, por sua vez, de outra avó louca, que se chamava Violeta Parra. A canção tem letra em espanhol e se chama "Gracias a la vida". E, em resumo, agradece por tudo que nos ajuda a ser felizes a cada dia. Os olhos para ver as estrelas, o abecedário para compor palavras lindas, os pés para percorrer cidades e charcos e todas essas coisas cotidianas, enfim, que algumas pessoas já não têm e pelas quais devemos estar agradecidos, nós, que ainda temos a sorte imensa de poder manter.

"Por isso, embora às vezes os tempos sejam difíceis, no fim sempre temos essas pequenas coisas, então vamos todos, neste dia de Ação de Graças, agradecer à vida com força, com vontade. Em espanhol e em inglês. *Gracias a la vida! Here's to life!*"

As reações diante do fim do discurso foram as mais díspares. As crianças, encantadas com a retórica e os gestos daquele espontâneo comediante barbudo que parecia conhecer todos os segredos do passado da família, gritaram a plenos pulmões um monte de *gracias a la vida* enquanto jogavam os guardanapos para cima gargalhando. Annie saiu correndo escadas acima enquanto Laura, de mãos dadas com seu marido, continuou derramando o pranto silencioso que havia começado muito tempo antes. Rebecca e Daniel se fundiram em um abraço, a namorada de Jimmy e eu trocamos olhares que misturavam o desconcerto com a emoção contida. A babá japonesa, sem compreender nada do que estava acontecendo ali, disparava sua câmera digital em todas as direções, e, enquanto isso, a enfermeira Betty, vendo que ninguém parecia ter pressa para começar a jantar, decidiu se encarregar ela mesma de cortar o peru. Só Paul permanecia alheio a tudo, até que seu filho Jimmy se levantou de seu lugar e foi ocupar a cadeira que Daniel havia deixado livre ao abraçar Rebecca. Com uma doçura imensa, pegou a mão do pai e acariciou seu rosto. Então, julguei perceber de soslaio que – muito, muito levemente – Paul sorria.

Dois potes cheios de sobras do jantar não foi a única coisa que levei da casa dos Cullen ao voltar ao meu apartamento na noite de Ação de Graças. Também levei comigo uma sensação moderadamente doce difícil de descrever, um sutil sopro de otimismo que não sentia fazia muito tempo. Um otimismo difuso, sem projeção em nada específico. Apenas na certeza de que tudo, em algum momento, pode melhorar.

Além de comida para vários dias e o ânimo positivo, naquela noite também obtive dois pequenos planos para manter minha vida social ativa. Um proveio de Rebecca e suas filhas: shopping, para cumprir a tradição do dia seguinte ao *Thanksgiving*.

— Assim você poderá comprar presentes para quando voltar para a Espanha no Natal. Porque vai voltar para o Natal, não vai?

A pergunta de Rebecca, de supetão, enquanto terminávamos de limpar a cozinha, pegou-me desprevenida. Quando consegui reagir, mantive a atenção concentrada em secar uma molheira, como se aquela tarefa mínima requeresse meus cinco sentidos.

— Não sei, veremos.

Não a estava enganando; eu não tinha ideia do que ia fazer quando acabasse de processar o legado de Fontana. E cada vez faltava menos. Com o fim de minha obrigação profissional, desapareceriam minhas responsabilidades na universidade. Já não haveria pretexto para estender mais a estada; mas, às vezes, havia me passado pela cabeça a ideia de entrar em contato com a FACMAF, a fundação que financiava meu trabalho, para consultar a possibilidade de obter outra bolsa de estudos similar. De fato, embora não fosse absolutamente necessário para o desenvolvimento do meu trabalho nem fizesse parte dos requisitos, muitas vezes eu havia pensado que talvez fosse conveniente me dirigir a eles para lhes comunicar que tudo estava em ordem. Algumas vezes pensei em pedir o endereço ou o telefone a Rebecca, outras vezes pensei em falar sobre isso com Luis Zárate. Mas sempre me aparecia algo diferente pela frente, e, por esquecimento, por pressa ou por simples preguiça, nunca cheguei a fazê-lo.

Por outro lado, porém, eu sabia que mais cedo ou mais tarde teria de voltar. Queria ver meus filhos, tinha de voltar a minha universidade, e, em algum momento, apesar de minhas reticências, teria de enfrentar Alberto cara a cara e falar com ele. Minha estada na Califórnia estava sendo um bálsamo, uma cura doce para as feridas que ele havia me causado. Mas, embaixo daquele confortável curativo estava a crueza da vida real, e cedo ou tarde eu a teria de assumir em toda a sua dimensão.

A segunda proposta foi de Daniel ao me levar para casa naquela noite, quando, ao chegar ao meu apartamento, perguntou-me sobre meus planos para o fim de semana.

— Amanhã vou fazer compras com as Cullen. Disseram que é o grande dia de compras do ano, o *Black Friday*, não é? Insistiram que não posso perder.

— Claro que não, será uma extraordinária experiência cultural. América do Norte pura na veia.

— E no sábado, vou fazer uma pequena excursão. Rebecca vai me emprestar o carro, quero visitar Sonoma.

— A cidade de Sonoma ou o vale de Sonoma?

— A missão Sonoma, San Francisco Solano, o fim do Camino Real. Estou há várias semanas lendo sobre missões nos papéis de Fontana e gostaria de ver pelo menos essa. E, aliás, a Missão Olvido sobre a qual me perguntou outro dia ainda não apareceu.

— Eu imaginava. E você tem de ir necessariamente neste sábado?

— Não, posso ir em algum outro momento. Mas é que este fim de semana não tinha nada melhor em vista. Por que pergunta?

Ele havia descido do carro para me acompanhar até a porta; continuávamos falando em frente ao meu edifício, iluminados apenas pela luz fraca da fachada e cercados por um silêncio pouco comum. Diante da fuga coletiva dos estudantes para comemorar aquela noite com suas famílias, tudo em volta estava anormalmente sossegado. Quase não passavam carros, nem saía música maçante do estacionamento da loja de conveniência próxima onde à noite as pessoas costumavam se abastecer de álcool, nem havia risos nem gritos nas varandas das casas vizinhas onde as festas eram o pão nosso de cada dia.

— Porque eu gostaria de acompanhá-la, mas neste fim de semana não posso. Volto amanhã para Santa Bárbara, outro jantar me espera em minha casa, uma espécie de Ação de Graças um pouco *sui generis*. Este ano não quis perder o reencontro com Paul e sua família, por isso deixamos o outro jantar para amanhã.

— Quer dizer que vai ter de comer peru dois dias seguidos.

— Na realidade, o peru é um simples pretexto para alguns velhos amigos se reunirem e colocarem mil coisas em dia. Bebemos como cossacos, jogamos pôquer e consertamos o mundo; isso é o que basicamente fazemos. Uma versão do tradicional dia de Ação de Graças um pouco marginal e bastante irreverente, para ser delicado. Se quiser ir comigo, está mais que convidada: você seria a primeira mulher que tem a honra de compartilhar essa noite com meia dúzia de trogloditas cheios de uísque até as orelhas.

— Obrigada, mas não — recusei contundente. — Péssimo plano.

— Eu imaginava. Mesmo assim, aviso que você poderia aproveitar para ver a missão de Santa Bárbara, em vez da de Sonoma.

— A rainha das missões — esclareci.

— Assim a chamam, de fato. Na verdade, eu moro relativamente perto, poderíamos...

Minha negação sem palavras o fez desistir.

— Certo, retiro a proposta. Mas na terça-feira estarei de volta, então, se me esperar e não for sozinha a Sonoma depois de amanhã, poderemos ir juntos no fim de semana que vem. Inclusive, se der tempo, podemos tentar visitar alguma outra missão, mas não lembro se há outra nessa região ao norte da baía.

— Sim, há outra, a vigésima. San Rafael Arcángel. Fundada pelo padre Vicente de Sarriá.

— Você está me deixando impressionado — disse ele com uma gargalhada. — O que andou fazendo nestes dias que não a vi, um doutorado em missões?

— Documentação de base, o que você me sugeriu.

— Documentação de base? Foi assim que ensinaram você a se documentar na Complutense?

— Não — respondi contundente. — Esse jeito de trabalhar fui aprendendo sozinha, quebrando pedra ao longo de muitos anos. Ligue-me então quando voltar. E obrigada por me acompanhar.

Subi as escadas para meu apartamento com uma inquietação indefinida na cabeça. Algo acontecera nos últimos momentos da conversa que eu havia estranhado, mas não conseguia identificar o quê. Algo que destoava, que não se encaixava. Já estava com a chave na fechadura quando me dei conta. Desci correndo as escadas e fui de novo para a rua no instante em que ele arrancava com o carro.

— Daniel!

Freou de repente depois de percorrer apenas alguns metros; abriu o vidro.

— Como sabe que estudei na Complutense? — gritei da porta.

Não se aproximou, apenas me respondeu por trás do volante, usando a mesma técnica que eu havia utilizado para me dirigir a ele. Gritando na noite.

— Devo ter imaginado. Fontana passou por ali. E eu também, durante um tempo. E outra pessoa querida que certa vez conheci na Espanha. Na época, chamava-se ainda Universidade Central. Provavelmente coloquei-a no mesmo saco sem perceber.

CAPÍTULO 23

O Professor Cabeza de Vaca esperava-o em sua sala como se nada houvesse acontecido entre uma visita e outra. Mantinha o aspecto elegante por trás de sua mesa de nogueira, as densas cortinas detinham a luz da manhã, o arquivo e o crucifixo de marfim ocupavam seus lugares em perfeito estado de revista.

— Bom, rapaz, alegro-me por tê-lo de volta por fim — disse estendendo-lhe a mão sem se mover de sua cadeira. — Já estamos em meados de fevereiro e não soube nem uma palavra de você desde antes do Natal. Imagino que sua incursão no velho Cantón deva ter sido uma experiência intensa.

Apesar do esforço, nem uma só imagem dos cenários literários que fora buscar e que jamais chegara a conhecer surgiu na mente de Daniel. Em seu lugar apareceu uma sequência prolongada de imagens e sensações. O rosto de Aurora, os olhos de Aurora, o cheiro de Aurora. Sua ternura infinita, seu riso grande, sua voz.

— Intensa, senhor, isso mesmo — conseguiu dizer após engolir em seco. — Uma experiência muito intensa.

— Suponho, então, que deve ter voltado a Madri conhecendo profundamente o cenário geográfico do romance de Sender.

Assentiu sem palavras. Estava mentindo, era evidente. Mal havia passado pelos cenários de *Míster Witt en el Cantón*. Em vez disso, aventurara-se a explorar o território da mulher que ali o cativara. A pequena cicatriz na bochecha, a suavidade de seus lábios e aquelas quatro pintas bem no lugar onde o cabelo começava a nascer. A doçura de seus dedos nas carícias e o sabor de mar que em Madri, a cem léguas de um litoral, mantinha eternamente colado à pele.

— E suponho que também deve estar familiarizado com os acontecimentos históricos registrados no livro.

Tornou a assentir. Tornou a mentir. Os únicos fatos de importância perpétua que haviam ficado gravados em sua memória foram os que tinham a ver com Aurora. Aquele primeiro encontro na farmácia de seu pai enquanto tentava ajeitar seu cabelo rebelde. Os passos dele atrás dela se negando febrilmente a perdê-la. O reencontro no meio da rua no dia seguinte, capturado pelos cílios de seus olhos cinza sem saber o que fazer nem o que dizer. Sua amargura furiosa com a passagem dos três reis, quando intuiu erroneamente o que não era verdade. Aquela longa viagem de trem em que começaram a se conhecer, o início de tudo que veio depois.

— E suponho, ainda — continuou Cabeza de Vaca, ignorante absoluto dos pensamentos que assaltavam a cabeça do americano —, que já deve ter elaborado o devido relatório sobre seus achados e suas reflexões.

A resposta, dessa vez, foi um pigarro. Depois, incapaz de continuar mentindo, Daniel murmurou algo ininteligível.

— Não entendi, Carter. Fale claro, por favor.
— Não consegui, senhor.
— Ainda não entendo. O que não conseguiu fazer? Encontrar dados relevantes para seu trabalho ou redigir o relatório pertinente?
— Nenhuma das duas coisas.

Cabeza de Vaca mostrou sua surpresa com um gesto. Um gesto elegantemente adusto, um simples franzido de canto de boca. Suficiente.

— Teria a gentileza, se não for inconveniente, de me explicar a razão?

Daniel tornou a pigarrear.
— Assuntos pessoais.
— Pessoais quanto?
— Altamente pessoais, senhor.

As esperas infinitas na porta da Faculdade de Farmácia ansiando vê-la descer os degraus correndo, carregada de livros nos braços com o casaco ainda malvestido. As ligações a qualquer hora para dizer uma simples bobagem, os longos beijos escondidos em qualquer canto a meia-luz. Os mil passeios de mãos dadas pelas ruas de Madri enquanto tentavam se ensinar mutuamente seus idiomas respectivos, separados por um oceano e de repente aproximados pela força do amor. Aurora ensinava a ele vocábulos de ciência e laboratório, frases do dia a dia e palavras com sabor de família, infância e pátio de colégio. Daniel ensinava a ela substantivos simples, verbos e adjetivos elementares em seus primeiros passos para o inglês por meio do amor. *Aurora is beautiful, Aurora is gorgeous. I love Aurora from the morning until the night.*[7]

Como contar tudo isso ao minucioso filólogo? Como aquele medievalista mutilado, perdido em seu mundo de códices e pergaminhos, poderia entender o frio desolador que sentia dentro de si cada vez que caminhava sozinho chutando pedras debaixo da luz dos postes após deixá-la na faculdade às dez?

---

7 Aurora é bela, Aurora é linda. Eu amo Aurora desde de manhã até à noite. (N. E.)

O que poderia saber sobre como se sentia noite após noite trancado em seu quarto, deitado em sua cama remendada, evocando no escuro seu corpo de ossos longos, sua pele lisa, seu calor.

O pigarrear dessa vez veio do professor. E depois dele, uma pergunta. Um tanto retórica, certamente. Mas pergunta à espera de resposta, afinal.

— Estamos falando de uma dama, talvez?

Impotente diante do inevitável, Daniel assentiu.

— *Homo sine amore vivere nequit...*

— Perdão?

— O homem, Carter, não pode viver sem amor. E menos ainda em uma terra estranha.

— Eu... bem, na verdade...

— Não se esforce, rapaz, não tenho intenção de adentrar sua vida privada. Mas, se me permite, gostaria de lhe dar um conselho.

Intuía o que ia lhe dizer. Não esperava uma reprimenda acre, esse não era o estilo de Cabeza de Vaca. Mas antevia uma lição de moral. E com razão. Lembre-se de que assumiu responsabilidades e obrigações, julgou ouvir antes do tempo. Lembre-se de que a bolsa de estudos Fulbright de que está usufruindo tem o objetivo de financiar um projeto acadêmico, e não uma aventura amorosa. Lembre-se de que tanto o professor Andrés Fontana como eu depositamos toda a nossa confiança em você. Dedique-se, por ora, ao que realmente é importante para sua carreira. Esqueça os amoricos e concentre-se no trabalho.

Porém, essas palavras não saíram da boca do velho cavalheiro *requeté*. Nem sequer outras diferentes que transmitissem uma mensagem parecida.

— Mas, antes, tenho uma pergunta. Com a mão no coração, tem certeza de que não se trata de um *ave de paso*?

— Uma ave, tipo um pássaro, quer dizer? — perguntou confuso.

— Receio que sua sensibilidade metafórica não está muito afinada hoje, jovem. Permita-me que reformule a pergunta em outros termos: tem certeza de que não se trata de mero *arrebatamiento* passageiro?

— Acho que também não compreendo o significado dessa palavra, senhor — reconheceu sem conseguir ocultar seu desconforto. — *Arrepatamiento*, disse?

Cabeza de Vaca deteve em seco o desatino linguístico; depois, acumulando paciência, tentou se explicar com mais precisão.

— Estou perguntando se realmente existe, da parte de vocês, vontade de compromisso, um desejo férreo de superar as adversidades conjuntamente. Afã de perduração e luta comum diante dos infortúnios que a vida lhes reserve, que, tendo em conta suas particulares circunstâncias, e se me permite que lhe seja totalmente franco, antevejo que serão vários.

Daniel se remexeu incômodo na cadeira, incapaz de assimilar aquelas perguntas que a cada vez lhe pareciam mais desconcertantes. Vendo que nem as metáforas nem os eufemismos pareciam levá-lo a lugar nenhum, o professor decidiu ser direto.

— Para que me entenda de uma vez por todas, rapaz: tem certeza de que ela é a mulher da sua vida?

Por fim. Por fim compreendeu. Por fim não hesitou.

— Cem por cento, senhor.

— Pois, então, meu amigo, não a deixe escapar.

Apoiado em sua muleta, da janela contemplou-os enquanto se afastavam com o passo despreocupado dos imunes a qualquer risco além da periferia de seus sentimentos. O braço dela enlaçando com força a cintura dele. O braço dele em volta dos ombros dela, atravessando seu cabelo alvoroçado, atraindo-a para si. Intuía que falavam sem trégua sobre o que havia ocorrido minutos antes entre as paredes de sua própria sala.

Vira-os se beijando ao pé da escada de entrada, alheios ao mundo sob o sol morno de inverno enquanto o ar revolvia as páginas do caderno de bromatologia em que Aurora estivera estudando durante a espera. Depois, ela sussurrou algo em seu ouvido, ele riu a gosto e tornou a beijá-la. Cabeza de Vaca conhecia de sobra a efemeridade da felicidade, a simplicidade brutal com que as armadilhas do destino são capazes de levar pela frente o que julgamos duradouro e ilusoriamente estabelecido. Contudo, teria dado a única perna que lhe restava inteira para tornar a sentir na alma a sensação da paixão grandiosa e confiante de qualquer um dos dois.

Entre aulas e carícias, provetas, promessas e bibliotecas, diante de Daniel Carter e Aurora Carranza a primavera por fim começou a despontar. Dia a dia também, sem quase perceber, de tanto tentar abrir os olhos daquele jovem americano apaixonado pela Espanha, por suas letras e por uma mulher, o medievalista mutilado e melancólico foi tirando a cabeça para fora de sua caverna. E viu que lá fora havia luz. Que o mundo avançava, que as feridas se curavam, que as pessoas se amavam.

Até que chegou o feriado da Semana Santa e o momento em que Aurora, irremediavelmente, teve de voltar para casa. Despediram-se na mesma plataforma da estação de Atocha que os recebera juntos depois daquela viagem de trem que para os dois pareceu durar apenas o tempo de um suspiro. Três meses intensos ficavam para trás agora, onze dias de separação os aguardavam. Vou sentir saudades, eu mais, eu mais ainda, lembre-se de mim, e você também, já estou me lembrando...

Daniel, previdente, fez-se o firme propósito de aproveitar aqueles dias ao máximo. Desde o encontro de fevereiro com Cabeza de Vaca propusera-se a se concentrar de novo. E conseguira. Com Aurora sempre perto e seu amor por ela intacto, mas sem perder a perspectiva nem a razão, fora capaz de retomar seu trabalho com passo firme. Até que ela partiu, e seus planos desmoronaram assim que sentiu sua ausência. No terceiro dia sem ela, tudo deixou de lhe interessar. Incapaz de avaliar o peso de sua primeira separação, não havia previsto quanto sentiria sua falta. Optou, então, por ficar em casa, sentindo saudades excruciantes dela, como se o ar lhe faltasse. Esperando uma ligação dela, ou uma carta totalmente impossível, visto a proximidade de sua partida. Avaliando o futuro também.

— O que é que está acontecendo com você, meu filho, passa o dia todo trancado feito alma penada de cá para lá?

A pergunta da viúva demonstrava inquietude. Preocupação maternal, quase. Enquanto cozinhava, ouvia Daniel entrar e sair de seu quarto constantemente, incapaz de se concentrar mais de dez minutos seguidos na simples leitura de um livro. Enquanto passava, via-o andar de cara fechada por todos os cantos da casa como um leão enjaulado, abrindo e fechando portas sem tino, resmungando, mudando as coisas de lugar só por mudar. Bem cedinho saía para correr pelas pistas de atletismo da Cidade Universitária, uma prática dos tempos de Pittsburgh que havia retomado quando se assentara em Madri. No meio da tarde ia ao café Viena para tomar, no máximo, um café com leite. No resto do dia, era incapaz de se concentrar em nada além dos pensamentos que ocupavam sua cabeça.

— É por causa dessa garota com quem você anda se enroscando desde depois do Natal, não é? A loirinha alta e magra do casaco azul com quem por fim o vi na semana passada pela rua Altamirano — perguntou enquanto salpicava umas gotas d'água com os dedos sobre uma das camisas dele.

— A senhora acha que ela irá comigo para a América quando eu tiver de ir embora? — perguntou à queima-roupa.

Não, filho, não, foi o que quase disse. Há que ser muito inocente para acreditar em uma coisa dessas. Mas, antes de abrir a boca, deu um descanso ao ferro de passar e olhou para ele.

Ele havia pegado uma mexerica da fruteira de cerâmica que ficava no centro da mesa da sala de jantar e a descascava lentamente, com a vista baixa e o cabelo caindo sobre o rosto, concentrado em arrancar a pele rugosa como se por trás dela fosse encontrar alguma solução para seu penar. Tão bom moço, tão forasteiro, porém, já tão próximo, pensou a viúva. Com essa envergadura, para a qual tudo na casa ficava pequeno para ele. Com esse sotaque e esse jeito de ver a vida, que lhe parecia estranha e doce ao mesmo tempo.

— Até o último fio de cabelo — disse a viúva sentando-se à frente dele.
— O quê?
— Você se apaixonou até o último fio de cabelo, criatura.

Ainda não tinha essa expressão anotada em seu caderno de vocabulário, mas intuiu o que queria dizer.

— Acho que sim.
— E anda calculando o tempo que falta para voltar a sua terra e a conta não bate.
— Menos de três meses, isso é tudo que me resta.

O retrato apagado do casamento de Antonia com o falecido Marcelino e a imagem do mês de março no calendário de Julio Romero de Torres contemplavam-nos da parede, como sempre. O rádio tocava baixinho Marifé de Triana, *Torre de arena: como un lamento del alma mía, son mis suspiros, válgame Dios, fieles testigos de la agonía, que va quemando mi corazón.* Se Daniel houvesse prestado um pouco de atenção à *copla*, teria se sentido cúmplice da cantora.

— Porque imagino que, mesmo que quisesse, não poderia ficar por aqui... — sondou a viúva medindo as palavras.
— Fazendo o quê? Como vou ganhar a vida neste país, que futuro me espera? No máximo, poderia dar aulas particulares de Inglês, mas quase ninguém por aqui se interessa por outra língua estrangeira que não seja o francês — disse sem erguer o olhar de uma nova mexerica. Já havia descascado quatro e ainda não havia comido nenhuma. — Mas, se ela aceitasse ir comigo, depois, talvez...

Ela balançou a cabeça com um ar de resignação, suspirou e depois segurou a mão dele com a sua mão curtida e sábia por cima da toalhinha de crochê.

— Você não entendeu, Daniel, meu filho, ainda não entendeu direito.
— Não entendi o quê?
— Que não se trata de que a menina queira ir com você ou ficar aqui para o resto da vida — disse a viúva apertando com força o punho dele. — Aqui o que ela quer não importa.
— Mas...
— A questão é: ou passa pela igreja antes de ir, criatura, ou não há mais nada a fazer.

CAPÍTULO 24

Terça-feira Santa, meio-dia. Hora de voltar para casa, hora de almoçar. Três corpos avançavam a caminho de Muralla del Mar após tomar um aperitivo no Mastia, conversando sobre bobagens com a animação natural de uma família de férias reunida. Até que ela o viu. Apoiado na balaustrada, com o mar atrás, à espera. Confusa, aturdida quase, pediu licença a seus pais.

Ele se enterneceu de novo ao ver seu cabelo e seu rosto, ao observá-la se aproximar com seu caminhar elástico, ao ter de novo diante de si essa boca pela qual teria vendido a alma ao diabo sem hesitar. Com dificuldade controlou a vontade de beijá-la.

— Que está fazendo aqui? — Foi só o que ela conseguiu sussurrar. O tom de sua voz delatava uma mistura de nervosismo e angústia.

— Vim lhe pedir que se case comigo — disse aproximando a mão de seu rosto. Ela o deteve. A carícia e a proposta matrimonial, as duas ficaram inconclusas.

— Aqui não, Daniel, assim não... — balbuciou.

— Não posso voltar para meu país sem você, tem de vir comigo.

Suas explicações poderiam se estender até o infinito, mas não houve tempo. Atrás deles, do outro lado da rua, ouviram uma voz. A da mãe, especificamente, chamando a filha com o tom de uma faca de combate.

— Nem se atreva, maluco... — murmurou Aurora.

Tarde demais. Quando o quis deter, ele já havia segurado a mão dela e a arrastava consigo para a calçada oposta.

— Meu nome é Daniel Carter, sou norte-americano e quero pedir a mão de sua filha.

Já havia ensaiado. Dezenas de vezes. Enquanto a caseira lavava os pratos na pia da cozinha, enquanto estendia roupa no pátio central ou provava em frente ao fogo o sal das lentilhas, ele, à espera de correções, havia torturado seus tímpanos repetindo sua proposta como uma ladainha. Por isso a frase saiu redonda. Nota dez. Porém, para a reação deles não estava preparado.

O farmacêutico Carranza ficou sem fala, incapaz de articular algo coerente enquanto olhava para os cúmplices naquele desatino com ar de incredulidade. A mãe, irada, com o semblante contraído, pura classe e domínio por trás do broche de pérolas na lapela, por fim sentenciou:

— Acho que o senhor está muito confuso, jovem.

Depois, avaliou-o de cima a baixo com arrogância.

— Peço-lhe que faça o favor de nos deixar em paz — acrescentou.

— Senhora Carranza, eu...

Nem se dignou a olhar para ele.

— Para casa, Aurora — ordenou com voz de comando.

— Não — respondeu ela, teimosa, segurando o braço de Daniel com as duas mãos.

— Para casa agora mesmo, já disse — repetiu com mais brio.

— Senhora, só um momento...

Ignorou-o altiva outra vez. Passaram pela rua alguns transeuntes; não pararam, mas de soslaio observaram a cena com curiosidade. Ela lhes dedicou um breve cumprimento e um sorriso mais falso que nota de três dólares. À medida que se afastavam, tornou a se concentrar nos dois.

— Não arme um espetáculo no meio da rua, Aurora — murmurou entre os dentes tentando conter a ira. — Será que todo mundo ficou louco? De onde saiu esse descarado, o que está fazendo com ele? Para casa imediatamente, não vou repetir mais.

— Não pretendo ir embora até que o escute.

— Aurora, minha paciência está acabando...

— Senhora, eu imploro... — insistiu Daniel pela terceira vez.

— Já disse que nos deixe em paz! — berrou então, à beira da histeria. Os transeuntes voltaram a cabeça a distância, e ela, alterada, baixou a voz sem diminuir nem um milésimo sua acidez. — O que passou por sua cabeça, por Deus?

Nesse exato momento, Aurora, incapaz de suportar a pressão, começou a chorar. Incontida, desconsolada, vertendo com suas lágrimas uma mistura de frustração, raiva e tristeza. Daniel quis abraçá-la, protegê-la e abrigá-la, mas nessa ocasião foi o pai quem, firmemente, o deteve.

— Vá embora de uma vez, faça o favor — disse com autoridade enquanto atraía Aurora para si. — Venha, filha, vamos embora também.

Entendendo que sua ousadia havia lhe custado algo que não calculara, Daniel por fim foi sensato.

— Depois nos falamos... — disse a Aurora como despedida.

A voz da mãe, séria, ouviu-se de novo:

— Sobre este assunto já está tudo falado! De jeito nenhum vamos permitir que nossa filha mantenha um relacionamento com um forasteiro desconhecido, entendeu? Que absurdo! Não torne a se aproximar dela. Jamais!

— Mas vocês têm de me ouvir, mesmo que seja em outro momento, por favor. Eu só quero...

Suas palavras caíram no vazio; antes de completar a frase, os três já haviam empreendido o breve caminho que os separava de casa. A mãe, irada ainda. O pai, mudo e reflexivo. E Aurora, sua Aurora, banhada em lágrimas, afogada em um pranto sem consolo nem fim.

Contemplou-os desconcertado enquanto se afastavam; sobre sua cabeça algumas gaivotas gritaram. E, pela primeira vez, começou a hesitar. Nos mais de seis meses que estava na Espanha, sempre havia se esforçado para encontrar um argumento razoavelmente válido para os mil comportamentos carentes de razão que com frequência havia presenciado. A submissão do povo, a falta de reação e de espírito crítico, o orgulho obstinado. O estancamento refratário diante do progresso e essa lógica carola de chavão incompatível com qualquer vislumbre de modernidade. Obediente aos conselhos de Cabeza de Vaca, porém, tentara evitar os simples casos populares e a superficialidade mais banal. Sempre tentara encontrar uma justificativa para tudo, uma razão que respaldasse o indefensável ou tornasse digerível o complexo. Muitas vezes aplicara um indulto mais que generoso quando as cotas do absurdo eram impossíveis de aceitar. Respeite este povo, rapaz, não nos julgue de forma simplista, pedira-lhe o velho *requeté* no primeiro encontro que tiveram em Madri. Assim fez Daniel Carter. Até que aquela maneira de ver o mundo pela lente da condescendência deixou de afetar só o alheio e se voltou contra ele com uma mordida na jugular. Então, doeu. E então, mesmo lutando contra, não teve mais remédio que reconhecer que a alma de sua pátria de acolhida podia se tornar também ingrata e injusta.

Naquela tarde não houve jeito de tornar a ver Aurora. Desde cedo a esperou em frente a sua casa, mas ela não saiu. Nem apareceu em nenhuma janela, nem sua silhueta se recortou em nenhuma varanda. Ligou para ela de um bar barulhento com uma ficha de telefone que pediu a um garçom atrás do balcão. Uma voz áspera lhe respondeu que não estava; ele soube que era mentira. Procurou-a, sem sorte, na farmácia também, já imaginando que só encontraria nela Gregorio e sua clientela de portadores de achaques e problemas vários. Depois, saiu andando desorientado, entristecido, sem entender. Cruzou com homens vestindo longas túnicas e cones de papelão debaixo do braço, com mulheres de preto e mantilha, e recordou os dias felizes de Madri em que Aurora lhe falara com afeto da Semana Santa de sua cidade. Dessa celebração que ele imaginou impressionante e que agora, sem entender nada e por conta de seu humor, começava a lhe parecer cada vez mais sinistra. Própria de gente ancorada nos tempos das cavernas, pensou com sua mente de americano procedente de uma grande cidade industrial. Gente como o casal que nessa mesma manhã o havia desprezado sem sutilezas, por exemplo.

Enquanto lutava para conciliar esse sono que às duas da manhã ainda resistia, pouco poderia suspeitar que a nata de Cartagena já sabia que um estrangeiro de reputação incerta havia pedido a mão da filha dos Carranza no meio da rua. Nunca chegou ao seu quarto do albergue o rumor que corria pela cidade desde o confronto com os pais na Muralla, pulando das melhores bocas às orelhas mais seletas. É como estou contando, no meio da rua, sim, sim, Marichu quase teve um troço e Enrique ficou sem palavras, como não ia ficar, um mochileiro ou sabe Deus o quê, nem ofício nem benefício, dizem que é um malandro, desfaçatez, a questão é que ele é bonitão, mas veja você que plano, ninguém sabe de onde ele saiu, que descaro, um aproveitador, onde vamos parar, vai ver que é comunista, com certeza protestante também, ou ateu, não sei o que é pior, e a menina se trancou no quarto e diz que não sai, que insolência e que pouca-vergonha, isso é o que acontece por mandar as meninas estudarem na universidade; e então, com que artista você disse que ele se parece?

Ainda não eram nove da manhã do dia seguinte quando já estava de novo na Muralla, semioculto na distância atrás de uma palmeira, alternando seu foco de atenção entre o mar luminoso e a entrada do edifício de Aurora. Às nove e quarenta e cinco viu o farmacêutico Carranza sair. Sozinho. Meia hora depois, a mãe com um dos filhos pequenos, o rapaz com uma cara de raiva fenomenal.

O cenário estava se abrindo, mas decidiu aguardar um pouco mais. Após a longa espera do dia anterior, conhecia de cor as janelas e varandas do prédio dos Carranza, as peculiaridades de sua arquitetura e a cara de poucos amigos do porteiro, um homem fraco que atendia pelo nome de Abelardo e que, sabedor da tensão que fervia no edifício e adestrado pela mulher do farmacêutico, vigiava o acesso com zelo de cérbero.

Mais de uma hora e meia ficou confiando em uma virada da sorte, acompanhado só por seus pensamentos e as gaivotas que sobrevoavam o porto. Longa hora e meia de espera densa, até que a chegada simultânea do carteiro, de um entregador e de dois marinheiros carregando um grande pacote colapsou o trecho de rua em frente à entrada por alguns segundos. Temos de entregar isto no domicílio do coronel Del Castillo, este certificado é para a esposa de Conesa, assine aqui, por favor, muito bem, Abelardo, o Osasuna perdeu de três a zero, ora, você está preparado com os palpites, desse jeito não vamos ganhar na loteria nunca na vida, ajude-me com este saco de batatas, ande, e vou dizendo que quem vai ganhar é o Betis-Celta, fique sabendo de uma vez...

A oportuna congestão de comentários futebolísticos e de algumas responsabilidades secundárias criou a oportunidade. Gento? Gento, está dizendo? Vamos, homem! Onde Kubala estiver...

Foi a conta. Antes que Abelardo pudesse dar seu parecer sobre os passes do húngaro, o americano, com quatro passos sigilosos, já estava dentro.

O edifício tinha elevador, mas optou por não o usar. Arrebatado, com a urgência pulsando em suas têmporas, subiu os degraus de três em três até o segundo andar. Uma vez ali, porém, a confusão o invadiu. Passara a manhã inteira ansiando por esse momento, e, uma vez alcançado, hesitou. Duas portas o esperavam, identicamente trancadas enquanto ele se debatia. Seria melhor bater imediatamente? Esperar que alguém saísse e perguntar discretamente, talvez? O tempo corria contra ele, as vozes da conversa esportiva haviam deixado de se ouvir na rua. O elevador foi acionado, alguém estava subindo. Para sua sorte, o desconcerto durou só o tempo que a porta da esquerda levou para se abrir. Então, ouviu uma voz dirigida ao interior da moradia, antecipando-se à imagem de sua proprietária.

— Sim, sim, não vou esquecer, mas como vocês são chatos... Até logo, adeus, adeus...

Aquela idosa ossuda e esplêndida de cabelo espumoso ia acrescentar mais alguma coisa quando o viu. Daniel, em resposta, não soube o que fazer. Tarde demais para evaporar, desconcertado demais para agir com lucidez. No fim, decidiu não se mover e ficar à espera. Penteando-se rapidamente com os dedos, esticando os punhos da camisa por baixo das mangas do paletó, ajeitando o nó da gravata que havia posto em um esforço para se mostrar apresentável, na expectativa cega do que a temerária ocasião lhe acabara oferecendo.

Surpresa com a presença do forasteiro no hall, a mulher teve um breve calafrio, e com rapidez de reflexos levou um dedo à boca e murmurou um sonoro sssssssshhh. Emergindo de uma estola de marta-zibelina e um colar de pérolas de duas voltas, Daniel reconheceu a avó de Aurora, aquela que ele havia visto de relance na estação. Basca de nascimento, um tanto peculiar, recordou imediatamente o que Aurora lhe havia contado. Conhecida por todos como Nana.

— O senhor é o americano que deixou minha neta transtornada, não é? — sussurrou em um arroubo.

— Sim, senhora. Acho que sou eu.

Não havia tempo para apresentações formais nem para desfazer mal-entendidos: preferiu ficar como um estrangeiro sedutor a perder a oportunidade de a idosa lhe fornecer alguma informação sobre Aurora e os acontecimentos na família.

— Pois saiba que a menina está que não vive, minha filha está feito uma medusa e nesta casa não há cristão que aguente nem mais um minuto — continuou já sem a menor discrição. — Eu disse que vou dar uma volta, que tenho muitas coisas para fazer na rua, mas a verdade é que só ia dar uma fugida. Mas eu gostaria de falar com o senhor, meu jovem, de modo que, se quiser conversar comigo um pouquinho, espere-me daqui a meia hora no Gran Bar.

E com uma mão enérgica e antiga de unhas perfeitas, indicou-lhe a escada. O tilintar das moedas de ouro que pendiam de sua pulseira vinho ordenou a Daniel que saísse dali voando.

— Minha filha é uma antiquada e meu genro, um pão sem sal — foi a primeira coisa que disse após expulsar uma longa baforada de fumaça.

Daniel a vira entrar e se levantara para recebê-la. Puxou a cadeira para que se sentasse e lhe ofereceu o isqueiro quando ela colocou o cigarro que ele lhe oferecera em uma piteira de marfim.

— São mais chatos que pão sírio, e não vai ser fácil fazê-los mudar de opinião, de modo que vai ter de ganhar a pulso se quiser levar a menina para as Américas.

A incrível tranquilidade com que ela relatava intimidades ao estrangeiro desconhecido, que supostamente era um rival da honra da família, deixou-o desconcertado.

— Eu também tive oportunidade de atravessar o oceano quando era jovem, sabe, querido? — continuou após um gole de vermute. — Tive um pretendente que foi para a Argentina, como se chamava... Ai, ai, ai, como se chamava... Ro... Ro... Romualdo, isso, Romualdo, Romualdo Escudero de la Sierra era seu nome, isso, e não pense que ele foi embora porque as coisas iam mal aqui, não, não, não, longe disso. Ele era de uma família maravilhosa, formidável, esplêndida, mas foi embora porque era um aventureiro, um visionário, um empreendedor que montou lá um negócio fabuloso de... de... — A momentânea falta de memória pareceu contrariá-la por alguns segundos, mas continuou a conversa ignorando o dado. — Bom, de qualquer coisa, tanto faz. O caso é que se encheu de ouro, mas de ouro, de ouro puro, viu? Contaram-me que tinha edifícios inteiros na rua Corrientes, e uma fazenda em La Pampa, e não sei quantas coisas mais; mas sabe de uma coisa? — perguntou impetuosa.

— Não, não sei — respondeu Daniel sem intuir aonde a idosa pretendia chegar com aquela história excêntrica.

— Muitos anos depois, fiquei sabendo que nunca se casou, de modo que às vezes penso que talvez tenha sido porque passou a vida toda se lembrando de mim. Eu, na verdade, não senti muito sua falta quando foi embora, porque nem me passou pela cabeça ir com ele, aonde queria que eu fosse, na época se vivia mais que bem em Neguri. De modo que eu lhe disse adeus, boa viagem, e fiquei bem. Mas, depois, com o passar dos anos, pensando, pensando, às vezes me digo, ouça, o que teria sido de minha vida se eu tivesse aceitado aquele pretendente e ido com ele para a Argentina? Com certeza eu dançaria tango divinamente e falaria assim como eles falam, com esse sotaque e essa coisa que o pessoal de lá tem...

Seus olhos brilhavam, de repente sonhadores, como os de uma adolescente, apesar dos quase oitenta anos acumulados em seus pés de galinha. Depois, apagou o cigarro com imensa elegância e ficou contemplando o solitário que resplandecia em seu dedo anular. Um ponto de luz em uma mão cheia de manchas, veias e rugas; um farol aluminando a penosa evidência da decrepitude. Então, baixou a voz e se aproximou do ouvido de Daniel, como se fosse lhe sussurrar sua confidência mais íntima.

— Imagine cada joia mais impressionante que nossa Aurorita herdaria agora.

Daniel demorou pouco para deduzir que aquela matriarca fogueteira e verborreica era considerada por sua filha e seu genro como pouco mais que uma idosa amalucada sem capacidade alguma para influir nas decisões do clã. O papo se estendeu, prolixo, sobre sua juventude opulenta e suas dezenas de admiradores em festas deslumbrantes ao ritmo do foxtrote. Pulou, airosa, os aspectos amargos de sua vida, aqueles que – consciente ou inconscientemente – haviam se evaporado de sua cabeça de impecável coque grisalho. A bancarrota à qual seu progenitor desajuizado levou a empresa de suplementos industriais da família após noites febris no cassino de Biarritz. Seu casamento tortuoso com um homem tirânico que jamais lhe deu uma sombra de felicidade. A mudança forçosa e precipitada para aquela terra estranha em busca de um futuro que lhes permitisse salvar os móveis ao abrigo das minas da União. A morte na guerra de seus dois filhos homens antes de completarem vinte e cinco anos. As insuportáveis dores nos ossos que a umidade do mar lhe causava no inverno e uma ou outra lembrança turva que preferiu não revelar, ocupada como estava no resgate nostálgico de uma época extinta mais de meio século antes.

Após fumar cinco cigarros seguidos do maço de Chesterfield de Daniel e beber os três vermutes que ela pediu e ele pagou, a idosa – pode me chamar de Nana e de você, querido – decidiu ir embora. Então, ajeitou a estola de pele no pescoço, guardou a piteira na bolsa com um sonoro clique e se levantou com uma distinção majestosa enquanto ele, atrás dela, puxava sua cadeira. Já instalada a cumplicidade, como despedida reformulou a ideia que lhe dera assim que chegara:

— Você é muito bonito, mas minha filha e meu genro são dois cabeças-duras e não vão consentir que você leve a menina deles fácil assim. — E então, sorriu, adorável entre suas rugas, suas distrações e seu enxame de lembranças seletivas. — Você a ama muito, não é?

Ele lhe devolveu o sorriso dando de ombros, incapaz de despir diante dela seus sentimentos na hora do aperitivo no meio de um bar.

— Assim sendo, se realmente quer tê-la ao seu lado para sempre, se eu fosse você arranjava um bom padrinho. — E para enfatizar sua ideia, deu-lhe um tapinha afetuoso no antebraço enquanto baixava levemente o tom de voz. — Neste nosso país, meu querido, tudo se consegue com um bom padrinho, lembre-se bem.

Daniel deve ter feito uma expressão estranha, que a idosa captou de imediato.

— Pense nisso, pense nisso... Deve haver alguém que lhe possa dar uma mão.

E sem lhe dar tempo para reagir, tascou-lhe nas faces dois beijos de borboleta e foi embora resoluta como se ainda tivesse dezenove anos e na porta do Gran Bar um aventureiro intrépido a esperasse para levá-la além-mar em busca de novas fortunas.

CAPÍTULO 25

O encontro com Nana deixou uma semente de alento no ânimo de Daniel. No fundo, tudo continuava praticamente igual, a conversa com Nana não havia resolvido nada nem posto em suas mãos nenhuma solução tangível. Contudo, e apesar da nula capacidade de manobra que a idosa parecia ter naquela batalha, suas palavras um tanto disparatadas haviam conseguido lhe transmitir um sopro de otimismo, uma pequena transfusão de energia para não decair.

Ao longo do caminho de volta ao albergue, foi ruminando o conselho dela ao se despedir. Que arranjasse um padrinho, recomendara. Um bom padrinho. Embora desconhecesse muitas das manobras e truques próprios do jeito espanhol de operar, suspeitava que a sugestão da velha ia além dos significados da palavra padrinho que ele já sabia de cor: pessoa que acompanha a noiva ao altar ou o recém-nascido na pia de batismo. Seu dicionário lhe deu a resposta na terceira acepção. Aquele que favorece ou protege outro em suas pretensões, melhorias ou desígnios, dizia. Captado o sentido, mas sem saber o que fazer com ele, deixou-o de molho. À espera.

Tornou a ligar para Aurora mais uma vez da recepção do albergue. Pela idosa soubera que ela se negava a falar com todos de casa, exceto com a própria Nana e Asunción, a babá da vida toda, a que lhe levava canecas de caldo, croquetes e rabanadas em uma inútil tentativa de fazê-la agir com sensatez. Mas ninguém respondeu do outro lado da linha, e na terceira tentativa sem resposta, desistiu mais uma vez. Enquanto isso, Modesto, o recepcionista, de trás de seu balcão mantinha um olho em *El justiciero del Colorado* e outro em Daniel. Entre tiros e ameaças com cheiro a faroeste, observava-o indiscretamente perguntando-se para quem o americano estava ligando com tanta insistência e por que acabava sempre batendo o telefone ao desligar, sem falar com ninguém e com uma expressão de mau humor.

— Parece que o senhor gosta de vir por estas terras, não é, amigo? — aventurou-se a dizer deixando de lado momentaneamente a chuva de balas, pó e relinchos de seu livro. Decidido a saber de uma vez por todas o que esse hóspede queria.

Assentiu gentilmente, sem dar mais explicações. Mas Modesto insistiu. Com vontade.

— Embora isto aqui não seja como a América, aqui não se vive mal, acredite, *Mister* Daniel. Não é que não amarremos cachorro com linguiça de vez em quando, para que mentir, mas a maioria se vira bem, como pode, e aos domingos sempre há futebol, e temos uns toureiros que nem conto. Há até quem tenha geladeira, uma delícia a cervejinha bem gelada... E embora ainda tenhamos de apanhar, daqui a pouco, muito pouco, esse negócio do turismo vai nos deixar ricos em dois tempos, o senhor vai ver.

Não rebateu as ilusórias previsões do recepcionista, para que acabar com suas fantasias?

— Mas em sua terra se deve viver melhor ainda, não vá me dizer que não — prosseguiu cada vez mais animado. — Com esses carrões que se veem no cinema e essas loiras com essas pernas e essas cinturas, e esses decotes, mãe de Deus, cada pedaço de mulher que deve haver por ali, hein, *Mister* Daniel? E com esses sabonetes que vocês têm, que têm cheiro de glória bendita e não se despedaçam como barro nas mãos, e esses isqueiros que parecem de prata e que nunca se apagam nem com um furacão, e essas maquininhas de barbear que deixam o rosto da gente como bumbum de nenê, não como a lâmina Palmera que usamos por aqui, que faz uns talhos e o massacram como um Cristo, mesmo que a propaganda do rádio diga que não tem rival. O senhor tem sorte de ser americano, é o que eu digo, *Mister* Daniel.

— Bom, enfim, também não é para tanto — disse Daniel tentando deter aquela verborragia fora de hora sobre as maravilhas materiais de seu próprio país.

— Como não é para tanto? Vai dizer isso para mim? Eu fico sabendo de tudo isso por meu cunhado, sabe? — prosseguiu Modesto insistente. — Entrou com seus compatriotas aí na Algameca e diz que sortudo é o pessoal da Navy, têm tudo bem organizado. Até para derrubar uma parede têm planos traçados. Agustín, meu cunhado, disse que outro dia os operários espanhóis levantaram um barraco de madeira, e quando viram que já estava firme com metade dos pregos, deram por terminado o serviço. E depois de um tempo chega o sargento americano, olha, examina e manda derrubar o barraco, desmanchar tudo e levantá-lo outra vez. Que se as instruções dizem quinhentos pregos, quinhentos pregos têm de pôr. Muito macho. E o barraco foi para baixo e para cima outra vez, com os quinhentos pregos bem colocados no lugar, haja paciência... — Estalou a língua e fez uma expressão admirativa. — São foda os americanos!

Um impulso de curiosidade agarrou Daniel e começou a sacudi-lo à medida que o recepcionista avançava em sua peroração. Base, americanos, Navy. Um triângulo com lugar para a esperança.

— Então — disse escolhendo as palavras enquanto deslizava sobre o balcão seu maço de Chesterfield em direção a Modesto —, se seu cunhado trabalha com meus compatriotas, isso significa que existem contatos cotidianos entre os americanos e os espanhóis.

— Claro que existem, *Mister* Daniel, claro que sim — replicou o recepcionista pegando dois Virginia com filtro. Colocou o primeiro nos lábios, o outro na orelha esquerda. — Pois não lhe disse que há trocentos espanhoizinhos trabalhando ali? Há pouco tempo saíram anúncios nos jornais para operários civis espanhóis, até eu mesmo entrei com os papéis, mas não me pegaram, sabe-se lá por quê, para seus documentos eu teria resolvido. Em minha guarita, com meu uniforme, como um general, você para dentro, você para fora, vejamos, você, documentação... Bah! Eu ficaria bacana ali com os americanos se me houvessem contratado.

Indiferente àquelas ilusões profissionais, Daniel, movido pela poderosa força da mais nua intuição, continuou concentrado.

— E, diga-me, Modesto, esses americanos vão e vêm, ou estão sempre por aqui?

— Eu acho que alguns moram por aqui. Pelo menos são vistos de vez em quando pelas ruas, com uns carrões, às vezes de uniforme e às vezes com camisas coloridas para fora das calças, que elegância, nem falo. Não cruzou com nenhum deles ainda?

Não. Ainda não havia cruzado com nenhum compatriota, mal tivera tempo em suas breves estadas. Ou talvez sim, mas nem sequer havia reparado, tão absorto andava com suas próprias preocupações. Recordou, então, o dia em que conhecera Aurora, quando ela mesma lhe perguntara na farmácia se era um militar da base americana. Três longos meses haviam se passado desde então. Talvez houvesse chegado a hora de conhecê-los de uma vez por todas.

— E acha que eu teria algum problema para entrar lá e falar com eles?

— Na base? Pois eu acho que vai ser difícil — respondeu o recepcionista com outro estalo da língua. — Meu cunhado disse que eles controlam tudo. As licenças, os passes... Ele mesmo fica plantado na porta e não o deixam entrar. Agora, se eu estivesse de guarda na entrada, vamos supor, e visse o senhor chegar...

A potencial conexão entre aqueles compatriotas e o apadrinhamento proposto por Nana havia começado a adquirir forma na mente de Daniel enquanto o recepcionista, esgotadas suas alucinações trabalhistas como vigia, disparava de novo sua matraca sobre a ousadia das loiras fumantes e os arranha-céus dos filmes, temperando tudo isso com um pouco de conhecimentos geográficos tirados de seus livros de caubóis e das façanhas californianas de El Coyote de Mallorquí. Até que Catalina, sua mulher, apareceu na recepção armada de um espanador e uma flanela, juntou-se à conversa e resolveu o assunto com sua sensatez peculiar.

— Mas o que você sabe de como essa gente funciona, Modesto, se só os viu de longe e entregou fora de prazo os papéis para trabalhar com eles? Agora mesmo vamos ligar para meu irmão Agustín, que à tarde ele trabalha em uma oficina aqui perto. Disque o número, ande, e pare de falar bobagens de uma santa vez.

O tal Agustín não demorou a aparecer. De macacão azul e boina, as unhas cheias de graxa ainda e mais que disposto a ajudar.

— Pois não, amigo, o que é que quer saber? Eu lhe informo rapidamente.

Ao longo dos anos anteriores, haviam começado as obras daquela estação naval, a Base Conjunta Hispano-Norte-Americana distribuída entre Tentegorra e Algameca, umas instalações que, diferentemente das gigantescas construções de Rota das quais dependiam, teriam um tamanho mais reduzido e uma titularidade que não seria exclusivamente norte-americana, e sim compartilhada.

A Marinha americana funcionava com um sistema logístico que cobria todas as suas necessidades, e seu pessoal se assentou no povoado que construíram em uma região de montanha e pinheiros separada por dois quilômetros do resto da cidade. Embora fossem morar e trabalhar de forma independente, desde o início houve a intenção de aproximação dos americanos à vida local, um comportamento estimulado pelos próprios comandos para gerar a cordialidade entre os dois povos. Para isso, organizaram tanto atos institucionais como muitos outros que, pelo devir natural das coisas da vida, precisariam necessariamente da cooperação mútua: as esposas dos *marines* americanos paririam seus filhos em clínicas locais ajudadas por parteiras espanholas e um intérprete; as crianças nacionais formariam rodinhas barulhentas em volta dos *marines* para pedir chicletes aos gritos, e alguns militares jovens e solteiros acabariam se casando com belas cartaginesas enquanto outros, talvez menos românticos, desafogavam-se nos dias de folga com as putas de Molinete, obsequiando-as depois galantemente, além dos preços regulamentares, com notas de um dólar, latas de leite condensado e um ou outro maço de Philip Morris.

Daniel conheceria todos esses detalhes ao longo dos dias seguintes e por meio de outras fontes. Naquele momento, porém, das explicações do irmão de Catalina — casos interculturais de importância similar à história dos pregos, do sargento e do barraco — só lhe interessou uma coisa: descobrir onde diabos poderia encontrar seus compatriotas e como chegar a eles.

— Pois estou dizendo, amigo — sentenciou o cunhado dando a última tragada em um Ideales desfiado —, que sem documentos nem nada disso, para mim que nem a cancela vão levantar para o senhor. Outra coisa é que encontre seus compatriotas na rua ou nos bares, que todos gostam de um bom papo.

A conversa espontânea prosseguia na recepção do albergue, interrompida apenas pela chegada ocasional de algum hóspede inoportuno a quem ninguém dava atenção, todos absortos nas fabulosas aventuras conjuntas daquelas tribos díspares. Com Modesto atrás do balcão e Agustín e Daniel apoiados no lado oposto. Com Catalina passando a flanela e o espanador sem muito empenho enquanto intervinha de vez em quando na conversa.

— E se eu fosse vê-los em casa, acha que me receberiam? — propôs Daniel atirando às cegas em um empenho impulsivo por encontrar uma solução.

— Ah... sei lá... — disse Modesto passando a mão por seu pouco cabelo, sem ter, na realidade, a mais remota ideia de como agiriam aqueles estrangeiros chegada a ocasião.

— Em Tentegorra já estão instalados, cada casa que construíram por ali... Com lavadora automática de roupas, aquecimento e tapetes colados no chão em todos os quartos, segundo me contaram — acrescentou o cunhado soltando a fumaça de lado após acender outro cigarro com o toco. — Até me disseram que lá perto há um campo com grama onde jogam com um pau e uma bolinha, para enfiá-la nos buracos. Como se chama isso, *Mister* Daniel? Gor? Gos? É como gol, mas sem trave.

— Golfe — disse Daniel resolvendo o problema léxico com pressa para não perder mais tempo. — E os militares moram ali sozinhos, ou com suas famílias?

— Eu acho que devem viver com as mulheres — interveio Modesto com brios renovados —, porque, se não, digam-me por onde andam sozinhas essas potrancas que encontro de vez em quando com essas calças bem apertadas, que me dá uma vontade de... de...

— Pare com isso já, Modesto, que você se entusiasma e depois sua pressão dispara — repreendeu Catalina tirando-o de seus desvarios. Então, ajeitou o espanador embaixo do braço e se dirigiu a Daniel tentando pôr um pouco de ordem naquela conversa errática que parecia não chegar a nenhum lugar. — Mas o senhor, *Mister* Daniel, se não for indiscrição, por que tem tanto interesse em ver seus compatriotas; para um assunto de trabalho, para que lhe arranjem um emprego com eles ou algo assim?

Os três pares de olhos de seus companheiros de conversa ficaram à espera de alguma explicação interessante enquanto um cliente recém-chegado batia insistentemente com a chave no balcão, farto de que o recepcionista não lhe desse a mínima atenção.

— É... Trata-se de algo mais... mais... mais familiar, pode-se dizer.

Embora não tenha dito uma total verdade, também não estava mentindo tanto. Afinal de contas, o que ele pretendia, a longo prazo, era formar uma família com Aurora.

— Nesse caso, se eu fosse o senhor, se me permite a confiança, sabe o que faria?

Todos olharam para Catalina. Daniel, ansioso para encontrar de uma vez o caminho de saída. O irmão, por causa do sangue. E Modesto porque sabia que ela, embora não tivesse as nádegas de alabastro nem os peitos túrgidos das potrancas de Hollywood, das coisas práticas da vida sua Catalina entendia.

— Pois se eu fosse o senhor, como disse — prosseguiu ela guardando a flanela no bolso —, ia amanhã mesmo atrás das mulheres. Veja só: nós sempre entendemos melhor essas coisas de família. E depois, se for preciso, elas que vejam um jeito de que seus maridos resolvam o que houver para resolver.

A luz. Catalina foi a luz. Como quando lhe caiu do céu com um sanduíche de ovo na noite turva da febre, agora acabava de pôr diante dos seus olhos um possível flanco por onde começar a agir.

— Até que horas trabalham na base, Agustín? — perguntou Daniel com pressa enquanto ajeitava o paletó e olhava o relógio. Quatro e vinte.

— Às cinco em ponto toca uma sirene, uuuuuuuuhhh, e a partir daí alguns começam a ir para cá e outros para lá, e então...

Que falta sentiu naquele momento de seus velhos tênis com que diariamente corria em Madri...

— Pode me arranjar um táxi, Modesto, por favor? — pediu interrompendo tanto sua nostalgia como as prolixas histórias do cunhado.

— É para já, *Mister* Daniel. Não quer que o acompanhe?

CAPÍTULO 26

Assim que chegou, Daniel teve a sensação de ter sido arrancado de supetão da realidade da Quarta-feira Santa junto ao Mediterrâneo e transferido, em um passe de mágica, a um pedaço anônimo de seu país. Diante de seus olhos, se abria o que parecia uma zona residencial suburbana de qualquer cidade americana mediana. Casas modernas com telhado de duas águas cercadas por um gramado impoluto, hidrantes vermelhos nas calçadas e crianças loiras de jeans brincando com um *frisbee* na grama.

Caminhou incrédulo com lentidão, imerso nessa experiência quase surrealista que em um suspiro parecia tê-lo mergulhado em um bairro qualquer de Ohio, Connecticut ou Carolina do Norte, até que um grupo de moradoras com bebês no colo e crianças no meio das pernas intuiu, por seu aspecto, sua nacionalidade e o cumprimentou em sua própria língua. *Hi! Hello! Hi! Are you American? How're you doing?*[8]

Nos poucos metros que o separavam delas, tomou uma decisão. Nada de lhe dizer a verdade por ora. Nada de expor abertamente suas intenções. De fato, também não sabia muito bem como traduzir para sua própria língua o conceito difuso do padrinho à espanhola que andava procurando.

Eram seis ou sete jovens mães, seis ou sete conterrâneas que se encaixavam no protótipo de namorada que ele deveria ter escolhido se quisesse se ver encaminhado, sem empecilhos, para um futuro agradável e sem complexidades. Mas, então, já havia trotado o suficiente para saber que a vida muda de rumo em cada esquina. E em vez de se apaixonar por uma boa garota americana sem preconceitos nem complicações, o filho do dentista de Morgantown, West Virginia, não só saíra pela tangente quanto ao destino profissional que sua família desejava para ele como também, em questão de amores, optara por sair do convencional e pôr seus afetos na reserva espiritual do Ocidente. E lá estava ele, tentando encontrar um jeito de ser aceito naquela cidade de condutas incompreensíveis para sua mente, de gente que ano a ano fazia extravagâncias,

---

[8] Oi! Olá! Oi! Você é americano? Como vai? (N.E.)

tais como levar nos ombros imagens da Sagrada Descida de Jesus e de Nossa Senhora das Dores, ou encerrar a ritmo de *passodoble* um São Pedro dentro de um arsenal militar. Por isso, talvez, preferiu contar a suas compatriotas apenas metade de sua verdade. Com vontade e empenho, de qualquer maneira. Para conquistá-las, sem saber ainda muito bem como nem com que finalidade.

— *Awesome!*
— *Amazing!*
— *So interesting!*[9]

Aquelas foram, juntamente com um esparrame de sorrisos e expressões de admiração, algumas das reações das americanas quando Daniel, após cumprimentos e apresentações, começou a lhes contar suas andanças por uma Espanha que elas mal conheciam. Noites em castelos medievais com aroma de fantasmas entre as ruínas, visitas a adegas cheias de tonéis gigantescos e as basílicas várias vezes maiores que um estádio de beisebol.

Wow! Fascinating! Really?[10] O anedotário que despertou tão entusiastas reações poderia não ter tido fim se, em pouco tempo, os maridos não fossem se incorporando também àquele conto de façanhas no meio da rua. Mas, a partir daí, tudo mudou. Dois chegaram a pé arrastando tacos de golfe, como adiantara o cunhado Agustín; outros três apareceram de carro e uniforme. Independentemente da indumentária, todos pareciam saídos da mesma forma: corpo sarado, sorriso amplo, boa estatura e cabelo muito curto. Cumprimentaram Daniel com apertos de mãos cordiais e trocaram algumas frases amistosas. Como vai, que surpresa, quer dizer que é especialista em literatura, ora, que interessante.

Até que as conversas começaram a se cruzar e seu protagonismo a decair. Cada recém-chegado trazia algo para contar; a atenção das esposas mudou de rumo e a estrela de Daniel, como o fim de fogos de artifício, foi desvanecendo até desaparecer. Pouco mais de meia hora havia durado sua glória, e o pior era que já não havia espaço para mais. A sensação de que a oportunidade estava irremediavelmente lhe escapando das mãos feito água por entre os dedos foi crescendo à medida que o grupo começou a se dispersar pouco a pouco. Boa sorte, amigo, até mais ver, disseram eles. Prazer em conhecê-lo, Dan, tomara que continue aproveitando suas aventuras, disseram elas. Ponto final.

Cada casal foi se retirando para sua casa, arrastando seus rebentos, limpando a paisagem de risos infantis e palavras. À medida que a densidade do grupo minguava e a tranquilidade enchia o espaço outrora barulhento, o desânimo de Daniel crescia proporcionalmente. Talvez houvesse agido da pior maneira,

---

9 Incrível!/ Maravilhoso!/ Tão interessante! (N.E.)
10 Uau, fascinante! Sério? (N.E.)

pensou enquanto uma das últimas famílias se afastava dando-lhe as costas. Talvez houvesse sido um erro se fazer passar por um mero compatriota errante, um estudante simpático sem qualquer preocupação. Talvez devesse ter sido mais claro e direto, falado do irado desprezo dos pais de Aurora, da resistência tenaz dela, do empenho dele de encontrar, a qualquer preço, uma chave ou um recurso para não a perder. Devia ter lhes confessado que, pela primeira vez desde sua chegada à Espanha, aquela atração quase visceral por essa cultura alheia havia se transmutado em incerteza. Que a eterna lua de mel em que até então havia vivido parecia ter começado a se desfazer.

Até que se viu sozinho com duas garotas do grupo. As mais maduras, apesar de sua evidente juventude. A alta de rabo de cavalo castanho, olhos verdes e camisa xadrez amarela com leve sotaque do sul. Vivian, era seu nome. E Rachel, a loira de lenço turquesa amarrado como uma tiara na cabeça. Ambas, sem dúvida, teriam feito o recepcionista do albergue babar só de vê-las a distância.

— Bom, já é hora de começarmos a pensar em ir embora também — disse a primeira com certa preguiça.

Nenhuma das duas parecia ter bebês ou crianças pequenas sob sua responsabilidade; com certeza seus filhos eram aquela meia dúzia de diabinhos que não paravam de fazer selvagerias pelos arredores em cima de suas bicicletas.

Daniel pressentia que suas últimas possibilidades estavam prestes a desaparecer: assim que cada uma delas fechasse atrás de si a porta de sua casa, ele ficaria sozinho outra vez. Sozinho de novo em frente ao precipício, com seu último cartucho queimado em vão e sem sombra do maldito padrinho.

— Onde estão seus maridos? — perguntou incisivo. Tanto fazia, agora, parecer indiscreto. Pouco lhe restava a perder.

— Vão chegar de madrugada, vêm da base de Rota. Assuntos de trabalho — esclareceu Vivian.

Tentou não deixar que notassem a sacudida de energia que sentiu dentro de si. Duas esposas de membros da US Navy sozinhas e algumas horas pela frente. Em seu recobrado entusiasmo, ainda teve tempo de se lembrar do pobre Modesto.

— Rota, que interessante. Isso fica em Andaluzia, não? — perguntou oferecendo-lhes um cigarro com o propósito de estender a conversa.

Rachel deu de ombros enquanto ele aproximava um fósforo aceso, Vivian disse acho que sim. Nenhuma das duas parecia estar excessivamente a par dos detalhes da geografia peninsular.

— Deve ser agradável para eles voltar para casa tarde e encontrar o calor da família — sugeriu então soprando o fósforo com um impostado ar de desamparo. — Quem dera eu tivesse alguém por perto que se preocupasse comigo...

Traidor, disse a voz de sua consciência. Por acaso não é suficiente o amor arrebatado de Aurora? Parece pouco o que diariamente dona Antonia faz por você?

— Que alguém cozinhe para você um simples frango assado, por exemplo — continuou ignorando seus escrúpulos. Teria tempo de fazer as pazes com eles; por ora, tinha de se concentrar em não deixar aquela oportunidade passar.

— Batatas ao forno com *sour cream*, sorvete de chocolate. O velho sabor das coisas de sempre...

Não havia sentido falta de nada daquilo nos mais de seis meses que estava na Espanha se abastecendo em tabernas, restaurantes e com os cozidos da D. Antonia. Miúdos, fígado, sangue frito e orelha de porco, tudo tinha um gosto ótimo. Contudo, tentou não deixar que Vivian e Rachel notassem. Tudo para conseguir se sentar à mesa de qualquer uma das duas esta noite.

Os gritos de um dos meninos de bicicleta silenciaram precipitadamente a conversa. Era o filho de Rachel, um terremoto de nove anos sangrando pelo nariz. Atrás dele, seu irmão mais novo explicava a queda, e uma ruiva com duas tranças fornecia sua própria versão. Um minuto depois, apareceram mais dois seguidos por um cão.

— Estou morrendo de fome, o que temos para jantar, mamãe? — perguntou um deles.

— Macarrão com queijo — disse Rachel apertando com força um lenço no nariz de seu filho mais velho.

— E nós? — Quis saber outro menino enquanto recolhia sua bicicleta do chão.

— Frango assado — anunciou Vivian.

Ele não se conteve.

— Com batatas?

Por alguma razão sem fundamento, Daniel intuía que nelas encontraria uma saída. Sabia que suas ferramentas para atingir o objetivo beiravam a indigência: elas não falavam espanhol, não conheciam ninguém representativo na cidade e não sabiam nem de longe como funcionavam as relações sociais ali. Aparentemente, eram somente jovens mães de família sem maior aspiração de vida que o cuidado dos seus. Talvez lhes importasse bem pouco a cultura local, não tivessem curiosidade intelectual e sensibilidade necessária para apreciar a riqueza histórica e artística do entorno que as acolhia. Talvez tanto fizesse para elas estar no sudeste da Península Ibérica ou em Haifa ou Corfu. Mas, sob aquela aparência tão simples e doméstica, pressentia que havia mulheres fortes, resolutas e decididas, que haviam sido capazes de abandonar sua pátria e cuidar de seus filhos sozinhas durante as longas temporadas que seus maridos passavam fora, e que estavam sempre dispostas a empacotar sua vida em caixas e malas para começar uma nova etapa onde quer que a US Navy achasse por bem enviá-las. Mulheres positivas e solidárias, acostumadas a encontrar soluções criativas para tudo, a se adaptar a mil mudanças e a viver sempre no ar, pendentes da promoção seguinte ou de uma transferência caprichosa que as recolocasse em qualquer ponto remoto do globo mais uma vez.

Trocaram um olhar veloz.

— Ande, entre. Assim que cuidarmos da tropa, você janta conosco.

CAPÍTULO 27

No período de tempo compreendido entre a noite de Quarta-feira Santa e a madrugada do Domingo de Páscoa, duas linhas divergentes agiram a plena potência. Por um lado, a cidade toda se dedicou a viver com intensidade os dias principais da Semana Santa. As ruas transbordaram de gente pronta para contemplar a monumentalidade dos tronos, o colorido das túnicas à luz dos archotes e a ordem marcial dos penitentes. Por outro, entretanto, alheios por completo ao fervor religioso e à melancolia das datas, um grupo de estrangeiros guiado por um objetivo comum traçou um plano estratégico tão criteriosamente pautado que os comandos da Sexta Frota o teriam querido para si.

O programa começou na manhã da quinta-feira, quando Vivian e Rachel, as jovens mães americanas, apareceram sem avisar na casa do capitão de navio David Harris sabendo que o mais alto cargo da base conjunta já havia saído rumo a seu gabinete. Tinham certeza, porém, de que a mulher dele estava em casa. A única coisa que não calcularam direito foi a hora, muito cedo para uma dona de casa sem filhos nem obrigações.

Loretta Harris, despenteada, de roupão longo e ainda meio dormindo, recebeu com a pulga atrás da orelha as duas mulheres que tocaram a campainha de sua casa às nove e dez da manhã com uma torta de framboesas como pretexto.

— *Morning, my darlings.*[11]

Sua voz estava rouca e não se esforçou para disfarçar sua má vontade. Contudo, convidou-as a entrar.

O protocolo era o de sempre: oferecer-lhes café, acender um cigarro e esperar que dissessem o que queriam. Fazia cinco anos que rodava pelo mundo como esposa de um enérgico *marine*. Sabia de sobra que, quando as mulheres de tenentes de navio iam atrás da esposa do superior de seus maridos a essa hora, era porque precisavam de alguma coisa com urgência.

Vivian e Rachel haviam tomado a decisão de intervir na noite anterior, entre o simples frango assado e as humildes batatas assadas com *sour cream*

---

11 Bom dia, minhas queridas. (N.E.)

com que agraciaram seu convidado. À medida que seu prato foi se esvaziando, Daniel também começou a se despojar das imposturas, mostrando-se sem o disfarce de viajante desimportante sob o qual havia se escondido em um primeiro momento. Mostrou-se tal qual era, sem barricadas, com suas preocupações e suas circunstâncias. Com seu gigantesco problema ainda sem solução.

— Estou começando a pensar que entrei nesta cidade com pé esquerdo — confessou com a confiança já bem assentada.

Continuavam conversando após o jantar; de fundo ouvia-se a American Forces Radio. As duas amigas já haviam mandado os filhos para a cama, tirado os sapatos por fim e o escutavam recostadas no sofá. Tudo em volta era caloroso e conhecido: as maçanetas das portas, os exemplares atrasados da revista *Time*, a cor da toalha de mesa. Cortesia da US Navy para sua gente nos quatro cantos do planeta. Talvez, por isso, sentiu-se de alguma maneira em casa e por fim baixou a guarda.

— Assim que cheguei, fiquei de cama com gripe — continuou —, e fui tirado à força de um bar, porque acharam que eu estava bêbado.

— Bom, isso tem lá sua razão — disse Rachel com uma expressão irônica. — Devem ter pensado que você era outro americano bêbado; mais um dos muitos que se excedem e arrumam confusão quase diariamente.

— Esse é um dos principais problemas que nossos maridos enfrentam neste momento — esclareceu Vivian. — Algo que se repete tanto aqui como nas outras bases. Alguns dos nossos rapazes bebem além da conta e arrumam confusão, com frequência acabam trocando socos com a população local ou até mesmo entre si. As brigas entre os soldados de Rota e Morón estão começando a se tornar lendárias, pelo que contam.

— E isso passa uma imagem ruim, imagino — disse ele.

— Péssima — corroboraram as duas em uníssono. Foi Rachel quem prosseguiu.

— Há ordens de não importunar a população espanhola; a palavra de ordem é ser amistoso e próximo, generoso, cordial e disposto a ajudar. Isso, em parte, é responsabilidade de nossos maridos e nós tentamos ajudá-los.

— Como?

Se houvesse lido o jornal, Daniel saberia, por exemplo, que naquele Natal haviam levado à Casa de Misericórdia um barrigudo vestido de vermelho, de cabelo e barba brancos e cheio de presentes. Papai Noel, disseram que era o nome do sujeito, mas, na realidade, quase todos sabiam que se tratava de um tal de sargento Smith.

— Estamos tentando também organizar um torneio de *softball* entre nossos filhos e outras crianças espanholas. E, para o verão, um campeonato de natação.

— E uma semana cultural.

As duas amigas começaram a se alternar com a palavra, abertamente iludidas com seus projetos.

— E um desfile de roupa esportiva.

— E para o Quatro de Julho, pensamos em soltar uns enormes fogos de artifício.

— E constantemente damos alimentos e remédios para os velhinhos do asilo.

Daniel, ruminando seus próprios pensamentos à medida que as ouvia, não teve tempo de decifrar se por trás daquele entusiasmo existia um verdadeiro interesse humano em se congraçar com a população local, um vigoroso afã de ajudar seus maridos no desempenho de suas tarefas profissionais, ou uma simples bateria de entretenimentos vazios para preencher o tédio em seu desterro.

— Mas nos falta um grande golpe de efeito — apontou Vivian.

— Algo brilhante de verdade, que seja espetacular e que envolva muita gente.

— Algo como o quê? — quis saber Daniel.

— Não sabemos, ainda estamos pensando. Algo que crie expectativa, que consiga atrair pessoas influentes e sobre o que se fale durante dias. Talvez um baile com muitos convidados.

— Ou um grandioso festival...

— Que tal um casamento?

Rachel ficou com a boca aberta e a taça a meio centímetro dos lábios. Vivian não conseguiu expulsar a fumaça que acabava de aspirar. As duas olharam para ele com olhos arregalados.

— Eu me ofereço como voluntário. Disposto a entrar com cinquenta por cento da cota necessária.

Na manhã seguinte, a maquinaria foi posta em marcha. À medida que a cafeína fazia efeito em seu cérebro, Loretta Harris começou a visualizar o objeto da visita intempestiva das duas amigas. Após escutá-las com toda a atenção que seus neurônios meio adormecidos lhe permitiram, achava ter entendido o que as garotas pretendiam. Que ela convencesse seu marido a intervir diante de quem fosse necessário na sociedade local. Que os dois juntos conseguissem que um jovem compatriota obtivesse a autorização de pais teimosos e reticentes para poder se casar com a filha deles. Todos se beneficiariam com o assunto se desse certo: a nata da US Navy lotada em Cartagena compartilhando bancos de igreja e bolo de casamento de merengue com a mais seleta sociedade local. Nada havia a perder. E talvez muito a ganhar.

A mulher do capitão Harris não achou estranho que lhe pedissem para interceder por um civil. Onde não havia embaixadas ou consulados, não era totalmente raro que os chefes militares atuassem, de certa maneira, como representantes informais de seu país. Por isso, não achou absurdo o pedido, mas guardou um prudente silêncio. Em sua longa vida nômade criando seus cinco filhos em destinos por metade do mundo, vivera situações muito mais complexas entre militares e cidadãos pátrios. Gestações improcedentes, paternidades irresponsáveis, brigas, roubos, chantagens e golpes. Interceder pela simples felicidade de um casal apaixonado parecia moleza. A *piece of cake*, como diziam eles em sua língua. E se aquilo gerasse dividendos para a reputação de todos eles na sociedade local, e ajudasse a estender pontes entre as duas nacionalidades, melhor ainda. Vivian e Rachel tinham razão: se conseguissem lidar com aquela contingência de forma satisfatória, o resultado seria muito vantajoso. Mas, antes, teria de fazer algumas averiguações. E depois, se não encontrasse nada turvo, planejar detalhadamente a operação.

Mas, claro, não disse isso tudo às recém-chegadas. Apenas encheu suas xícaras, acendeu outro cigarro e propôs o primeiro passo. Conhecer pessoalmente o interessado, essa foi a condição inicial. Para obter as informações básicas e avaliar a envergadura do assunto, disse. Naquela tarde estava livre, seu marido tinha um compromisso oficial até a noite. Seus filhos haviam gradualmente entrado na universidade e ficado em seu país, e aquele era o primeiro ano que passavam sozinhos. Acabou o café, queridas, anunciou apagando o cigarro. Quero o tal Carter aqui às cinco. *O'clock*.

O recepcionista Modesto pensou que estava no meio de seu mais tórrido sonho quando um Jeep sem capota freou bruscamente em frente à porta do albergue e expeliu duas americanas deslumbrantes embutidas em calças jeans. Sem articular uma palavra de espanhol, nem em condições medianas, entre risos e sons deliciosos, conseguiram se fazer entender o suficiente para que ele intuísse por quem perguntavam.

— Ah, estão procurando *Mister* Daniel! *Mister* Daniel Carter, não é? — disse em voz alta.

— Exatamente — confirmou Vivian piscando um dos seus olhos verdes para Modesto.

O recepcionista engoliu em seco e enfiou o dedo na gola da camisa tentando evitar a sufocação. Não resista, boneca, diziam os romances do Velho Oeste. Cuidado comigo, pequena, não sou um sujeito confiável. Como diabos se diria isso em inglês?

— *Mister* Daniel saiu, já saiu — anunciou movendo a mão em direção à rua. Automaticamente se arrependeu de suas palavras. Droga, pensou. Se eu me descuidar, essas duas potrancas vão embora também. — Ou voltou e eu não vi — corrigiu de imediato. — Ou pode ser que volte logo.

— Então... talvez possamos escrever um bilhete *for him*. Para ele, *I mean*, sim?

— Sim, senhora, claro que sim. O que pedir por essa boca, linda. Às suas ordens, para isso estou aqui... — respondeu Modesto a Rachel sem tirar os olhos de seu decote comprimido num breve suéter cor de limão.

Entregou-lhe o verso de uma folha cheia de contas domésticas e um velho lápis mordido por ele mesmo na parte superior. E enquanto elas redigiam uma carta dizendo a seu recente amigo que fosse à casa do chefe da base naquela mesma tarde, os olhos dele saltavam, febris, de uma a outra. Dos quadris redondos de Vivian ao peito rotundo de Rachel, do cabelo cor de trigo de Rachel à cintura de vespa de Vivian. Começou a suar.

— Muito obrigada — disseram em uníssono quando terminaram.

Diante dos olhos do recepcionista brilharam os dentes mais brancos que jamais vira na vida. E os lábios mais carnudos. E os sorrisos mais perturbadores. Mãezinha do céu, murmurou com a boca seca.

Escoltou-as até a saída, tentando roçá-las disfarçadamente enquanto abria a porta para elas, com suposta gentileza. E depois as contemplou enquanto partiam, maldizendo sua má sorte por carecer de recursos comunicativos para tê-las entretido por mais tempo. É de foder, resmungou antes de cuspir com fúria no chão. Metade da vida cavalgando romances de Marcial Lafuente Estefania e acompanhando El Coyote em suas façanhas, para, depois de tantos anos, não saber dizer mais que uísque, xerife e *saloon*.

Para Daniel, a manhã fora frutífera também. Decidiu, inicialmente, postar-se com estratégia bem calculada no passeio da Muralla. Perto o bastante para controlar os movimentos de entrada e saída de casa de Aurora. Afastado e encoberto o suficientemente para que sua presença passasse despercebida. Como no dia anterior, primeiro viu sair o pai, e embora não tenha conseguido decifrar sua expressão, pelo frio cumprimento que dirigiu ao porteiro intuiu que seu humor não passava pelo melhor momento. Um tempo depois, abandonaram a casa a mãe e a avó, diferentes e iradas ambas, envolvidas em uma discussão que não conseguiu ouvir. Assim que notou o perfil das mulheres se recortar na portaria do edifício, fez-se invisível com destreza de prestidigitador, escondendo-se de lado outra vez atrás do tronco de uma palmeira.

Quando as viu dobrar a esquina, saiu de seu esconderijo e se dirigiu ao edifício. Assim que Abelardo, o porteiro, o viu, tentou defender o forte com o vigor que se esperava de seu cargo. Sabia que o americano já havia se infiltrado uma vez e não podia consentir que o repreendessem de novo.

— Não pode entrar aqui! Aqui não pode entrar!

Uma nota de cem pesetas derrubou a barricada: o mais convincente dos argumentos, dobrado entre dois dedos como se fosse um salvo-conduto. Nem uma pensada Abelardo teve de dedicar ao assunto; os vinte paus adentraram as profundezas do bolso esquerdo de suas calças com a mesma velocidade com que o jovem entrava no edifício e tornava a subir os degraus de três em três. Afinal de contas, suspirou o homem com certo alívio, qual o problema de outra bronca da tormentosa mulher de Carranza, se com aquele dinheiro quase dava para comprar a roupa de primeira comunhão de seu rapaz?

Quem abriu a porta foi uma mulher de rosto bonachão, coque na nuca e idade considerável, alarmada pelos impetuosos tiques da campainha que ressoaram por toda a casa. Ele nem sequer cumprimentou. Nem anunciou o objeto de sua visita, nem se identificou. Quando a porta se abriu e intuiu o livre acesso à moradia, só pronunciou uma palavra. Repetida três vezes em três gritos poderosos: Aurora.

Uma fração de segundo foi exatamente o que demorou a surgir, do fundo do corredor, um torvelinho de pijama. Feito um tiro, descalça, jogou-se nos braços de Daniel com um pulo de gata selvagem enquanto se agarrava a seu pescoço, a seu torso e a suas pernas, cravava seus dedos nas costas dele e acariciava sua nuca chorando e rindo ao mesmo tempo. Ele, por sua vez, só conseguiu sussurrar o nome dela enquanto a apertava contra si com todas as suas forças, uma mão abraçando seus ombros, a outra, sua breve cintura, sentindo o riso dela em seu ouvido e no rosto, suas lágrimas enchendo-o de deliciosa umidade.

Duas presenças os contemplavam chocadas, sem saber ao certo se aquele abraço significava a pura pouca-vergonha e escândalo pecaminoso ou uma ternura descontrolada que já não havia maneira humana de conter. A primeira era Asunción, a mulher que havia aberto a porta, a que havia mais de quarenta anos dava o sangue por aquela família, e que, à luz da cena, só conseguia murmurar uma ladainha precipitada de Virgem Santíssima e valha-me Deus que não parecia ter fim. A outra, Adelaida, a jovem empregada. Escondida atrás de uma cômoda isabelina, rendera-se diante da visão do casal e se perguntava por que seu namorado não era assim romântico com ela cada vez que saía de licença do quartel.

Até que Asunción reagiu, e sua insistência ao tentar arrancar Aurora dos braços de Daniel foi a única coisa que os conseguiu devolver à realidade.

— Menina, menina! Menina! — Só então ele percebeu, pela primeira vez, que estava na casa em que ela havia nascido. Que pisava o chão em que ela havia começado a andar; via fugazmente tudo aquilo que havia cercado

Aurora ao longo de sua vida. As fotografias familiares em molduras de prata, a biblioteca herdada do ramo paterno, as varandas abertas para o porto, o retrato a óleo de uma Nana muito jovem sorrindo para um pintor anônimo.

Aurora, enquanto isso, suplicava para que o alívio momentâneo a seu calvário se estendesse um pouco mais.

— Um pouquinho, Asunción, deixe que ele fique só um pouquinho, por favor...

Mas a velha Asunción era osso duro de roer. Criara Aurora, adorava-a e havia dias sofria por ela. Mas, antes, havia criado a mãe dela, e conhecia seu caráter e o que podia fazer se soubesse que ela havia autorizado a presença do americano em casa.

— Nem pensar, ele tem de ir embora agora mesmo. Por Deus, menina, por Deus, não pode ser, não pode ser... — repetia a boa mulher enquanto segurava a porta aberta convidando Daniel a sair.

Os olhos dela, pendurada com força férrea ao braço dele, tornaram a se encher de lágrimas.

— Eu lhe imploro, Asunción, eu lhe suplico, só um pouco e ele vai, eu prometo...

Nessa queda de braço, ele se esforçava para permanecer neutro. Ansiava poder ficar não um pouco, mas a vida toda, mas também sabia que sua ousadia ao entrar na casa já havia atingido um nível bastante considerável e não lhe convinha tornar a situação mais tensa. Até que não pôde aguentar.

— Permite-me um instante, por favor? Nós prometemos, Asunción, cinco minutos contados e nem um a mais. Nós lhe damos nossa palavra de honra — disse levando, ostentoso, a mão ao coração.

— Não — reafirmou a babá.

— Onde a senhora preferir, e, claro, com sua presença — ofereceu então em um desespero de boa vontade.

— Não.

— E, a partir de agora, se concordar, prometo que não a tornaremos a incomodar.

A coragem da juventude e a gentileza protocolar venceram os cabelos brancos, por fim. Mas Asunción, mesmo seduzida sem querer pelas maneiras e palavras convincentes daquele rapazote que distava sete léguas de ser o demônio de tridente que sua imaginação havia antecipado, impôs as condições e demarcou o território com zelo de fiel cão de guarda. Contando os minutos. Em sua presença. E as mãos sem nenhum movimento, bem quietinhas — e se acabou! Amém, só lhes faltou dizer.

Levou-os à cozinha, ampla, branca e quadrada, com a grande mesa de mármore no centro. A mesa dos cafés da manhã e do pão com chocolate na volta do colégio. De tarefas escolares, ogros e bruxas boas, de Pumbys, Pequeno Polegar e guerreiros de máscara. De brigas e confidências entre irmãos, de leite quente nas tardes de inverno e beliscões clandestinos no pão antes da hora de comer. Agora era o território que Asunción havia escolhido para a urgente abordagem das questões sentimentais daquela que até então havia sido a menina da casa, sentados um em frente ao outro, como a visita a um preso em uma penitenciária. Ela, enquanto isso, permaneceu em pé, mostrando em seu rosto a expressão adusta de um guarda civil. A dois metros de distância e sem perder o relógio de vista.

— Há alguém que talvez possa nos ajudar — disse Daniel por fim.

Então, deixou-a a par de sua incursão ao bairro da US Navy e da firme promessa de seus compatriotas.

— Mas o que elas vão poder fazer? — perguntou enquanto cobria o rosto com desespero. — Meus pais não conhecem nenhum americano, não têm nenhuma relação com essa gente.

— Pois, talvez, agora comecem a ter.

Aquilo, naturalmente, não era mais que mera ilusão. Um empenho tão iludido quanto inconsistente por lhe infundir certo otimismo por meio de uma potencial solução na qual nem mesmo ele tinha muita confiança.

Dividiram um cigarro e aproveitaram o trânsito de uma boca a outra e de uma mão a outra para pôr os lábios no mesmo lugar, para roçar os dedos, para se tocar de leve e transmitir, com o tato fugaz, um milésimo daquilo que os corpos fariam se uma força misteriosa desintegrasse Asunción magicamente.

Haviam acabado de acender o segundo Chesterfield quando, com precisão de relojoeiro, Asunción avisou que o encontro havia chegado ao fim.

— Andando, meu jovem, senão estou arruinada — disse apontando a porta. E depois suspirou profundamente.

Por mais que insistissem, os dois sabiam que já não podiam pressionar nem mais um minuto.

— Quando vai voltar a Madri? — perguntou Aurora enquanto ambos se levantavam da cadeira com a mesma vontade que um condenado a caminho do paredão.

— Não vou embora sem você.

— Não diga isso, Daniel... — sussurrou ela aproximando a mão do rosto dele.

Asunción conteve o impulso.

— Eu disse que acabou.

Até que ele não teve mais remédio que atravessar o umbral da porta. E, de fora, voltou-se e a buscou pela última vez. Ali a encontrou, debaixo do pijama de listras azuis de um de seus irmãos, com seus cachos loiros dispersos em um enxame disparatado, com os olhos brilhantes pelas lágrimas contidas que anunciavam um pranto sem consolo tão logo ele começasse a descer a escada. E então, apesar de suas boas intenções, apesar de ter resistido até o último segundo, não pôde mais se conter. Sabendo que contrariava a ordem de Asunción e se arriscava a perder para sempre sua confiança, tornou a entrar precipitadamente e se despediu de Aurora com o beijo mais duradouro que jamais houve na história de todos os beijos do mundo.

Se houvesse sido gravado por uma câmera de cinema, não teria passado pela censura nem com recomendação pessoal do secretário-geral do Movimento.

CAPÍTULO 28

A notícia de que a esposa do chefe da base queria recebê-lo em sua casa acrescentou a seu dia outro sopro de otimismo. Leu o bilhete repetidamente e memorizou os detalhes. O recepcionista não tirou os olhos dele enquanto lia, mas conteve a duras penas a vontade de saber o que teriam escrito aquelas duas belezuras cuja imagem ainda rodava em sua cabeça.

— Pode me chamar outro táxi para as quinze para as cinco, Modesto, por favor?

— É para já, *Mister* Daniel. Vai ver suas amigas americanas? — perguntou sem poder se conter.

— Por ora, acho que não. Hoje tenho de cuidar de outros assuntos.

Um táxi o esperava à hora marcada na porta do albergue. Um táxi e mais alguém.

— Já fiquei sabendo que hoje de manhã tivemos uma visitinha em casa.

— Nana, o que está fazendo aqui?

Dessa vez estava vestida de cinza, com um véu preto cobrindo-lhe a cabeça.

— Vim vê-lo, querido. Para que me convidasse a tomar um cafezinho antes dos ofícios, que já não tenho corpo para genuflexões. Aonde quer me levar?

— A lugar nenhum, lamento. Tenho um compromisso.

— Ah, mas que pena! Não vai ter tempo de ler o que lhe trago na bolsa.

Ele olhou para ela sem acreditar muito.

— Na realidade, é uma cartinha muito curta, não como as que nós escrevíamos em outros tempos para nossos amados, com todas aquelas futilidades que lhes contávamos. Mas tenho certeza de que Aurora adoraria que a lesse.

— Por que não fazemos uma coisa? — propôs ele assim que captou a tentativa de chantagem da velha. — Você me dá a carta agora, eu vou indo, e depois, quando voltar, nos encontramos. E então, tomamos um café ou fazemos o que mais lhe apetecer.

— Não, meu querido, porque depois Marichu já vai ter me pegado e estaremos as duas nos preparando para a procissão.

— Vamos indo, senhor? — perguntou o taxista impaciente. — São mais de dez para as cinco e tenho de estar na estação às cinco e quinze para pegar uns passageiros com um monte de bagagem.

Com uma mão lhe pediu que esperasse um instante enquanto, armando-se de paciência, se dirigia à avó de Aurora de novo.

— Então, Nana... — começou com tato extremo. — Na verdade, eu adoraria passar a tarde com você, mas não posso ficar porque tenho uma reunião muito, muito importante. Importante para Aurora e importante para mim. Para os dois.

— Então, deixe-me acompanhá-lo. Afinal de contas, sou do mesmo sangue que uma das partes implicadas, posso até ajudar.

— Eu agradeço de coração, mas é impossível. Tenho de resolver isso sozinho.

— Senhor, já são cinco para as cinco... — insistiu o taxista.

— Então, meu anjo, receio que não vou poder lhe dar a cartinha.

— Nana, por favor.

— Senhor, os passageiros vêm carregados, vou perdê-los se não estiver lá a tempo...

— E nossa Aurora vai sofrer um desgosto que nem lhe conto.

— Senhor, quase cinco horas...

Entre estrangular a velha ou o taxista, Daniel optou por uma via intermediária.

— Entre no carro, rápido. Mas, antes, dê-me a carta. E o senhor, corra o máximo que puder, por favor.

Desdobrou a carta com tanta fúria que quase rasgou o papel. Continha apenas algumas palavras doces que rememoravam a alegria de sua visita inesperada. Mesmo assim, leu-a quatro ou cinco vezes, sem prestar atenção à conversa incessante da idosa enquanto se desfazia do véu, guardava-o na bolsa sem muito cuidado e ajeitava o penteado olhando-se no retrovisor.

Loretta Harris recebeu seu convidado no jardim da frente de sua residência. Se acaso se surpreendeu ao vê-lo chegar de braços dados com uma respeitável idosa espanhola, disfarçou de maneira magistral.

— *Je suis* a avó de Aurora — foi sua apresentação, para que não restasse dúvida da legitimidade de sua presença. E antes que Daniel tivesse oportunidade de sequer abrir a boca, despachou uma catarata de cumprimentos fora de moda em um francês mais que correto.

A americana a escutou entre surpresa e divertida enquanto, de soslaio, dava uma olhada em Daniel, avaliando a distância o recém-chegado em cujo favor haveria de agir. Ele fez o mesmo, em uma tentativa de avaliar premonitoriamente aquela compatriota de expressão aberta e porte cavalar que havia concordado em intervir em sua ajuda.

— Muito obrigado por nos receber, senhora Harris — conseguiu encaixar em um respiro de Nana. Pronunciou aquelas palavras em espanhol em atenção a ela, mas esclareceu rapidamente em inglês que a avó de Aurora havia decidido se unir à visita contra sua vontade e de maneira absolutamente intempestiva.

Loretta o tranquilizou com um sorriso de dentes excessivos.

— Entrem, entrem, por favor — disse conforme cedia passagem à idosa. — É um prazer tê-los aqui.

A casa, grande, recentemente construída e mobiliada segundo as tendências da América dos anos 1950 – os *fabulous fifties* –, assemelhava-se como um ovo a uma castanha aos parâmetros decorativos das casas das boas famílias que Nana costumava frequentar. Era o design de interiores americano que transmitia o otimismo e o consumismo crescente gerado após a Segunda Guerra Mundial, o reflexo de um país que se sentia cada vez mais moderno e poderoso. Onde os espanhóis ostentavam cortinados de renda e veludo, mesinhas de centro com braseiros a carvão e retratos apergaminhados dos bisavôs, os americanos exibiam poltronas de três pés e cinzeiros de cores berrantes. Onde os espanhóis acumulavam tradição, comedimento e opacidade, os americanos ofereciam luminosidade e uma leveza desconhecida por aquelas terras.

Assim que Nana vislumbrou aquela fascinante exibição, parou em seco e levou a mão à boca em um gesto teatral e uma tentativa de conter sua admiração desbocada. Seus olhos voaram pelas paredes cheias de quadros abstratos e pelas luminárias um tanto excêntricas em forma de cone de um azul berrante.

— Adoro tudo isto, adoro, adoro demais! Estas casas tão modernísimas e esses móveis tão... tão... tão... não tenho palavras, é maravilhoso! — foi seu comentário apaixonado assim que entrou.

— Muito obrigada, querida — respondeu a Sra. Harris.

— Veja se fica amiga de minha filha Marichu, querida — acrescentou dando-lhe umas palmadinhas no braço —, e a convença a doar todas as relíquias horrorosas que temos em casa para comprar coisas como estas, tão modernas, e tão fabulosas, e tão fantásticas e tão, tão, tão...

Loretta e Daniel se olharam de soslaio. Ele pedia desculpas com os olhos e ela o tranquilizava, indicando sem palavras que não se preocupasse, que não havia problema algum com a presença daquela senhora tão singular. Quando Nana terminou de avaliar o aposento, Loretta conseguiu por fim acomodar suas visitas em grandes poltronas cuja estética e cujo conforto a velha tornou a elogiar, com desmesurados adjetivos.

— Café? Chá? — por fim a anfitriã conseguiu dizer.

A expressão elegantemente contrariada da avó de Aurora obrigou-a imediatamente a acrescentar mais uma oferta à lista.

— Ou talvez um martíni?

A conversa levantou voo em uma mistura de espanhol e inglês salpicada com algumas frases em francês que Nana aportava de vez em quando intempestivamente, como testemunhos enferrujados de suas viagens a Paris e seus alegres verões de solteira em Biarritz, antes da derrocada familiar na qual, por culpa de seu pai, perderam até as calças. E assim ficaram conversando durante umas boas duas horas, até que a Sra. Harris achou que já tinha um mapa mais que aproximado da situação, incluindo a genealogia das duas famílias na Espanha e nos Estados Unidos, o posicionamento dos Carranza na estrutura social local e os pontos fracos de Enrique e Marichu. Material suficiente para começar a trabalhar, pensou.

A visita deveria ter terminado nesse ponto; havia chegado o momento razoável para que Loretta dissesse *goodbye, my dear friends*.[12] Mas já eram quase oito e a noite estava sendo muito mais divertida que o esperado. Seu marido tinha um compromisso, ela estava começando a notar os primeiros arranhões da fome e sentia a cabeça um tanto volátil por conta dos efeitos do álcool. Sem pensar duas vezes, convidou-os a jantar.

Antes que Daniel tivesse tempo de avaliar a conveniência de aceitar ou não a oferta, Nana já estava solicitando um telefone para ligar para sua filha e lhe contar uma mentira fenomenal que lhe permitisse estender sua estada. Ouviram-na desfiar um rosário de mentiras disparatadas misturando o suposto escorregão de sua amiga María Angustias no meio da rua, uma possível fratura de pulso e a necessidade inevitável de ficar ao seu lado até que chegasse alguém e a substituísse em seu papel de boa samaritana.

— Não se preocupem comigo em absoluto — insistiu antes de se despedir —, sou capaz de fazer qualquer coisa por uma amiga querida. Chegarei em casa assim que puder, não se preocupem, por favor.

Já tinha problemas suficientes com a família por seduzir a filha, não precisava que também o acusassem de perverter a avó, pensou Daniel. Mas nada podia fazer. O que não tem remédio remediado está, como costumava dizer dona Antonia, pensou impotente enquanto secava o terceiro martíni. De nada adiantava ficar antecipando consequências.

---

12 Adeus, queridos amigos. (N.E.)

O jantar se prolongou em uma conversa descontraída até que, ao término da torta de queijo pré-cozida de Sarah Lee e o café, Nana apoiou os cotovelos na mesa e deu uma sonora palmada.

— E agora, que tal um joguinho, meus queridos?

Daniel não precisou de mais para saber que chegara a hora de levá-la embora dali nem que fosse arrastada. Sua relação com os Carranza já estava bastante deteriorada, mas nunca era tarde para piorar.

A primeira coisa que Loretta Harris fez na manhã seguinte foi ligar para a casa de Vivian a fim de confirmar que a operação já estava em andamento e lhe pedir que fossem buscar seu compatriota e cuidassem dele. Justificou-se afirmando que faria bem ao rapaz um pouco de distração, não as deixou sequer desconfiar de que a verdadeira razão de sua proposta era a conveniência de distanciá-lo das atividades que haveriam de se desenrolar em seu favor nas horas sucessivas. A longa noite da véspera fora divertida e muito frutífera para a obtenção de dados relevantes, mas ela intuía que deixar Daniel circulando livremente pela cidade poderia ser um tanto arriscado. Talvez até contraproducente para seus planos: a qualquer momento ele poderia aparecer no lugar menos oportuno, agir de forma inapropriada ou dizer algo inconveniente. Também não achava positivo que ele continuasse se encontrando com Nana: a velha, sem menosprezar sua vivacidade e elegância, era uma verdadeira bomba-relógio de consequências imprevisíveis caso explodisse.

Por isso, deu às garotas uma sugestão espontânea. Posto que era feriado e o tempo estava ótimo, que tal se organizassem um acampamento perto do mar até sábado à tarde? Ficou no ar a ideia de que com aquela proposta aparentemente tão inócua o que a mulher do chefe da base pretendia era tirar todos do caminho.

Concordaram, claro. Duas horas depois, as duas famílias, juntamente com outra acoplada, partiam em busca de Daniel a bordo de três Jeeps, de onde saíam gargalhadas de crianças, gritos espontâneos e o *Jailhouse Rock* de Elvis Presley a todo o volume. Ignorantes dos tempos e ritmos locais, sem saber que ao atravessar a cidade de ponta a ponta em plena Sexta-feira Santa estavam virando de pernas para o ar a quietude do dia mais triste do ano.

Loretta Harris os viu se afastar discretamente, escondida atrás de uma cortina, enquanto fumava o quarto cigarro da manhã. Quando calculou que estavam fora do campo de ação, pegou o telefone e discou um número que sabia de cor.

— Nieves falando — respondeu uma voz do outro lado da linha.

E, então, a bola começou a rolar.

O sargento Ricardo Nieves havia chegado a Cartagena dois anos antes com a missão de preparar a logística necessária para tornar a vida dos militares americanos e suas famílias o mais confortável possível. Por conta de seus traços e compleição, poderia ter passado por membro da estirpe de Pancho Villa, mas foi seu bilinguismo prodigioso, e não seu ardor guerreiro, que lhe abriu as portas para aquele cargo. Como aquele digno filho da fronteira não haveria de fazer malabarismo com o inglês e o espanhol, havia passado a vida a cavalo entre Laredo, Texas e Nuevo Laredo, México, duas cidades unidas por uma ponte e separadas por um rio que mudava de nome segundo o lado onde se estivesse. Vinte e quatro meses depois de se estabelecer junto ao Mediterrâneo, o sargento hispânico da US Navy andava por sua cidade de destino como se houvesse nascido na própria rua Del Aire. Não tinha conhecimentos sobre estratégia naval, instrumentos de inteligência ou armas submarinas, mas era um prodígio da natureza para resolver, negociar e conseguir o que quer que fosse, desde um par de bicicletas até uma operação de apendicite, desde uma caixa de Alka Seltzer até três prostitutas para a despedida de solteiro de um furriel.

Ombro a ombro, Loretta e ele dividiram o trabalho em partes proporcionais. O rapaz americano empenhado em se casar com a jovem espanhola parecia encantador, verdade. Mas a esposa do capitão de navio já estava mais que farta de conhecer rapazes sem mácula aparente, com maneiras requintadas, que, no fim do dia, se mostravam mentirosos compulsivos, caras de pau sem escrúpulos ou simples malucos à beira de alguma psicopatia. Por isso, teria de começar fazendo averiguações para se certificar de que o homem a quem planejavam amparar reunia realmente os requisitos pessoais mínimos para ser ajudado. Não havia problemas para isso, a esposa do chefe de uma base da US Navy sempre tinha recursos. Aquela seria sua missão por ora, o flanco Carter. Nieves, por sua vez, se encarregaria do âmbito local. Em uma agenda com capa de plástico preto anotou todos os detalhes que a Sra. Harris lhe forneceu: o nome exato da família, como eram, onde moravam, com quem se relacionavam, de que viviam, quanto tinham... O necessário para começar.

Nas horas seguintes, cada um espalhou seus tentáculos em seu âmbito de ação. Loretta Harris fez isso a longa distância. Por conta do cargo de seu marido, tinha à sua disposição vários recursos, mas sempre utilizava primeiro os que seu olfato pressentia infalíveis, e, naquele momento, foram seus contatos pessoais. Bastaram duas das cinco ligações que realizou para que encontrasse o ponto de partida. O resto viria em consequência.

O sargento Nieves, enquanto isso, trabalhou em campo, travando conversas que incluíram empreiteiros, consignatários de navios, membros da Marinha espanhola, interesseiros e oportunistas da mais variada índole. Não usou o telefone, e sim a rua, as mesas dos cafés e os balcões dos bares, todos meio desolados no dia mais infeliz da Semana Santa.

Reuniram-se novamente nessa mesma noite. No momento, por meio de sua complexa rede de contatos, Loretta Harris já tinha certeza de que Daniel Carter era totalmente quem dizia ser. Nieves, por outro lado, acumulava um número considerável de papeizinhos que antecipavam que a missão chegaria a bom porto. O passo seguinte era planejar o cenário.

No meio da tarde de sábado, a caravana de excursionistas voltou a seu bairro. Haviam aproveitado um tempo maravilhoso acampados na praia, fizeram corridas e castelos, os mais ousados nadaram, entoaram canções em sua língua, comeram rações de campanha aquecidas em uma fogueira e os compatriotas locais os observaram na distância como se fossem uma patrulha de alienígenas. Ao chegar, encontraram um bilhete manuscrito debaixo da porta de Rachel. Daniel Carter era requerido na casa dos Harris. Urgentemente.

Pela enésima vez nos últimos dias, uma mesa de cozinha serviu como base de operações para administrar o devir do assunto. Em uma ponta sentou-se Daniel, com uma incongruente preocupação do rosto com relação ao desalinho de sua aparência: bermudas e uma camiseta cáqui emprestadas por um dos *marines*, o rosto queimado de sol e o cabelo revirado ainda cheio de areia e sal. Na outra ponta Nieves, de uniforme e com sua agenda de capa preta, soltando no ar as primeiras baforadas de fumaça do charuto que acabava de acender. Em pé, apoiada no tampo e equidistante entre ambos, Loretta Harris fumava em silêncio. Alerta, atenta.

Nem usaram panos quentes, nem consultaram opiniões, nem ofereceram possibilidade alguma de intervir na história com outra opção diferente da que ofereceram. Tudo já estava organizado e seria resolvido naquela mesma noite, no jantar que o chefe da base e sua esposa ofereceriam a um seleto grupo de convidados. Quanto antes, melhor: melhor pegá-los desprevenidos que dar tempo para que se turvasse ainda mais a já imensamente complexa situação.

Como se treinasse um agente secreto, Nieves, com frieza de neurocirurgião e o charuto Farias entre os dedos, expôs a Daniel Carter a maneira exata como teria de proceder se fosse necessário. Para começar, em nenhum momento devia sequer mencionar que o responsável por sua estada na Espanha era um professor que havia decidido nunca mais voltar à pátria grande e livre de Franco, nem que estava havia seis meses em Madri alojado na casa da viúva de um anarquista, nem que estava preparando uma tese de doutorado sobre um escritor comunista, por mais prêmio nacional de literatura que houvesse ganhado. Também não era conveniente trazer à baila seus tempos de trabalho com os operários sindicalistas em Pittsburgh, nem que havia completado sua educação à base de bolsas de estudo, nem que obteve um dos seus primeiros conhecimentos daquele remoto lugar chamado Espanha lendo *Por quem os sinos dobram*, de Hemingway, esse romance de questionável ideologia protagonizada por um professor americano que acabou como dinamiteiro nas filas das Brigadas Internacionais, defendendo a República na serra de Guadarrama.

Contudo, era conveniente que se aprofundasse na descrição do consultório de odontologia de seu pai e nos dotes pianísticos de sua mãe, em suas várias atividades caritativas e no parentesco que a unia com um congressista conservador do estado de Wyoming, mesmo que se tratasse de um primo de segundo grau que vira pela última vez fazia catorze anos em um funeral. De sua religião, se lhe perguntassem, o melhor seria que simplesmente dissesse que era cristão, não havia necessidade alguma de pormenorizar sobre seu crescente agnosticismo nem sobre a igreja metodista que sua família frequentava todo domingo de manhã. A respeito de sua formação acadêmica, caso fosse questionado, melhor seria que mostrasse abertamente sua admiração pela Literatura Espanhola anterior ao século XX, concentrando-se, se possível, em heróis, santos, monges e românticos. El Cid Campeador, San Juan de la Cruz e Frei Luis de León podiam ser elogiados sem problemas. Os liberais, *regeneracionistas* ou *extranjerizantes*, melhor mantê-los de fora. Os exilados, proibido citar. E acerca de Ramón J. Sender, nem meia palavra.

— E do professor dom Domingo Cabeza de Vaca, Heroico *Requeté* e Cavalheiro Mutilado — concluiu Nieves após expulsar a fumaça da última tragada do charuto —, pode falar, se quiser, meu filho, até o raiar do dia.

Ao ouvir aquela lista de conselhos que demonstravam um profundo conhecimento de todas as facetas de sua vida, Daniel Carter não sabia o que dizer. Por um lado, sentia-se desconfortável, sentido ao ver sua intimidade assaltada, seus interesses manipulados e suas decisões pessoais, pelas quais tanto havia lutado, anuladas. Por isso, avaliou tudo aquilo como uma insolente invasão de sua vida e sua pessoa e quase expressou abertamente seu mal-estar.

Por outro lado, porém, teve de reconhecer que o trabalho realizado era impecável. Recordou que o pedido de ajuda havia partido dele sem impor restrições aos procedimentos, que ele mesmo procurara aqueles compatriotas para que lhe dessem uma mão quando não encontrava jeito algum de resolver as coisas sozinho. Só então conseguiu reunir lucidez suficiente para chegar à conclusão de que, àquela altura, essas eram as únicas cartas que tinha na mão. Nelas estava a remota possibilidade de cair nas graças da família de Aurora, não havia outra opção.

Ou aceitava esse roteiro, ou já podia voltar para sua pátria, de onde viera.

Ou jogava com a cabeça, ou o jogo estava perdido.

CAPÍTULO 29

O sargento Nieves e Loretta Harris resolveram reunir urgentemente todos os figurantes necessários para a encenação, no Sábado de Aleluia à noite, na própria residência do chefe da estação naval. *Jantar de Amizade*, dizia o pretexto escolhido. Ambos sabiam que aquela não era a data mais adequada, mas confiavam que os afetados interpretariam aquele convite tão precipitado como um caso de simples ignorância intercultural por parte de uns extravagantes forasteiros que pouco ou nada sabiam dos usos sociais daquela cidade. Impossível suspeitar das manobras e das intenções de certas pessoas.

Dois soldados distribuíram em domicílio, nessa mesma manhã, os imponentes cartões com o escudo dourado e azul da US Navy. Aprovada pela esposa do chefe da base, a lista de convidados foi minuciosamente confeccionada por Nieves conforme suas diligências nas horas anteriores. Incluía as forças vivas, altos-comandos militares dos exércitos pátrios e um bom número de casais com certo *pedigree*: ninguém de peso, dinheiro ou bom nome deveria ficar de fora. Todos os convites foram recebidos por seus destinatários com doses similares de surpresa e desconcerto, mas nem por um segundo nenhum deles cogitou a possibilidade de não comparecer.

Para a maioria dos convocados, seria o primeiro cara a cara com aqueles estrangeiros que lhe pareciam tão intrigantes. Por isso, completamente alheios às maquinações e interesses subterrâneos, as horas anteriores ao evento foram de tremenda agitação para a maioria dos convidados e, de maneira muito particular, para as mulheres. Todas requereram com urgência as cabeleireiras em casa e ficaram nervosas provando modelos várias vezes, descartando uns por excessivos, outros por pacatos, sem saber ao certo que diabos deveria ser vestido para não destoar em um encontro assim.

Os homens, por sua vez, acolheram o convite com surpresa não isenta de orgulho disfarçado ao saber que só a nata local havia sido convocada. Será uma oportunidade perfeita para afiançar relações, consolidar negócios e limar asperezas, pensou mais de um. Para saber de fofocas e estar a par dos assuntos mais interessantes. Para manter bem engraxada, enfim, a maquinaria sempre rentável das relações sociais.

Na casa dos Carranza a situação não foi diferente. Marichu, a mãe, de bobes e combinação, soprando nervosa as unhas após o trabalho da manicure, hesitava entre usar um deslumbrante vestido de coquetel azul *royal* ou um conjunto mais discreto coral. O farmacêutico, despreocupado, matava o tempo resolvendo palavras cruzadas na sala, sabendo que a única coisa que teria de fazer no último momento era aparar a barba e vestir o *smoking*. Nana, enquanto isso, andava de um lado para o outro da casa soltando fumaça, enquanto lucubrava um jeito de enrolar sua filha para que a levassem junto. Não teve sorte; porém, assim que o casal saiu pela porta, chegou ao domicílio um buquê de flores com um cartão de Loretta. Desculpava-se e a convidava para almoçar no dia seguinte com o pretexto de lhe relatar com detalhes os pormenores. Na verdade, o que pretendia era manter, por ora, a velha bem afastada do cenário.

Às oito em ponto, os convidados começaram a chegar à residência dos Harris. Um bufê esplêndido os esperava, algo terrivelmente chique e incomum na Espanha do ano que rondava quarenta por cento em taxa de analfabetismo e tinha uma renda *per capita* anual que mal atingia os trezentos dólares. As boas relações de Loretta com a esposa do chefe da base de Rota por um lado, e os contatos de Nieves por outro, haviam servido para suprir a bastante limitada oferta de produtos americanos na região. Salada Waldorf, filés de salmão silvestre, lagosta da Nova Inglaterra com molho de manteiga e outras delícias ultramarinas chegadas em caixas refrigeradas, tombando a bordo de um veículo militar. Ao lado das comidas, pilhas de pratos de porcelana branca com filete dourado e azul e o escudo da US Navy. Nada podia faltar.

O capitão do navio Harris só soubera um dia antes das maquinações de sua esposa e seu subordinado, mas confiava no discernimento dos dois. E jamais recusava uma festa. À medida que os convidados iam chegando, ela, de vermelho intenso, cumprimentava todos encantadora, enquanto ele, contendo seu generoso volume em um uniforme com quatro galões na manga, recebia-os com um sorriso marcado a fogo no rosto. Ambos se esforçavam para pôr em prática seu melhor espanhol enquanto, de fundo, se ouvia o trompete de Louis Armstrong. O sargento Nieves se mantinha, conforme sua patente, em um plano secundário à atividade central.

As roupas e joias das mulheres refulgiam suntuosas enquanto elas trocavam olhares como dardos destinados a avaliar o brilho alheio, ao mesmo tempo em que observavam de soslaio a moderna decoração da residência dos americanos. Entre os homens, o padrão recorrente era o uniforme militar e o *smoking*, mas alguns, distraídos ou ignorantes, apareceram de simples terno, enorme escorregão que ficaria gravado para sempre na memória de suas envergonhadas esposas.

Com alguns olhares imperceptíveis para os outros, Nieves indicou ao casal Harris quem eram os Carranza. A elegante senhora de vestido azul que ria no meio de um grupo animado era a mãe. O pai, aquele senhor de aspecto distraído que observava com curiosidade aqueles estranhos quadros nos quais as linhas e formas geométricas se cruzavam sem muito sentido. Não deviam perdê-los de vista, mas, por ora, os deixariam tranquilos. Não convinha pressionar desde o início.

Todos foram pouco a pouco se aproximando do bufê, servindo-se das travessas com naturalidade imposta, desconhecendo quase sempre que diabos era o que acabariam enfiando na boca. Ainda não havia chegado à pátria dos mercados de alimentos, das cooperativas, das pousadas e das tabernas, a moda do *self-service*, e aquilo de escolher um pouco daqui e outro pouco dali, e comer em pé, era diabolicamente complicado para os espanhóis. A incapacidade da maioria para segurar ao mesmo tempo prato, garfo, conversa e taça era evidente, e foram vários os que, após algumas tentativas, decidiram jogar a toalha e largar o jantar pela metade no prato. Antes passar fome que sofrer o ridículo de ver sua comida estatelada no digníssimo colo de alguma senhora, deviam pensar.

Depois de um tempo, uma nova troca de olhares entre Nieves, Harris e sua esposa serviu para dar a largada. Com uma ingênua pergunta sobre a composição química do Calmante Vitaminado, Loretta encurralou o farmacêutico em um canto da sala e o envolveu em uma conversa intensa e um tanto incompreensível sobre medicamentos espanhóis e americanos. Quase simultaneamente, em outro canto do aposento, a oportuna proximidade do capitão de navio foi crucial para evitar que o tropeço de um desajeitado convidado destruísse o vestido azul *royal* de Marichu. O *marine* pegou a taça de vinho quase no ar com um ágil movimento, e, com isso, não só salvou a integridade do vestido como também conseguiu gerar uma corrente de gratidão nela, que lhe serviu como pretexto para iniciar o diálogo.

Nem o boticário nem sua mulher puderam recordar com detalhes, mais tarde, como as duas conversas se desenrolaram, mas entre muito *hihihi* por aqui e muito *hahaha* por lá, o caso foi que o pai de Aurora se encontrou de repente diante de uma deslumbrante proposta para distribuir, de sua farmácia, duzentas ampolas de penicilina, o medicamento mais cobiçado naquela pátria de atrasos e escassez. Praticamente no mesmo instante a mãe aceitava, satisfeita, um convite para ir à feira de Sevilla em companhia do mais seleto aparato militar norte-americano lotado na Espanha. Nieves, enquanto isso, virava sua sétima tequila e observava da retaguarda, satisfeito, as duas cenas, e temporizava o passo seguinte de seu plano.

Uma vez superadas as acrobacias do bufê, o álcool e o *rock'n'roll* foram os que descontraíram o ambiente misturando as gargalhadas com o tilintar das taças, enquanto os conchavos e as fofocas corriam soltos nas rodinhas e alguns casais se esforçavam para acoplar seus passos de dança ao ritmo daquela música estranha que convidava ao movimento. Em meio a isso, o conselheiro da ordem pública tentava passar a mão na mulher de um capitão de corveta da US Navy que já estava totalmente de porre.

Enquanto os Carranza continuavam seduzidos pelo encanto pessoal do casal Harris, eles, que até então haviam se mantido em flancos separados, empreenderam disfarçadamente uma aproximação destinada a fazer que as duas duplas acabassem confluindo. Agiam de acordo com uma nova indicação de Nieves; quando o sargento se certificou de que os quatro já estavam juntos, foi para a cozinha e dali saiu para o jardim. Então, levou dois dedos à boca e rasgou a noite com um assovio. No ato cinco sombras surgiram de uma casa vizinha, cinco corpos distribuídos entre dois uniformes de gala, dois vestidos de coquetel e um *smoking*, que, pulando buracos e valas, havia chegado da base de Rota acompanhando os alimentos, após serem enviadas as medidas necessárias com toda a exatidão.

A entrada do quinteto calou momentaneamente as conversas.

— Boa noite, queridos! — gritou Loretta de algum ponto do salão.

Eles, bonitos e bronzeados após o acampamento junto ao mar, tinham um aspecto imponente. Suas mulheres estavam espetaculares, embutidas em vestidos que deixavam à vista braços, ombros e decotes deliciosamente dourados. Daniel, com o rosto bronzeado, o cabelo sempre indômito submetido a uma boa dose de fixador e impecável dentro do *smoking* emprestado, varreu o cenário com olhos velozes. Até que localizou os Carranza com os Harris: não haviam faltado. Passo inicial superado, prossigamos avançando e ao ataque, pensou com um nó do tamanho de um punho no estômago.

Os anfitriões receberam o grupo com um entusiasmo beirando a euforia. Em parte, porque aquele era o plano. E, em parte, porque ambos os cônjuges estavam havia mais de duas horas enchendo a cara sem vislumbre de moderação.

— *Danny, my dear, you look absolutely gorgeous!*[13] — exclamou ela com uma de suas gargalhadas equinas. Quase a cotoveladas, abriu caminho por entre os convidados até chegar a ele.

---

13 Danny, querido, você está absolutamente lindo! (N.E.)

— Minha querida Loretta, você está fantástica, muito obrigado por esta festa espetacular — foi o cumprimento de Daniel em seu espanhol bem ensaiado.

A seguir, beijou sua mão, galante. Como se os dois se adorassem desde o início dos tempos.

Sua participação no programa corria conforme os planos. Primeiro, entrada, reconhecimento do território e localização. Depois, um caloroso cumprimento à anfitriã para se fazer notar. Terceiro movimento, o capitão Harris. Vamos lá, ordenou para si.

Quando os pais de Aurora viram o abraço de urso com que o poderoso chefe da base americana obsequiou seu jovem compatriota, a quem apenas alguns dias atrás eles mesmos haviam ofendido como um vulgar interesseiro, ele engasgou com um gelo do uísque que estava bebendo e sua mulher sentiu nas costas o princípio de suor frio que quase lhe arruinou a seda do vestido. Todos julgaram tão cordial demonstração de afeto como uma expressão sincera da intensidade do carinho que Harris professava pelo recém-chegado. Ninguém notou, felizmente, que esse ato foi a reação automática a uma ordem dada por sua esposa cravando-lhe o salto no pé esquerdo. Nenhum dos presentes suspeitou que aquela era a primeira vez na vida que os dois homens se viam.

Só então, com seus três objetivos iniciais cobertos, Daniel relaxou enquanto algumas mulheres se amontoavam em volta de Loretta, interessadas por aquele jovem que imediatamente taxaram como impressionantemente bonito, e em cujo braço ela havia se pendurado com imensa familiaridade. Ao vê-lo sozinho, intuíram que estava disponível e se lançaram a farejar a presa: todas tinham alguma filha, sobrinha ou irmã mais nova em idade de casar disposta a fazer feliz um bombom como aquele. E mais ainda conhecendo sua proximidade com o encantador casal americano que estava lhes oferecendo a melhor festa que recordavam em muitos anos. Por sorte para ele, ninguém o identificou como o forasteiro atormentado que estava havia dias derretendo de puro amor pela filha do casal que naquele momento cochichava consternado em um canto.

O plano de Loretta e Nieves, até então, cumpria-se segundo as diretrizes, mas, ao perceber o grupo de fêmeas em volta de Carter, encantadas com o que a Sra. Harris contava sobre ele, e tentando atrair a sua atenção com elogios e comentários engenhosos, a luz de alarme se acendeu para o sargento. Então, endireitou sua postura, pigarreou e alisou o bigodão. Aquilo não estava previsto. Algo inesperado estava acontecendo. A aproximação dos Harris aos Carranza pretendia ir aquecendo os motores, mas desde o início haviam imaginado que, chegados ao ponto da entrada de Daniel na sala, ainda haveria muito trabalho a fazer. Pressupunham que ainda teriam de apresentar o rapaz, ir pouco a pouco convencendo os pais de que se tratava de uma pessoa digna de sua filha, demonstrar-lhes que sua condição de estrangeiro não implicava que fosse um libertino, um amoral ou um caipira ignorante que não tinha onde cair morto.

Mas Nieves não contava que o abraço do capitão Harris e a estrondosa afetuosidade de sua mulher fossem suficientes para afastar, instantânea, mágica e radicalmente, qualquer desconfiança dos presentes. O sargento entendeu, então, que todas as instruções que dera ao jovem sobre como deveria se comportar e o que teria de contar ou calar sobre sua vida eram bobagem. Ninguém se interessava. Eram inúteis. Não havia antecipado que o simples fato de o rapaz aparecer em sociedade, avalizado pelos Harris, seria suficiente para que instantaneamente passasse de um extravagante interesseiro a um objeto de desejo. De forasteiro indesejável a bom partido disputado. Quanta sabedoria demonstrara a avó de Aurora ao lhe aconselhar que arranjasse um bom padrinho...

Nieves localizou os Carranza com um olhar apressado. Haviam se deslocado para um canto, constrangidos, surpresos, sem saber o que fazer. Daniel, enquanto isso, continuava no centro do salão, flanqueado pelos anfitriões, enquanto segurava nas mãos o copo vazio de um gim-tônica que havia acabado de beber em três tragos, disfarçando com classe seu estupor diante dos elogios exorbitados que sobre sua pessoa, tradição e formidáveis perspectivas profissionais Loretta apregoava em voz alta em um espanhol cada vez mais pastoso.

Então, o sargento fronteiriço soube que precisava agir. Imediatamente. O farmacêutico e sua mulher estavam tão desconcertados que haviam perdido qualquer capacidade de reação. Precisava ajudá-los, mas não havia tempo para sutilezas nem subterfúgios. De modo que atravessou o aposento com passos rápidos e se pôs às costas do casal sem que percebessem sua presença. Então, aproximou-se deles com discrição, até que seu rosto ficou justo entre a orelha direita dela e a esquerda dele. E, após tirar seu eterno Farias de entre os dentes, despachou sua mensagem:

— Ou se aproximam do grupo dos Harris, ou a mulher do notário ganha o gringo para sua filha Marité e a filha de vocês fica para titia. Vamos, andem.

Nem a espetada de uma navalha teria esporeado Marichu Carranza com mais eficácia. O boticário ainda estava se perguntando de onde diabos havia saído aquele sujeito de uniforme da US Navy que falava espanhol como Cantinflas, quando sua mulher já o havia pegado pelo braço e o arrastava para o grupo em que o rosto de Daniel se destacava acima das outras cabeças.

Do resto, mais uma vez, Loretta se encarregou.

A festa acabou às quatro da madrugada no jardim, todos dançando *La conga de Jalisco* em volta da casa. Nieves observava satisfeito a cena na escuridão, abraçado a uma árvore enquanto virava uma garrafa de tequila Herradura. A Sra. Harris abria a comitiva com seu vestido vermelho levantado até o meio das coxas. Uma longa fila de corpos misturados das formas mais inverossímeis a seguia. Daniel segurava a cintura da mãe de sua namorada e o farmacêutico Carranza levantava as pernas descompassadamente, segurando, por sua vez, o casaco do *smoking* de seu futuro genro. O conselheiro de ordem pública, suado, com a gravata-borboleta desmanchada e a camisa meio desabotoada, babava espremido entre o portentoso traseiro de Vivian e a dianteira exuberante de Rachel. O chefe da base conjunta hispano-norte-americana fechava o desfile, inconsciente ainda de ter anotado mais um mérito na ficha dos históricos acordos bilaterais subscritos entre os governos da Espanha e dos Estados Unidos no Pacto de Madri.

Aurora Carranza e Daniel Carter se casaram três meses depois, ao meio-dia de um maravilhoso domingo de fim de junho. A noiva estava com um vestido de organza branco antigo e, apesar do empenho de sua progenitora para que usasse um vistoso coque *à la* Grace Kelly, se negou categoricamente a prender o cabelo. O noivo, de fraque, aguardou sua futura mulher em frente ao altar da igreja de la Caridad como se aquele fosse o momento que esperava a vida toda. Por parte de Aurora, compareceu à cerimônia a nata da sociedade local; uma exposição de chapéus, galões, pérolas e tecidos nobres. Por parte dele, assinaram como testemunhas Domingo Cabeza de Vaca – que foi acompanhado de uma jovem professora de Arte Visigoda que durante a primavera havia começado a cortejar –, os filhos de dona Antonia, que não pararam de estender lenços a sua mãe, incapaz de conter as lágrimas de emoção, e os oficiais da US Navy lotada em Cartagena. Também seus pais compareceram, vindos dos Estados Unidos graças, mais uma vez, às competentes diligências de Loretta, encerrando, com isso, o desencontro amargo de um tempo para esquecer. Andrés Fontana lhes mandou um telegrama de Pittsburgh. Com meus melhores desejos, de todo o coração, para a grande aventura que empreenderão juntos, escreveu.

Celebraram um almoço com o Mediterrâneo ao fundo no Club de Regatas e depois passaram a noite de núpcias no Gran Hotel. Para escândalo de ambas as mães e regozijo de Nana, só saíram da suíte nupcial às seis da tarde do dia seguinte. Então, partiram em lua de mel em uma viagem intensa que os levaria a Chalamera, Pamplona, Biarritz e Paris. A visita a Chalamera foi um empenho de Daniel por mostrar a Aurora a terra natal do escritor graças a cuja obra haviam se conhecido; uma forma de voltar à origem de tudo. A estada em Biarritz foi em homenagem a Nana, e a viagem a Paris, um presente dos pais dele em uma tentativa, talvez, de compensar com isso os anos de desafeto que os haviam separado.

A razão que os levou a visitar Pamplona ninguém conheceu, e as duas famílias só conseguiram entender o empenho dos noivos naquela escala quando, entre várias fotografias recebidas por correio postal alguns meses depois, encontraram uma de Daniel vestido de branco, com um lenço no pescoço, correndo como um possesso a dois palmos das fuças de um touro na rua Estafeta. Em outras fotografias apareciam os recém-casados sentados em uma varanda ao lado de um homem robusto de barba branca, que muito poucos conseguiram identificar. Tratava-se de Ernest Hemingway, e aquele foi o último ano que compareceu ao Festival de San Fermín. Isso ficou registrado na reportagem "El verano peligroso" que a revista *Life* publicaria pouco depois. Houve quem dissesse que os excessos cometidos pelo escritor naqueles meses, percorrendo a Espanha em uma louca peregrinação taurina e baladeira, alteraram-no tanto que acabaram lhe custando a vida. Para o jovem casal, aquele verão, porém, foi o início de um tempo de gloriosa felicidade.

Aurora aportava ao matrimônio uma licenciatura em Farmácia e um enxoval de cama e mesa de renda de Valenciennes herdado de sua avó, mas não sabia fritar um ovo e mal arranhava umas frases na língua do país que a haveria de acolher até o fim dos seus dias. Fazia suas, sem conhecê-las, as palavras bíblicas do livro de Rute: "Porque aonde quer que tu fores, irei eu; e onde quer que pousares, ali pousarei eu; o teu povo será o meu povo, o teu Deus será o meu Deus". Daniel, por sua vez, oferecia como todo capital um portentoso domínio do espanhol e uma modesta oferta de trabalho conseguida por meio de Andrés Fontana para começar a ensinar suas letras em uma universidade do Meio Oeste, enquanto escrevia aquela tese sobre Ramón J. Sender, cujos primeiros passos haviam mudado sua vida para sempre.

Deixavam para trás o país que, juntamente com Portugal, era então o mais pobre da Europa. Uma nação submetida ao conformismo moral e a um sistema social ortopédico no qual só quatro a cada cem lares tinham geladeira e as mulheres não podiam abrir uma conta bancária nem viajar para o exterior sem autorização de seus pais ou maridos. As coisas, porém, iriam mudando pouco a pouco. Os véus pretos, as crianças mendigando pelas ruas, os penicos embaixo das camas e a aparatosa retórica do regime dariam lugar, lentamente, a um tímido progresso industrial e a uma muito moderada abertura que culminariam na Espanha do desenvolvimento.

No fim daquele mesmo ano, Franco, outrora inimigo mortal dos americanos, abraçaria afetuosamente o presidente Eisenhower em sua visita a Madri, e, com isso, rubricaria o acordo de 1953 que, pactuado em termos renováveis, autorizava os Estados Unidos, segundo alguns, a agir a seu bel-prazer na Península. Como contrapartida, a Espanha receberia ajuda financeira e militar até atingir, em dez anos, dois milhões de dólares. Apesar de chegar como a chuva em um campo sedento, houve quem pensasse que o caudilho havia vendido a soberania nacional por um prato de lentilhas.

A partir de então, e embora diversos governos estrangeiros ainda duvidassem da legitimidade do regime, deu-se a aceitação da Espanha em todo tipo de *establishment* internacional. Os resultados não tardaram a se perceber: melhoraram ostensivamente as estradas, começaram a chegar turistas cheios de divisas, modernizaram-se os obsoletos exércitos, aumentou a renda *per capita* e, em síntese, o país arrasado durante a guerra começou a se aproximar da pista de decolagem da prosperidade. E, como se não bastasse, para grande entusiasmo da criançada, foram distribuídos nas escolas milhares de quilos de leite em pó e de enormes queijos – cremosos, estranhos e enlatados – em cuja etiqueta se via o emblema do programa: duas mãos entrelaçadas com a bandeira norte-americana de fundo.

Em troca, os norte-americanos, com sua habitual eficácia, já trabalhavam a todo vapor nas instalações definidas no acordo: três bases de bombardeiros B para a Força Aérea em Torrejón, Zaragoza e Morón de la Frontera, e uma grande base aeronaval em Rota, além de instalações secundárias nos portos de Ferrol, Palma de Mallorca, Las Palmas e Cartagena.

Tal como pressentia o recepcionista Modesto, as praias pouco tardariam a se encher de nórdicas de biquíni. A televisão, as fábricas e os altos-fornos, os emigrantes arrastando malas de papelão rumo à Alemanha e alguns espaços de lazer além do futebol, dos touros e dos coros e danças, tardariam pouco a se estabelecer na vida cotidiana. A emergente classe média começaria a comer frango aos domingos e, com grande esforço, iria aprendendo a pronunciar palavras estranhas e barbarismos recém-chegados que soavam como se tivessem pedras na boca: *winston, hollywood, kelvinator*.

E enquanto a Espanha tirava a tranca do atraso e entreabria a porta para a modernidade, no início de agosto de 1959, a bordo de um voo por sobre o Atlântico, um jovem americano sussurrava versos de Pedro Salinas no ouvido de uma garota espanhola meio adormecida cujo cabelo loiro e alvoroçado lhe cobria metade do rosto. *Te quiero pura, libre/ irreductible: tú./ Sé que cuando te llame/ entre todas las gentes/ del mundo,/ sólo tú serás tú./ Y cuando me pregun-*

tes/ quién es el que te llama,/ el que te quiere suya,/ enterraré los nombres,/ los rótulos, la historia./ Iré rompiendo todo/ lo que encima me echaron/ desde antes de nacer./ Y vuelto ya al anónimo/ eterno del desnudo,/ de la piedra, del mundo,/ te diré:/ Yo te quiero, soy yo.[14]

Juntos davam o passo rumo a um futuro de cujo devir, por sorte para ambos, nada podiam intuir ainda.

---

14 Te amo pura, livre/ irredutível: você./ Sei que quando chamar/ entre todas as pessoas/ do mundo,/ só você será você./ E quando me perguntar/ quem está te chamando,/ quem te deseja,/ enterrarei os nomes,/ os rótulos, a história./ Vou quebrar tudo/ o que me jogaram/ desde antes de nascer./ E voltarei ao anonimato/ eterno desnudado,/ da pedra, do mundo,/ e lhe direi:/ Eu te amo, sou eu. (Tradução livre)

CAPÍTULO 30

Ele me esperava na rua apoiado em seu carro, um Volvo azul nem muito novo nem muito limpo. Óculos escuros cobrindo os olhos, a barba clara mais clara ainda ao sol da manhã e o cabelo como sempre, um pouco mais comprido que o convencional. Com os braços cruzados com indolência, vestindo calças de sarja amassada e uma velha jaqueta jeans, descontraído e atraente mais uma vez.

— Está com cara de quem acabou de acordar; aposto que nem sequer tomou café da manhã — foi seu cumprimento certeiro.

Estava com razão, eu mal tivera tempo para meia xícara de café. Havia acordado com a margem exata para tomar um banho, ajeitar-me minimamente e sair de casa na hora em que a buzina tocava pela segunda vez.

Ele havia me ligado no meio de semana para pôr uma data ao plano pendente sobre o qual havíamos conversado na noite de Ação de Graças.

— No sábado vou jantar com Luis Zárate, de modo que é melhor deixarmos para o domingo — propus.

Assim seria. Na volta do feriado de Ação de Graças, o diretor e eu havíamos marcado, por fim.

— E se ele a sequestrar e você não voltar? — disse irônico. — Por que não antecipamos para sexta-feira?

Aceitei. Sua presença me era sempre grata e eu mantinha um crescente interesse por visitar essa missão tantas vezes citada nos papéis de Fontana. Para que adiar mais? Antes, porém, houve alguns dias um tanto confusos. A entrada no último mês do ano havia me trazido da Espanha um bombardeio de e-mails que tornavam a me perguntar sobre minhas intenções a curto prazo, às vezes de uma maneira discreta e às vezes beirando a impertinência. Meus colegas da universidade queriam saber se eu participaria do tradicional jantar antes do feriado de Natal, e minha irmã África me fustigava permanentemente com suas belicosas ideias sobre como torpedear meu ex. Os amigos compartilhados com Alberto, aqueles junto aos quais criamos nossos filhos e com quem tanta coisa havíamos vivido juntos, consultavam-me, diplomáticos, sobre meus planos, em uma tentativa, intuí, de coordenar os encontros separadamente para limitar ao máximo a constrangedora possibilidade de que ambos estivéssemos sob o mesmo teto. Enrolei todos eles. Eu entro em contato, veremos, vamos nos falando, estou com muito trabalho, tchau, até breve, adeus.

O campus, enquanto isso, começava a viver o ambiente de fim de semestre. Fim de semestre, fim de ano, fim de século e milênio, grandes mudanças às portas. Por ora, porém, o que mais preocupava os estudantes era, sem dúvida, a iminente chegada das provas e as datas de entrega de trabalhos, ensaios e projetos. A preocupação era palpável, sua presença sempre buliçosa permeava as áreas de lazer, o centro recreativo, as quadras esportivas e os cafés. As luzes das residências e dos apartamentos ficavam acesas até a madrugada e a biblioteca, como um grande acampamento de refugiados, ficava aberta vinte e quatro horas por dia.

Dentre os professores, respirava-se um ambiente similar. Conversas de corredor muito mais breves, montes de provas para preparar. Montanhas de exercícios para corrigir, pressão de última hora e uma vontade imensa de encerrar de uma vez por todas a primeira metade do curso. Aquela era a tônica geral entre todos os meus colegas, a mesma coisa que costumava acontecer comigo ano após ano em minha própria universidade. Exceto agora. Pela primeira vez na vida eu não tinha o menor desejo de que chegassem as férias.

Porém, cada dia era mais evidente que meu trabalho com o legado de Andrés Fontana avançava para suas últimas etapas. A altura das pilhas de papéis sobre minha mesa diminuía progressivamente à medida que seu conteúdo ia sendo vertido para a memória do computador. Os documentos, uma vez lidos e classificados, iam se acumulando com ordem cartesiana em caixas de papelão alinhadas no chão. Tudo que eu havia conseguido entender e reter a respeito da história da Califórnia nas semanas anteriores havia facilitado meu trabalho em grande medida, mas eu sabia que a recomposição do produzido na fase final da vida do professor ia carecer de uma coesão bem travada. Eu tinha a sensação de que me faltavam dados, documentos, peças do grande quebra-cabeça que foi sua pesquisa derradeira. Dotar tudo aquilo de coerência estava fora do meu alcance, poucos cestos poderia eu tecer com tão pouco vime. Por isso, talvez quisesse tanto que chegasse sexta-feira.

— Que tal se comermos alguma coisa primeiro? — Foi a proposta de Daniel assim que confirmei minha inanição.

Sem pressa para partir, paramos em um café na periferia, um lugar onde *hippies* tresnoitados dividiam espaço com trabalhadores e vovozinhas de cabelo branco a caminho do cabeleireiro semanal. Sentados perto da janela, pedimos criteriosamente: ovos com *bacon*, panquecas, suco de laranja. Com tranquilidade e duas xícaras de café.

Conversamos enquanto dávamos conta dos enormes pratos que uma séria garçonete mexicana pôs diante de nós. Com certeza os encheu mais que o justo, como gratidão aos elogios em sua própria língua com que Daniel lhe alegrou o tédio da manhã.

— Eu me rendo — disse eu sem terminar. — Não aguento mais.

— Coma tudo — brincou. — Para que sua família não pense que estamos tratando você mal na Califórnia.

Concentrei a vista nos restos da gema de um ovo frito.

— Para o que me resta de família e o tanto que se importam...

Não havia terminado de ouvir minhas próprias palavras quando me arrependi de tê-las dito. Talvez minha intenção fosse fazer um simples comentário irônico, mas o que saiu de minha boca foi um jorro de amargura bruta vertido à queima-roupa sem nenhuma razão. Eu não gostava de falar de mim, expor meus sentimentos e misérias. Por isso, fiquei desconcertada, sem entender por que, de repente, sem nenhuma justificativa, havia soltado aquela cruel chicotada contra mim mesma. Ainda por cima justamente quando nos últimos tempos havia começado a notar uma leve sensação de otimismo, de recuperação do meu ânimo. Talvez por esse motivo houvesse baixado a guarda. Ou pode ser que tudo se devesse ao fato de eu estar havia muito tempo engolindo sozinha tantas coisas que não conseguira me conter mais.

— Não diga isso, Blanca, por Deus. Sei que tem seus filhos, já ouvi falar deles. E, embora sempre ande se protegendo para não dizer nem uma palavra sobre você, imagino que deve ter mais alguém que se preocupe com você. Alguém que se interesse em saber que está bem, que trabalha muito, que está saudável e se cuida, que vai fazendo amigos que a estimam neste lugar tão distante de sua casa e de sua vida de sempre. Irmãos, pais, amigos, namorado, ex-namorado, futuro namorado, sei lá. Ou um marido, ou um ex-marido, com mais certeza. Talvez este seja um bom momento para que me conte de uma vez algo sobre você além de seus avanços no passado de Fontana.

— Quer saber coisas de mim? — disse eu levantando o olhar do prato ainda não vazio. — Pois vou lhe contar. Meus filhos, que são dois, já andam cada um por seu canto. Terminaram a faculdade e voaram do ninho. Um está em Londres estudando e outro entre Tarifa e Madri dando uma de louco, e, logicamente, os dois cuidam da sua vida e não estão nem um pouco preocupados comigo. Pais não tenho, morreram ambos. Meu pai, de câncer de próstata há quinze anos, e minha mãe, de uma hemorragia cerebral há quatro, caso se interesse pelos detalhes. Tenho uma irmã que se chama África e que me liga o tempo todo para acabar com meu moral achando que está ajeitando minha vida, à sua maneira; uma maneira que, infelizmente, nunca coincide com a forma que eu queria ver minha vida ajeitada. E, até alguns meses, eu também tinha ao meu lado um homem com quem estava casada havia quase vinte e cinco anos e com quem achava que tinha uma relação estável e razoavelmente feliz. Mas, um belo dia, ele deixou de me amar e foi embora. Apaixonou-se por outra mulher, vai ter um filho com ela e eu não o quis ver desde então; por isso, decidi ir embora e agora estou aqui. Não porque a vida acadêmica desta universidade no fim do mundo me interesse particularmente, nem porque tenha o menor interesse em desenterrar o legado empoeirado de um morto: vim só para fugir da mais pura e mais amarga desolação. Isso é tudo, essa é minha vida, professor Carter. Fascinante, não é? De modo que, como pode ver, ninguém se importa se eu como ou deixo de comer.

Senti-me invadida, de repente, por uma momentânea fraqueza e voltei a cabeça para não olhá-lo nos olhos. Mas não estava arrependida do que acabara de lhe contar. Nem satisfeita. No fundo, dava no mesmo. Não ganhava nem perdia nada pondo-o a par de minha realidade.

Concentrei a vista atrás da janela junto à qual estávamos sentados sem me fixar em nada específico. Nem no casal de velhos que entrava no café nesse momento, nem no SUV que estava estacionando ou no furgão caindo aos pedaços que, pronto para partir, começava a dar marcha à ré.

Até que senti os braços de Daniel cruzarem a mesa em direção ao meu prato. Dois braços longos arrematados por duas mãos grandes e ossudas. Com elas pegou meus talheres, virou-os e manipulou os restos do meu café da manhã. Cortou, espetou, deixou a faca e ergueu o garfo. Para minha boca. E então falou. Com autoridade professoral, uma dose da qual provavelmente utilizava quando tinha de falar sério com seus alunos.

— Eu me importo. Coma.

Sua reação quase acabou me fazendo rir. Com uma ponta de amargura e sem muita vontade, é verdade. Mas com um toque de gratidão.

— Vamos indo, ande — disse eu quando finalmente engoli o pedaço de panqueca que ele me ofereceu.

Saí enquanto ele pagava, demorou pouco a me alcançar. Fomos para o carro caminhando sem pressa, cada um pensando em suas coisas. Em algum momento do curto trajeto, ele colocou seus dedos entre meu cabelo e apertou minha nuca um instante.

— Blanca, Blanca...
Não disse mais nada.

Sonoma era relativamente parecida com Santa Cecilia e diferente ao mesmo tempo. Sem estudantes barulhentos, com mais quietude. Estacionamos na rua em pleno centro, perto de uma grande praça onde se erguia a prefeitura e uma boa quantidade de árvores centenárias. Em volta, construções de pouca altura e cores mescladas: o lendário hotel Toscano e a Blue Wing Inn, o teatro Sebastiani, velhos barracões do Exército mexicano e a Casa Grande que fora posse do comandante-general Mariano Guadalupe Vallejo nos primeiros anos após a independência.

— E aqui está nossa missão...

Em uma esquina. Simples, branca, austera. Com um alpendre sustentado por vigas de madeira velha percorrendo toda a sua extensão. San Francisco Solano, conhecida popularmente como missão Sonoma. O fim da cadeia instaurada pelos franciscanos espanhóis em sua epopeia missioneira; o último expoente do lendário Camino Real, essa rota aberta pela qual transitaram os frades em lombo de mulas e a golpe de duras sandálias de couro. Escoltada na fachada, como suas irmãs, por um sino de ferro fundido pendurado de vigas, o símbolo que percorria a Califórnia de Sul a Norte anunciando milha a milha que por ali se assentaram aqueles homens austeros em um passado não tão distante. Nós a contemplamos calados, ambos quietos em frente a ela. Não tinha nada de especial por trás de suas linhas limpas e sua simplicidade. Mas, de certa forma, talvez por isso mesmo, acho que nós dois ficamos comovidos. As telhas de barro, o sol contra a cal. Alguns minutos voaram.

— Antes não fui totalmente sincera com você.

Não me perguntou em que, preferiu que eu mesma lhe dissesse. E falei sem olhar para ele, sem desviar os olhos da fachada da missão.

— É verdade que a princípio assumi a tarefa de cuidar do legado de Fontana como uma simples obrigação para me distanciar de meus próprios problemas, para me afastar deles física e animicamente. Mas isso não significa que tenha tomado isso como um simples entretenimento; de alguma maneira, tudo que começou como um simples dever já invadiu meu interesse pessoal.

Não julgou nem deu opinião. Apenas deixou passar alguns momentos ruminando minhas palavras. Até que me pegou pelo cotovelo e disse venha. E saímos andando.

Assim como nas restantes vinte missões, San Francisco Solano estava totalmente reconstruída e pouco restava do edifício original. Mas permaneciam a estética, a alma e a estrutura, com sua humilde cruz de madeira tosca na parte superior. Uma placa metálica sintetizava sua história. Pura simplicidade, cativante e comovente em sua sobriedade.

Não parecia haver visitantes àquela hora, e sem mais companhia que o som de nossos passos, percorremos a capela de paredes claras e lajes de barro com seu altar simples e *naif*. Depois, a ala onde viveram os padres, transmutada em um pequeno museu que mostrava uma maquete envidraçada, uma panela de cobre, ferros de marcar gado e algumas fotografias em preto e branco de diversos momentos do transcorrer da vida na missão.

Continuamos olhando sem falar; avançamos. Apesar das poucas instalações e da humildade de seu conteúdo, o lugar transbordava encanto e provocava sossego ao mesmo tempo. Nas paredes do que supostamente havia sido o refeitório, encontramos uma coleção de aquarelas antigas; paramos para contemplá-las sem urgência. Quarenta ou cinquenta, sessenta talvez. Imagens das missões em sua linda decadência antes de serem submetidas à posterior reconstrução. Muros desabados, telhados prestes a ruir ou em ruína. Campanários sustentados por andaimes, paredes com buracos, cercas comidas por trepadeiras e uma grande sensação de abandono e solidão.

— Você acha que ele tinha razão?

Quebrou o silêncio com o olhar fixo ainda na imagem de uma arcada meio destruída. Sem tirar as mãos dos bolsos das calças, sem se voltar para mim.

— Quem, e em quê?

— Fontana, em pensar que talvez tenha existido uma missão cujo rastro não consta em nenhum lugar.

Continuava olhando para a frente, estático, como se por trás das pinceladas da aquarela pudesse encontrar parte da resposta.

— Em seus papéis, certamente, não encontrei nenhuma evidência — disse eu. — Mas, segundo você mesmo me contou, ele intuía que sim. Chamava-a de Missão Olvido, não?

— Esse era o nome que eu o ouvi dizer. Talvez fosse o verdadeiro, talvez um imaginário que ele mesmo decidiu lhe dar para rotular algo de que provavelmente nunca teve certeza.

Entrou um casal de turistas na sala. Ela, câmera em riste, com uma viseira colocada sobre a permanente ruiva, e ele com uma ostentosa pochete debaixo da barriga e um boné de beisebol ao contrário. Afastamo-nos para deixá-los passar; aquelas imagens cheias de nostalgia não pareceram lhes despertar entusiasmo excessivo.

— Pois eu receio — acrescentei quando tornaram a nos deixar sozinhos — que essa missão perdida continua sem rastro.

À medida que fomos deixando as aquarelas para trás e nos aproximando do jardim interno, começamos a ouvir vozes infantis. Ao sair, vimos que se tratava de uma excursão de alunos sob o comando de uma jovem professora e uma guia de certa idade que pedia silêncio sem muito sucesso. Aproximamo-nos, e, à distância prudente perto de uma fonte central de tijolo, paramos para ouvir o que ela por fim conseguiu lhes contar. Porções enfraquecidas de história, digeríveis, para uma audiência do quarto ano do ensino fundamental. Menções ao ano de fundação, 1823, a seu fundador, o padre Altimira, e aos métodos de trabalho e ensino dos índios neófitos acolhidos naquele lugar.

Abandonamos a missão em silêncio, cada um com suas coisas dando voltas na cabeça, talvez as mesmas coisas. Ele provavelmente rememorava o Andrés Fontana de seu tempo e aquelas suas intuições às quais prestara muito pouca atenção. Eu, de minha parte, reconstruía o professor com base nos testemunhos escritos que deixara ao morrer. Duas versões diferentes da mesma coisa: o homem contra sua memória, a carne e os ossos contra o legado intelectual.

Ao passar de novo pelo sino de ferro da entrada, Daniel parou. Com suas mãos grandes, apalpou as grossas vigas de madeira que o sustentavam e acariciou sua aspereza. Depois, sem nos consultar sobre o rumo de nossos pés, caminhamos instintivamente para a praça e nos sentamos em um banco para saborear, com indolência, o último sol do dia. Em frente a nós, entre árvores enormes, erguia-se uma escultura de bronze. Um soldado com a velha bandeira do urso ondulando sobre seu ombro, uma homenagem à efêmera independência da Califórnia. Além, uma área de lazer em calma absoluta, com as balanças paradas e sem rastro de presença infantil.

Apesar de minhas palavras desconcertantes naquela manhã durante o café, de certa maneira eu me sentia melhor depois de ter falado a Daniel sobre mim. Descarregada, mais leve, mais em paz comigo mesma. Ao contrário do que pensava até então, expor minha vida diante de um estranho fora um tanto libertador. Talvez porque, apesar de tudo, minha força ia crescendo cada vez mais. Talvez porque aquele estranho o era cada vez menos.

— De todas as missões, esta é, não sei por quê, a que Fontana mais interesse dedicou em seu trabalho, sabia? À missão e ao seu fundador, o padre José Altimira, que a guia mencionou quando contava a história da missão às crianças. Era um jovem franciscano catalão, quase recém-chegado, à época, na Alta Califórnia. Encontrei alguns documentos sobre ele entre seus papéis.

— E o que conseguiu saber? — disse mudando de posição. Voltara-se para mim, apoiando um cotovelo no encosto do banco; escutava-me com interesse.

— Que deu um jeito para que o autorizassem a levantar essa última missão no pior dos momentos. A missão Dolores de San Francisco estava, na época, em uma situação lamentável, e ele propôs mudá-la para cá, mas seus superiores não autorizaram. O México havia obtido sua independência da Espanha pouco antes e já se intuía que as missões tardariam pouco a ser secularizadas, embora os franciscanos se negassem a reconhecer governo algum que não fosse o de seu rei espanhol. O governador da Califórnia, porém, aceitou a proposta de Altimira e, graças a ele, começou a construí-la.

— Imagino que não foi porque o governador se preocupava com as almas dos infiéis.

— Claro que não. Foi por outra razão muito mais prática: para garantir uma presença estável nesta área contra a ameaça dos russos, que, em troca de umas mantas, alguns pares de calças de montaria, um punhado de enxadas e pouco mais, haviam obtido dos índios uma grande extensão de terras um pouco mais ao norte, junto ao Pacífico.

— Sujeitos espertos, os russos de Fort Ross. Quer ver tudo aquilo um dia? Amanhã, por exemplo.

— Vou jantar com Zárate, lembra?

— Invente qualquer desculpa e venha comigo outra vez. Com ele, vai se entediar muito mais.

— Pare com isso, vá — disse eu rindo. — Não quer saber o que aconteceu com Altimira depois?

— Claro que quero, era só uma pequena interrupção. Prossiga, sou todo ouvidos.

— Bom, como estava dizendo, apesar de ter autorização civil, Altimira não tinha a licença de seus superiores. Contudo, fez de sua capa uma túnica, escolheu este lugar, na época absolutamente inóspito, e, com meia dúzia de troncos e alguns galhos como altar, cravou uma cruz de pau no chão e estabeleceu esta missão.

— Meio rebelde esse Altimira, não?

— Bastante rebelde devia ser, sim, mas, no fim, seus superiores o autorizaram a manter a missão ativa. Fontana, por alguma razão que não consegui esclarecer, parecia achar esse personagem muito interessante. Em seus papéis há, como disse, algumas referências a ele, e se percebe um grande esforço para reconstruir seus passos além de Sonoma.

— Com sorte?

— Regular. Uma vez estabelecida, contra tudo e contra todos, sua missão aqui em Sonoma, os neófitos se rebelaram; os índios batizados que viviam nela. Pelo visto, era um gestor eficiente e um bom administrador, mas nunca conseguiu estabelecer uma relação afetuosa com os nativos. Em seu empenho por civilizá-los, parece que foi duro e exigente em excesso, aplicando-lhes constantes castigos físicos, sem conseguir conquistar sua confiança.

— E, então, eles se revoltaram.

— Exato. Dois ou três anos depois, os índios saquearam a missão e tocaram fogo nela. Altimira e alguns neófitos se salvaram do incêndio por pouco e fugiram.

— E o que aconteceu com ele?

— O que aconteceu naqueles dias, inclusive nos meses seguintes, não está muito claro, mas, como lhe disse, percebe-se em Fontana um interesse enorme em seguir seus passos. Mas não encontrei mais nada a respeito.

— E suponho que, com ele, acabou a vida desta missão.

— Nada disso. Pouco tempo depois do incêndio e da fuga de Altimira, outro franciscano, o padre Fortuni, assumiu-a. Era um padre velho e enérgico que rapidamente pôs ordem e injetou a moral necessária para reconstruí-la. Contudo, teria de enfrentar algo pior que um fogo ou um saque.

— A secularização das missões.

— Sim, senhor. Uma secularização que começou de um jeito ruim; depois, esforçaram-se para pôr ordem nas coisas, e, no fim, acabaram na marra outra vez. No início, os novos representantes militares do México se deslocaram até esta Alta Califórnia com a intenção de reconfigurar a ordem social. E, do dia para a noite, começaram os conflitos entre vários bandos. Entre os militares e os franciscanos, leais até a morte à antiga ordem espanhola. Entre os militares e a população local não indígena, os califórnios, de origem espanhola também, que até então viviam tranquilamente em seus ranchos cultivando suas terras e tocando suas fazendas.

— E montando a cavalo, rezando o rosário e cantando, dançando e tocando violão em seus fandangos, que era como eram chamadas suas festas por aqui. Não é de estranhar que não se sentissem identificados com os novos discursos liberais, com a boa vida que levavam... — apontou com ironia.

— Mas não tinham opção. No México, haviam decidido que o sistema das missões era um anacronismo e ordenado a secularização imediata de todas elas e a divisão de suas terras entre os índios hispanizados e os novos colonos que decidissem se assentar nelas. E isso também acarretou disputas, porque houve alguns espertinhos que pretenderam obter as propriedades, e outros mais razoáveis que acharam que as terras deviam voltar a seus antigos e legítimos donos.

— Imagino que eram os índios — sugeriu Daniel. — A população autóctone.

— Isso mesmo. Porque, pelo que li, os franciscanos nunca pretenderam ficar com a propriedade das terras onde se assentaram; embora houvessem fracassado e utilizado em muitas ocasiões mecanismos desafortunados, seu objetivo único foi aproximar os nativos de sua fé e tentar transformá-los em cidadãos mais ou menos integrados em suas comunidades.

Continuávamos sentados entre as árvores da praça; o sol ia caindo, só alguns transeuntes distraíam de vez em quando nossa atenção.

— Mas não conseguiram...

— Não, porque o magnífico plano de fazer uma devolução justa foi finalmente ignorado e só uma pequena porcentagem das terras acabou sendo entregue a quem elas cabiam por direito.

— E os índios, arrancados quase à força de sua forma de vida e de sua cultura, acabaram sendo, como costuma acontecer, os grandes perdedores do filme.

— Infelizmente, sim. E o restante do que aconteceu por aqui você conhece melhor que eu, porque já é a história deste seu país.

— A breve República da Califórnia, e depois a guerra entre o México e os Estados Unidos de então. E, no fim, o Tratado de Guadalupe Hidalgo que reconfigurou nosso mapa e nos cedeu todo o norte do México, incluindo a Califórnia.

— Isso mesmo. As missões, a partir de então, caíram no mais absoluto esquecimento, até que, nos anos 1920, começaram a ser reabilitadas fisicamente, e a partir dos anos 1950 começou também a investigação histórica.

— E pegaram alguns românticos como Andrés Fontana nos últimos anos de sua carreira — acrescentou.

— E, por isso, você e eu estamos aqui hoje, no final do lendário Camino Real, na última missão dessa cadeia de relíquias do passado colonial espanhol. Relíquias de um ontem relativamente próximo, do qual, porém, quase ninguém se lembra mais.

— E na Espanha, menos ainda.

— Exato. Exceto eu — brinquei —, que venci minha ignorância graças a uma fundação desconhecida que pôs diante dos meus olhos, no momento exato, uma bolsa que solicitei sem sequer imaginar qual seria o meu trabalho.

Tornou a mudar de posição, mas dessa vez não me olhou; manteve a vista perdida em algum ponto difuso da praça. Na figura de bronze do heroico soldado da revolta do urso, nos balanços vazios, talvez.

— Foi uma sorte conseguir que a FACMAF me selecionasse — prossegui. — Está sendo muito confortável trabalhar para eles sem prazos nem pressões. Eles me mandam um cheque todos os meses e eu avanço em meu trabalho no meu ritmo, até que, quando terminar, tudo fique organizado e eu entregue o relatório final.

Manteve silêncio, escutando-me como se não me escutasse, atentando a minhas palavras com uma mistura de distância e interesse.

— Vamos indo — foi a única coisa que acabou dizendo. — Vamos voltar a Santa Cecilia ou dar uma volta por aqui?

Passeamos pelos arredores da praça, encontramos pequenas vielas com lojas, galerias de arte e cafés. Até que encontramos um *pub* irlandês totalmente incongruente com o entorno. Anunciava um show na porta e tínhamos vontade de tomar alguma coisa, de modo que decidimos entrar.

Sentamo-nos no balcão. A hora do almoço já havia passado fazia tempo e a de jantar não havia chegado ainda, mas o lugar parecia disposto a nos oferecer o que quiséssemos. Um trio de músicos veteranos preparava seus instrumentos em um canto, nenhum tinha menos de setenta anos. Um deles usava uma trança cinza até o meio das costas; outro cobria sua barriga proeminente com uma camiseta preta estampada com uma folha de maconha; o terceiro remexia o conteúdo de uma mochila no chão.

Pedimos cervejas, continuamos conversando entre trevos verdes e legendas em gaélico. Sobre Fontana e suas coisas de novo, um tributo talvez inconsciente à missão que havíamos visitado impulsionados por ele.

— Naqueles últimos tempos, quando ele começou a se interessar pela história da Califórnia espanhola e pelas missões — disse Daniel após um primeiro trago em sua cerveja preta —, lembro que também começou a comprar documentos sobre história colonial. Registros, mapas, papelada pertencentes às missões ou a outras instituições próximas, imagino.

— Há muito pouco disso na papelada que me entregaram; tudo é muito mais documental. Onde ele conseguia tudo isso?

Deu de ombros.

— Encontrava-os em qualquer lugar e pagava apenas alguns dólares por eles; aparentemente, poucos apreciavam o valor daqueles velhos papéis escritos em espanhol na época.

— Talvez ele procurasse neles a Missão Olvido.

Puseram à nossa frente uma cesta de batatas fritas; começamos a beliscar.

— Talvez — confirmou com a boca meio fechada enquanto mastigava as primeiras. — Pensando bem — prosseguiu após engolir —, lembro que algumas vezes mencionou que talvez houvesse se situado perto de Santa Cecilia. Por isso, provavelmente, estava tão interessado em reunir os velhos documentos da região, caso pudesse encontrar neles algum dado. Mas você tem certeza de que não há nada disso nos papéis com que está trabalhando?

— Nada, em absoluto, já lhe disse. Mas continuo tendo a impressão de que faltam coisas em seu legado, de que deveria haver algo mais que desse sentido a toda essa última parte de seu trabalho.

— É estranho — acrescentou Daniel pensativo enquanto pegava algumas batatas com a mão. — Desde que você me disse pela primeira vez que sentia que faltavam documentos, não paro de me perguntar o que pode ter acontecido. Talvez parte do material tenha se extraviado em algum traslado. Ou talvez ele mesmo tenha se livrado deles, mas duvido, porque ele não costumava jogar nada fora. Você não imagina como era sua sala, a caverna de Ali Babá.

— Não sei, pode ser que seja simples suposição minha pensar que falta alguma coisa. Mas, certamente, facilitaria enormemente meu trabalho se encontrasse todos esses fios soltos.

O *pub* fora se enchendo, o ambiente ia se animando; os músicos idosos continuavam se preparando para tocar.

— Há muitas anotações relativas a uma biblioteca da Universidade da Califórnia onde se encontra a maior parte dos registros das missões. Essa é outra visita que eu gostaria de fazer.

— A Bancroft Library, em Berkeley.

Fiquei surpresa por ele conhecer um detalhe tão específico de um assunto que lhe era tão alheio. Contudo, não se ofereceu a me levar para conhecê-la.

— Ele voltava dela quando morreu. Fora consultar documentos e dados. Estava anoitecendo, 17 de maio de 1969. Chovia, uma dessas chuvas fortes de primavera. Um caminhão atravessou seu caminho, ele derrapou...

— Que triste, não? — interrompi. — Dedicar tanto esforço para resgatar o esquecimento e acabar morto, sozinho, jogado no acostamento em uma noite de chuva.

Levou alguns segundos para falar. Os clientes à nossa volta se encarregaram de encher com suas conversas a lacuna que ficou na nossa. Quando por fim falou, foi com a vista concentrada no copo que segurava. Fazendo-o girar, como se buscasse nele a inspiração ou a força necessária para dizer o que pretendia.

— Não estava sozinho no carro. Naquele acidente, morreu mais alguém.

— Quem?

Os artistas começaram com os primeiros acordes da música celta, e o barulho das conversas se calou.

— Quem, Daniel?

Levantou a vista de sua cerveja, por fim respondeu.

— Uma mulher.

— Que mulher?

— Que importa seu nome agora, depois de tanto tempo? Está com fome ainda, vamos pedir mais alguma coisa?

CAPÍTULO 31

Naquele sábado, passei em frente à casa de Rebecca ao meio-dia. Sabia que ela estava em Portland comemorando o aniversário de uma de suas netas, de modo que não tinha nenhum sentido que eu andasse por ali. Contudo, percorri sua rua e contemplei as janelas fechadas, a garagem com a porta abaixada e nem rastro de seu cão Macan.

Eu teria gostado de falar com ela. Sobre Daniel, sobre Fontana, sobre o emaranhado de sensações que os dois iam tecendo dentro de mim e sobre aqueles outros tempos em que a própria Rebecca se relacionou com eles, talvez até sobre a mulher que havia morrido com o professor numa noite de chuva. Por pura curiosidade visceral, movida por um simples interesse quase orgânico. São velhas histórias de mil anos atrás, dissera Daniel ao mencionar o acidente com o toque residual de emoção que dá a distância do tempo. Depois, continuamos conversando sobre outras tantas coisas. Pedimos mais cervejas, serviram-nos dois hambúrgueres dos quais ele comeu um e meio e eu só metade, e entre a música celta e a recordação da visita à missão deixamos a tarde passar.

Decidimos voltar a Santa Cecilia quando já era noite fechada. A caminho do estacionamento, ele viu algo em uma vitrine, e após um simples espere um instante, entrou na loja e saiu somente um minuto depois com um pequeno sino de ferro, uma réplica do lendário símbolo missionário. Uma recordação desse dia, disse entregando-o a mim.

— Ainda está em tempo de fugir comigo e esquecer seu diretor amanhã — advertiu-me com a ironia de sempre ao parar o carro em frente ao meu apartamento. — Que tal irmos a Napa visitar algumas adegas?

— Negativo.

— Ok, você venceu, mas vai se arrepender depois. E na semana que vem, o que vai fazer?

— Trabalhar. Concluir coisas, resolver assuntos do legado. Começar a fechar portas, receio. O tempo passou voando, já estamos em dezembro, e, como disse, cada vez me resta menos trabalho.

— E então, vai nos deixar — apontou.
Demorei minha resposta alguns segundos.
— Suponho que não terei mais remédio.
Poderia não ter dito mais nada, ter guardado para mim o restante dos meus pensamentos. Mas, já que havia começado a me abrir com ele de manhã, por que não continuar?
— Não quero ir, sabia? Não quero voltar.
— O que você não quer é enfrentar sua realidade.
— Provavelmente você tem razão.
— Mas precisa.
— Eu sei.
Conversávamos dentro do carro parado, no escuro em frente à minha casa.
— A não ser que a FACMAF me ofereça outra bolsa — prossegui. — Talvez, mesmo que seja tarde, devesse entrar em contato com eles.
— Não acho que seja uma boa ideia.
— Por que não?
— Porque sempre é preciso pôr ponto final nas coisas, Blanca, mesmo que seja doloroso. Não é bom deixar feridas abertas. O tempo cura tudo, mas, antes, é conveniente se reconciliar com o que foi deixado para trás.
— Vamos ver... — disse eu sem muita convicção.
— Cuide-se, então.
Pôs sua mão sobre a minha e a apertou em um gesto de despedida. Eu não me mexi.
Até que apareceu em nosso campo de visão meu vizinho taiwanês, um professor de Matemática carregando uma caixa enorme que, por conta do volume, parecia conter um aparelho de TV dentro. Começou a fazer malabarismos para conseguir entrar no edifício sem que sua carga caísse no chão e distraísse a nossa atenção.
Tirei minha mão do abrigo da sua, abri a porta e saí.
— A gente se vê — disse eu de fora, abaixando a cabeça para ficar à sua altura.
— Quando quiser.
Assim que me viu entrar, foi embora.
Luis Zárate me pegou nesse mesmo lugar na noite do dia seguinte. Como era estranho, para mim, que a vida toda dirigira para todos os lugares, de repente me ver sem carro à espera de que alguém fosse me buscar. Mais uma mudança, outra de tantas.
Los Olivos foi o destino; por fim ia conhecer o restaurante mais célebre da cidade. Lotado, com uma boa mesa reservada para nós. Com classe e sem

alarde, com paredes altas de tijolo à vista cobertas por grandes quadros e porta-garrafas cheios de mil bebidas para degustar.

— Cabernet? Shyraz? Ou vamos provar um Petit Verdot? Gostei dos seus brincos, ficam muito bem em você.

Eram os mesmos que usara no jantar de Ação de Graças de Rebecca. Quem poderia dizer, quando os comprara no Grande Bazar de Istambul, quanto minha vida mudaria apenas alguns meses depois. Mas assim havia sido: menos de um ano depois daquela última viagem com meu marido, ainda instalada na ingênua convicção de que nossa relação era bem alicerçada, eu me encontrava jantando do outro lado do mundo com um homem diferente, um pouco mais novo que eu, que, ainda por cima, era circunstancialmente meu chefe. Um homem que, à luz da vela branca que nos separava dentro de uma proteção de vidro grosso, concentrado na carta de vinhos, vestindo terno escuro outra vez, mas com algo diferente essa noite, não prometia ser má companhia.

— Obrigada, são turcos. E o vinho, melhor você escolher.

— Vocês, espanholas, têm algo especial para se arrumar. As espanholas e as argentinas; as italianas também. Gosta de massa? Eu recomendo *linguine alle vongole*.

— Estou quase me decidindo pelo risoto de cogumelo — anunciei fechando o cardápio. — Faz um século que não como arroz.

— Ótima escolha.

— Vou deixar que prove. Bem, como vão as coisas?

— Bem, bem, bem...

O departamento, suas aulas, minhas aulas, algum livro, algum lugar, esse ou aquele colega, mil assuntos diferentes encheram nossa conversa sob uma luz tênue entre uma taça de vinho e outra.

Quase sem transição e sem que percebêssemos, do aperitivo de *homus* e *tapenade* havíamos passado a uma salada e depois ao prato principal; do terreno do profissional fomos escorregando até margear areias mais humanas. Nenhum dos dois adentrou detalhes nem expressou abertamente emoções ou sentimentos como havia acontecido no dia anterior. Mas ambos deixamos cair sobre a toalha de mesa alguns dados que até então nunca havíamos comentado entre nós. Nada íntimo, na realidade: questões objetivas, quantitativas apenas que, contudo, cruzavam o limite do meramente profissional. Que ele tinha uma filha pequena em Massachusetts, mas que nunca chegara a se casar com a mãe dela. Que eu acabava de me separar de uma maneira um tanto brusca. Que sua mudança à Califórnia fez que a relação entre eles esfriasse. Que meus filhos não precisavam mais de mim. Ele não mencionou Lisa Gersen, a jovem professora de Alemão com quem eu o havia visto na noite do debate e em algumas outras ocasiões. Aquela que todos no departamento achavam que era especial para ele. Eu também não perguntei.

Inesperadamente, alguém se aproximou de nossa mesa no meio da conversa e do jantar. Um de meus alunos, Joe Super, o historiador veterano e adorável do meu curso de conversação. Eu não o havia visto antes, estava sentado atrás de mim.

Fiquei feliz ao vê-lo. Luis, apertou sua mão, também.

— Vim só dizer a minha querida e admirada professora — disse com graça imensa em seu espanhol mais que aceitável — que esta terça-feira não poderei assistir à sua aula.

— Vamos sentir sua falta, Joe.

Era verdade. Ele era, sem dúvida, uma das presenças mais participativas do grupo, sempre disposto a oferecer um ponto de vista descontraído e inteligente a qualquer situação.

— E é provável que outros colegas também não compareçam — acrescentou.

— Por conta do assunto de Los Pinitos de novo, imagino — antecipou Luis antes que eu tivesse oportunidade de perguntar.

Joe Super continuava ativamente envolvido na plataforma contrária ao projeto. Eu me lembrava de tê-lo visto na televisão, e em nossas aulas, sem ser, nem de longe, excessivo nem maçante, de vez em quando fazia algum comentário a respeito.

— Isso mesmo, isso mesmo. Outro encontro esta terça-feira no auditório. Falta muito pouco para acabar o prazo de recorrer legalmente contra o projeto do centro comercial e estamos todos um pouco nervosos.

— Estão desculpados, então.

— E se quiser saber como vão as coisas, também pode ir.

— Obrigada, Joe, mas acho melhor não. Estou em Santa Cecilia só de passagem, você sabe. De qualquer maneira, depois vocês me contam.

— Imagino que nosso amigo comum Dan Carter também estará por lá — disse ele a modo de despedida. — Com certeza vai brigar comigo por ter faltado à aula da linda professora espanhola que veio nos visitar.

Com uma piscada simpática voltou a sua mesa; Luis e eu tornamos a ficar sozinhos. O tom e o conteúdo de nossa conversa anterior, porém, ficaram alterados.

— Seu amigo comum Dan Carter — repetiu erguendo a taça a modo de brinde com uma careta irônica. — O gigante saiu para passear de novo.

Dan. Assim eu ouvira seus velhos amigos de Santa Cecilia chamarem Daniel; abreviando seu nome. Com frequência Rebecca também. Mas Luis Zárate, como eu bem sabia, não fazia parte daquele círculo.

— Você não vai? — perguntei terminando meu risoto. Preferi ignorar seu comentário.

— Não, obrigado. Eu não entro nesse jogo — disse enquanto terminava sua massa. — Deliciosa — concluiu após limpar a boca. — Na realidade, todo esse assunto de Los Pinitos e seu futuro é algo que para mim tanto faz.

Sua reação me chocou, mas disfarcei enquanto a jovem garçonete retirava nossos pratos. Minha posição era a de uma recém-chegada àquela comunidade, uma desconhecedora absoluta de seus assuntos. Contudo, apesar de minha condição de novata, entendia a reação de meus colegas contra o plano de arrasar uma paragem natural para transformá-la em mais um centro comercial. Por isso não o compreendia.

— Mas você mora aqui, pelo menos um pouco deve se importar. Quase todo mundo está contra, as razões são evidentes, seus próprios colegas estão se mobilizando sem parar...

— Está vendo? — disse com um meio sorriso. — Carter, a velha raposa, já a inclinou para seu bando. Outra taça de vinho para acompanhar a sobremesa?

Eu não disse que não. Talvez fosse justamente isso, o vinho que ambos estávamos bebendo com generosidade, que me fez falar sem rodeios.

— Vocês dois não se bicam, não é?

— Não é para tanto, trata-se apenas de uma falta de sintonia. Sabia que os primeiros a plantar vinhas nesta terra californiana foram seus compatriotas, os monges franciscanos? Trouxeram umas cepas da Espanha porque precisavam de vinho para consagrar.

— Não mude de assunto, Luis. Esclareça de uma vez o que há entre vocês, de que tipo de falta de sintonia está falando.

— Acadêmica, evidentemente. E pessoal, diria que também. Mas nada realmente profundo, também não vamos fazer drama. De fato, além do ato no dia da hispanidade, só falei com ele pessoalmente uma vez; se bem que aquele primeiro encontro foi muito menos memorável, inclusive.

— Não vai me contar?

Falávamos com confiança, ele já não se esforçava, como nos primeiros tempos, para ser o perfeito cavalheiro comigo, o perfeito chefe ou o perfeito colega atencioso e acolhedor. E nos entendíamos perfeitamente assim. Éramos seres de natureza díspar, mas compartilhávamos alguns códigos que faziam que a comunicação entre nós fosse sempre fluente. Embora ele fosse três ou quatro anos mais novo que eu, pertencíamos quase à mesma geração e havíamos nos movido por territórios afins. Por isso, por conta do bom relacionamento que, mesmo de maneiras muito diferentes, eu mantinha tanto com Daniel como com ele, incomodava-me o fato de que ambos ficassem lançando dardos envenenados um contra o outro quando eu estava no meio. E se em algum momento decidi que aquela história não tinha nada a ver comigo, acabei mudando de opinião. Agora, preferia saber o porquê daquela antipatia que, não importava o lado de que viesse, sempre acabava respingando em mim.

— O que lhe importa, Blanca? Sua postura é a mais inteligente. Bem com todos independentemente das desavenças particulares de cada um. Um dia janta comigo, outro toma café da manhã com ele...

— E como você sabe disso?

— Alguém comentou comigo ontem que os viu sair juntos de manhã do café da estrada de Sonoma, só isso. Santa Cecilia é uma cidade pequena, como você sabe. De qualquer maneira, deve ser uma grande honra para você ter o grande Daniel Carter comendo em sua mão.

— Não abuse, Zárate... — disse por fim provando meu *cheesecake*. — De qualquer maneira, desconheço que interesse pessoal ele pode ter no assunto de Los Pinitos além de ficar do lado de seus amigos opositores.

Eu sabia disso porque havíamos falado sobre esse assunto certa vez e porque ele havia me arrastado àquela manifestação numa tarde de cafés e vento. Mas eu desconhecia que seu envolvimento fosse mais longe que o mero apoio testemunhal.

— Pois não duvide que tem. Enorme, aliás.

Tentei não fingir surpresa.

— No fim do ano letivo passado — continuou enquanto empunhava o garfo de sobremesa vazio, sem chegar a provar seu tiramisú —, Carter me ligou de Santa Bárbara para me pedir que o recebesse aqui em Santa Cecilia; queria falar comigo sobre um assunto que não explicou. Marquei para uma semana depois. Ele apareceu no departamento como se fosse uma *prima donna* e, sem nem sequer me conhecer, veio quase me dizer como eu devia dirigir meu departamento. Quase exigindo que eu agisse no sentido que lhe interessava.

Eu não estava entendendo nada. Talvez fosse o efeito do vinho. Ou, talvez, algo menos volátil e mais substancial.

— Tudo tinha a ver com o projeto de Los Pinitos. Ele queria me convencer de que o departamento interviesse ativamente no assunto com todos os seus recursos.

— Que recursos? — perguntei sem o deixar acabar.

— Não sei, não lhe dei oportunidade de explicar. Não sei se ele pretendia que todos os professores assinassem um manifesto, ou que mobilizássemos nossos estudantes, ou que fizéssemos doações para a causa... Eu me neguei a continuar escutando antes que ele entrasse em detalhes. Aquele assunto me era indiferente na época, na mesma medida em que me é hoje. Mas eu não podia consentir que alguém já totalmente desvinculado desta universidade, por mais célebre que fosse fora dela, viesse me coagir, me dizer o que eu tenho ou não que fazer em meu trabalho e as medidas que devo tomar conforme questões tão alheias a nossas competências.

Como velhos carrinhos de bate-bate, à medida que Luis falava, em minha cabeça começaram a surgir choques violentos cuja ordem eu não conseguia controlar. Daniel e o legado de Fontana, Fontana e Los Pinitos, Daniel e eu, Fontana e eu. Aquilo que Luis Zárate nunca soube eu comecei a suspeitar naquele mesmo instante. Em apenas dois segundos, minha memória desceu outra vez ao porão nojento do Guevara Hall. E se esses fossem os recursos a que Daniel se referira? Recursos palpáveis, documentais, quantificáveis, propriedade de um departamento que jamais os levou em consideração. E se o que ele havia pretendido conseguir de Luis Zárate naquele momento fosse que o próprio departamento desempoeirasse o legado de Fontana e o pusesse a serviço da causa de Los Pinitos? E se Daniel suspeitasse desde o início que ali poderia haver alguma chave capaz de atrapalhar o projeto do centro comercial? E se, diante da negativa do diretor, ele houvesse buscado seu próprio caminho para por fim trazê-los à luz?

— De modo que me neguei — continuou. — Por princípio. Porque tenho colhões, como diriam na Espanha. Com perdão da má palavra.

Não reagi diante da veemência de suas palavras, minha mente continuava tentando juntar peças. Recursos documentais, recursos palpáveis contidos, talvez, entre os milhares de papéis com que eu estava trabalhando havia três meses. Algo que possivelmente tivesse a ver com as constantes perguntas de Daniel sobre o avanço do meu trabalho, sobre meus achados, sobre aquela escorregadia Missão Olvido pela qual me perguntava com frequência.

— E aí acabou a batalha, não pense que há mais. Mas foi interessante — acrescentou irônico. — Não é todo dia que você contraria uma lenda viva.

Meu cérebro continuava ocupado em conectar cabos a fim de dar consistência a uma crescente suspeita, mas meu rosto deve ter mostrado uma evidente curiosidade. E ele não a deixou escapar.

— Como trabalham em áreas diferentes, talvez você não saiba, em toda a sua extensão, quem é o verdadeiro Daniel Carter, não é?

— Pois me diga você. — Eu precisava saber. Precisava saber já.

— Na comunidade dos hispanistas deste país, e acredite, somos alguns milhares, ele é um peso-pesado. Foi presidente da poderosa MLA, a Modern

Language Association of America, e diretor de uma das mais prestigiadas publicações periódicas de nosso campo, *Letras e Crítica*. Livros dele como *Literatura, vida e exílio* ou *Segredos para a narrativa espanhola do século XX* são obras emblemáticas há anos usadas em todos os Departamentos de Espanhol dos Estados Unidos. Sua presença é disputada como poucas nos congressos e nas convenções de nosso campo. Abrir ou fechar um encontro acadêmico com uma conferência dele é garantia de sucesso total. Uma referência positiva ou uma carta de apresentação com sua assinatura podem fazer decolar a carreira profissional de qualquer um que se dedique a esse assunto.

O perfil de homem que ia tomando corpo diante de meus olhos começou a me incomodar na mesma medida em que seu interesse por remexer nos recursos naquele departamento que não era seu fazia décadas.

— Seu amigo Daniel Carter, minha querida Blanca, não é um simples professor anônimo e simpático com poucas responsabilidades e muito tempo livre na reta final de sua carreira. Hoje em dia, continua sendo uma das figuras com mais solvência intelectual e maior poder operacional no grupo hispanista da América do Norte.

Aquelas pinceladas não faziam mais que aumentar minhas dúvidas. Tentei impedir que Luis notasse minha angústia. O *cheesecake* se tornou a fachada.

— Além do mais — prosseguiu —, ele tem fama de ser um sujeito carismático, com muitos amigos e influências, e, segundo contam, com um passado um tanto peculiar. Pena que eu não tenha captado o ponto, e que, diferentemente de você, minha relação com ele tenha sido, desde o início, um total desencontro.

Acabou com seu tiramisù enquanto eu, em paralelo, continuava tentando juntar as peças do confuso quebra-cabeça que ia se formando à minha frente.

— Não suporto essas vacas sagradas que se acham capazes de estender sua sombra até onde bem entenderem, sabe?

Continuava falando já sem reservas, como se tivesse bem mastigadas suas opiniões e aqueles pensamentos lhe houvessem ocupado intensamente o raciocínio desde tempos atrás.

— Não gosto de que nesta profissão se continue venerando os dinossauros sem que ninguém se atreva a contradizê-los.

Joe Super tornou a se aproximar de nossa mesa nesse exato momento apenas para se despedir. Sorrimos, ele sorriu. Ainda não havia se voltado totalmente quando por fim tomei a palavra.

— Mas o que ele está fazendo na realidade em Santa Cecilia, então? — perguntei quase sem voz.

— Aproveitando um ano sabático e escrevendo um livro. Isso é o que anda dizendo.

— Literatura espanhola do fim do século, é o que sei. Mas por que justamente aqui e agora?

Respondeu veloz, como se tivesse a resposta bem elaborada:

— É a mesma coisa que me pergunto cada vez que o vejo.

CAPÍTULO 32

Passei o domingo todo ruminando incerteza. Não vi Daniel, nem liguei para ele, nem ele me ligou, nem ninguém tornou a me recordar seu nome porque não falei com quase ninguém o dia todo. Mas seu eco não me abandonara desde a conversa com Luis Zárate durante nosso jantar em Los Olivos.

Acordei cedo e não consegui mais dormir. Fui à piscina do campus quando ainda estava praticamente vazia, nadei sem vontade nem forças. Depois, comprei o jornal e perto da praça tomei um café que não consegui terminar. Na hora do almoço, não consegui comer nada. Meu estômago parecia ter encolhido. Minha mente, porém, não parava de trabalhar. O que até então havia me parecido inocente e casual agora me cheirava a suspeito: o porquê de sua presença permanente em um lugar que não lhe correspondia, esse perseverante interesse por meu trabalho, seu conhecimento de alguns dados sobre mim mesma que eu não recordava ter compartilhado com ele.

Rebobinando a memória dos meses passados desde a minha chegada, voltei a recordá-lo na extensa galeria de cenários e momentos que havíamos compartilhado. Vi-o de novo caminhar sem pressa pelas ruas do campus com livros debaixo do braço e as mãos nos bolsos; vi-o trotando, de longe, de roupa esportiva ao entardecer. Rememorei o dia em que nos conhecemos no Meli's Market e quando ele me arrastou, de maneira aparentemente espontânea, até o meio da manifestação. Aquele meio-dia em que me roubou pedaços de um burrito de frango na lanchonete, a tarde que compartilhamos enquanto ele me falava com carinho do Andrés Fontana que um dia conheceu, sua voz forte cantando rancheiras em minha festa, seus braços empurrando a cadeira de rodas do amigo mentalmente ausente e aquele discurso com que arrancou risos e prantos enquanto agradecia à vida e entoava um canto pela compaixão. E mais perto ainda no tempo, seus dedos em minha nuca após o café da manhã inacabado, sua intensa atenção a minhas histórias sobre a missão Sonoma sentados os dois em um velho banco de madeira. Sua menção à morte de Fontana com uma mulher ainda sem nome, seu conselho dentro do carro para que eu não deixasse minhas feridas abertas. Sua mão em minha mão antes do adeus. Sempre descontraído, caloroso, próximo. Demais, talvez.

No meio da tarde saí de novo. Passei novamente pela casa de Rebecca, encontrei de novo tudo fechado e mergulhado na letargia. Ela não voltara ainda. Então, encaminhei-me à biblioteca. Apesar de ser feriado, estava bem cheia de estudantes. O aquecimento funcionava a toda a potência, a maioria dos jovens andava de mangas curtas, alguns até de bermudas. Vi também alguns exagerados de chinelos.

Fucei em um computador no andar térreo à caça de referências e coordenadas. Como deseja fazer sua busca?, perguntou-me a máquina. Selecionei a opção *autor*. Então, digitei o sobrenome e a seguir introduzi o nome. Os achados saltaram diante dos meus olhos de imediato. Catorze livros próprios, montes de coordenações e coautorias, dúzias de artigos em revistas de prestígio, uma boa quantidade de prólogos e edições comentadas. Narrativa, crítica, Ramón J. Sender, exílio, vozes, letras, análises, nostalgia, olhar, identidade, revisão. Todas essas palavras se espalhavam em uma ordem não aleatória entre os títulos da intensa produção científica de Daniel Carter.

Então, busquei indicações e segui os passos pertinentes. Até chegar ao terceiro andar, seção de Literatura Espanhola. Peguei alguns volumes das prateleiras, li algumas páginas por cima e outras com atenção, folheei, avaliei. Luis Zárate não havia exagerado. Aquilo era o trabalho de um acadêmico de enorme solvência, não a pesquisa de um simples professor entediado sem mais obrigações que acompanhar uma colega recém-chegada a visitar missões franciscanas e a beber cerveja preta em um *pub* irlandês.

Terminei por volta das sete. Não fazia sentido continuar lendo, já havia ratificado mais que de sobra o que queria saber. De nada me adiantaria mergulhar em outro artigo seu sobre bandidos adolescentes, tardes com Teresa, lanças enferrujadas ou sinais de identidade. Pouco mais poderia aportar ao contorno do homem que eu já havia acabado de traçar.

A grande área central da biblioteca continuava com bastante movimento quando me dirigi à saída: alguns estudantes chegavam, outros avançavam para a área dos computadores, a maioria procurava uma mesa à qual se sentar aqui ou ali. Alguns saíam também. Para a rua, para a noite, de volta a suas residências e a seus apartamentos, à vida normal longe do conforto acolchoado dos carpetes e das estantes cheias de livros. Eu, provavelmente, deveria ter ido embora com eles, voltado à minha vida, não indagado mais.

Não o fiz.

No último momento, já com o casaco vestido, decidi ir em busca do que minha intuição me antecipava como uma possível janela para a verdade. Em busca de mais uma peça para juntar ao monte das que já havia acumulado. Atrás do testemunho indelével sobre o que aconteceu em outros tempos.

Pedi instruções no balcão correspondente. Jornal de 1969? Diário local? Está tudo microfilmado. Um momento, por favor. Em três minutos, eu tinha na mão a microficha de que necessitava; em quatro, estava sentada em frente à forte tela luminosa que haveria de magnificar, diante de meus olhos, as páginas de um jornal datado de três décadas antes. Daniel havia mencionado maio de 1969 como a data do acidente de Fontana. O dia eu não recordava com exatidão. Sete? Dezessete? Vinte e sete?

Assim que entendi o funcionamento do aparelho, comecei a passar páginas com rapidez. Até que apareceu a capa do *Santa Cecilia Chronicle*.

USC PROFESSOR KILLED IN CAR ACCIDENT
Spanish Professor Andrés Fontana, 56, Chairman of the Department of Modern Languages, was killed last night in a car crash... Along with him, Aurora Carter, 32, wife of Associate Professor Daniel Carter, was killed as well... [15]

Aurora Carter, trinta e dois anos, esposa do professor Daniel Carter. *Killed as well.* Morta também. *Along with him.* Juntamente com ele.

Não pude avançar mais. O calor da biblioteca de repente se fez asfixiante. Senti a garganta seca, meus dedos tensos apertando a borda da mesa e uma densa sensação de fraqueza. Até que, exausta, consegui segurar de novo as rédeas de minha atenção e acabei de ler as três colunas da notícia na tela. A chuva, a noite, um caminhão. O impacto, bombeiros, várias horas, polícia. Espanha, marido, morte.

Neguei-me a continuar procurando dados, faltou-me coragem. Ou forças. Ou estômago. Se houvesse continuado, com certeza poderia ter encontrado dezenas de detalhes nos jornais dos dias posteriores. Como foi o velório, quem esteve presente, onde os enterraram. Mas não quis saber. Como também não quis que minha própria imaginação adentrasse, invasiva, aquele triângulo doloroso e desconcertante que acabava de se abrir diante de mim. Assim que cheguei ao ponto final da notícia, levantei-me de modo tão brusco que derrubei a cadeira no chão.

[15] "PROFESSOR DA USC MORTO EM ACIDENTE DE CARRO
O professor espanhol Andrés Fontana, 56, Presidente do Departamento de Línguas Modernas, foi morto ontem em um acidente de carro... Com ele, Aurora Carter, 32, esposa do professor associado Daniel Carter, também faleceu..." (N.E.)

A encarregada da hemeroteca, de sua bancada, chamou-me a atenção em tom ríspido ao observar minha saída precipitada. Que devia desligar o aparelho, julguei entender. Que devia devolver-lhe o microfilme. Não lhe dei ouvidos, não parei, nem sequer voltei a cabeça. Apertando o passo, deixei-a resmungando atrás de mim e, quase correndo sobre o carpete silencioso, fui embora.

A primeira coisa que fiz ao chegar ao meu apartamento foi enviar uma mensagem.

> Rosalía, continuo na Califórnia. Por favor, descubra o quanto antes tudo que puder sobre a FACMAF, a fundação que financia minha bolsa de pesquisa. Preciso saber o que há por trás dela, quem a comanda. Tomara que esteja enganada, mas tenho a sensação de que alguém me meteu em um assunto muito estranho.

Na manhã seguinte, o departamento respirava o mesmo ar que qualquer outra segunda-feira. Gente, passos, o barulho de algum teclado, a máquina de xerox cuspindo folhas. Cumprimentei como sempre quem cruzou meu caminho, bom-dia a alguém perto da escada, bom-dia a outro colega dez metros além. Esforcei-me para parecer natural, a professora visitante de sempre, a espanhola caída do céu que dia a dia se enclausurava na sala mais apertada e afastada do andar em frente a um monte de papéis velhos que para todo mundo eram indiferentes.

A primeira coisa que fiz foi abrir meu e-mail. A resposta que esperava já estava ali.

> Mil reuniões e prestes a sair correndo para outra das longas, uma loucura, minha filha!!! Sobre sua bolsa de pesquisa, só encontro a convocatória + os docs e mensagens que trocamos na época com Uni Sta Cecilia, e isso você já tem. Resgatei do lixo a mensagem com o núm de tel da pessoa da FACMAF com quem fiz contato, um sujeito muito enrolão que falava um espanhol perfeito. Aí vai, espero que lhe sirva. Bjs, Ros. PS. Vai chegar para o coquetel de Natal do reitor?

Inspirei com ânsia um pouco de oxigênio, levantei o fone de meu velho aparelho e digitei o número com que Rosalía concluía sua mensagem. Como temia, ao quinto toque entrou sua voz gravada. Primeiro falou em sua língua. Depois na minha. Breve, rápido e conciso. Para que mais.

Esta é a secretária eletrônica do Dr. Daniel Carter, departamento de Espanhol e Português da Universidade da Califórnia, Santa Bárbara. Neste momento estou ausente por motivos profissionais. Para deixar seu recado, entre em contato com a secretaria, por favor.

Por pouco não joguei o telefone no vidro da janela, não dei um pontapé no computador com todas as minhas forças. Não gritei os piores insultos que guardava na memória e não desatei a chorar. Tudo ao mesmo tempo. Ou escalonadamente, teria dado no mesmo.

Mas não fiz nada daquilo. Nada. Apenas cruzei os braços sobre a mesa, escondi meu rosto entre eles e, na escuridão e refúgio de mim mesma, pensei. Durante um longo tempo, só fiz isso, pensar. E quando por fim pus ordem em meus pensamentos, mandei duas linhas cibernéticas para Rosalía pedindo que não se preocupasse mais. Depois, sem abrir nenhum documento de trabalho nem pôr sequer os dedos sobre algum dos poucos papéis do legado que iam ficando, de uma prateleira peguei o livro de capa amarela sobre a Califórnia que ele me dera de presente, pendurei a bolsa no ombro e saí.

— Você já sabia? — perguntei da porta. À queima-roupa. Sem sequer cumprimentá-la.

Rebecca levantou a vista do teclado. Vestindo uma camisa cor de berinjela, cercada pela harmonia de sempre.

— Bom dia, Blanca — replicou com sua temperança habitual. — Você se importaria de me explicar a que se refere, por favor?

— Você sabia que seu amigo Daniel Carter estava por trás da FACMAF?

Não pareceu se surpreender com minha pergunta. Antes de me responder, apenas tirou os óculos de perto e se reclinou com calma em sua cadeira.

— No início, não.

— E depois?

— Depois comecei a suspeitar. Mas nunca confirmei.

— Por quê?

— Porque não perguntei a ele. Porque não é assunto meu. E porque intuo as razões que o levaram a fazer isso, de modo que preferi deixar as investigações de lado.

— Razões que têm a ver com Andrés Fontana e com a mulher de Daniel. Com sua amiga Aurora, não é?

— Imagino que sim. Mas acho que seria melhor você falar com ele.

— É o que pretendo fazer agora mesmo — disse eu ajeitando a bolsa no ombro. — Assim que me disser onde ele mora.

— Não vai ligar para ele primeiro? — perguntou enquanto anotava o endereço em um post-it amarelo.

— Para quê? Ele trabalha em casa de manhã, não é? Prefiro vê-lo.

Já estava no corredor quando ouvi a voz dela às minhas costas.

— Não esqueça, Blanca, que de uma maneira ou de outra todos temos dívidas pendentes com nosso passado.

Ao sair, dei de cara com Fanny. Ameaçou parar, pretendia me mostrar algo. Eu quis simular um sorriso, mas não consegui. A gente se vê mais tarde, disse sem deter o passo. Deixei-a ali em pé me contemplando, quieta, desconcertada.

Logo soube que Rebecca tinha razão. Não por aquele conselho obscuro que me dera no último momento sobre o qual nem sequer parei para pensar, mas ao perceber que deveria ter avisado Daniel de minha chegada. Ninguém abriu quando toquei a campainha do apartamento B naquela casa grande subdividida em várias moradias independentes. Ninguém saiu ao meu encontro quando bati repetidamente na porta de madeira branca de seu domicílio temporário com toda a força de meu punho fechado. Então, sentei-me em um degrau e peguei meu celular.

Eu tinha dois números dele, o daquele alojamento transitório e o do celular; ele me dera os dois na tarde em que fora procurá-lo no Selma's Café. Caso precise de mim em outro momento, ofereceu. O momento já estava ali.

Liguei no primeiro já sabendo o que ia acontecer. Não me enganei: por trás da porta junto à qual eu me havia sentado, soou repetidamente o eco de uma ligação que ninguém atendeu. Depois, tentei a segunda opção. O número chamado não está disponível, disse uma mocinha com voz de falsete em inglês. E repetiu. E repetiu. Até que desliguei.

Então, tirei da bolsa o livro sobre a Califórnia. Aquele que eu pensara ser um mero presente oportuno e criativo destinado a facilitar meu trabalho. Aquele que para ele provavelmente era apenas uma isca para me estimular a continuar trabalhando, como a cenoura que alguém põe na frente da mula para que nunca pare. Uma armadilha, um engodo. Mais um. Você me manipulou e me traiu. Procure-me assim que voltar. A fúria de minhas maiúsculas quase rasgou o papel. Não assinei.

Enfiei-o com um golpe seco dentro da caixa de correspondência da entrada com seu nome; fez um barulho metálico ao cair. Depois, fui embora e decidi não tornar a ligar para ele. Não queria ouvir sua voz nem receber suas mensagens. Só vê-lo frente a frente, sem subterfúgios nem escapatórias.

Passaram-se trinta e quatro horas até que ele deu sinal de vida. Trinta e quatro horas tristes e desoladoras, até que ele me encontrou no momento mais inoportuno.

Ouvi na porta batidas rápidas, e de imediato ela se abriu. Uma cabeça e meio corpo apareceram. Cabelo claro, barba clara, uma blusa de lã de gola alta cinza e um paletó formal. Tudo isso sobre a pele queimada de um rosto que não escondia sua expressão de preocupação.

Precisou de menos de dois segundos para avaliar a situação da sala. Próxima à lousa, uma professora, eu, em pé, levemente apoiada na quina dianteira da mesa principal. Segurando um marcador de quadro branco, com os braços cruzados debaixo do peito, o cansaço pintado no rosto e um esforço evidente para manter oculta a angústia que me consumia. Cinco alunos de meu curso de cultura dispersos em volta, menos da metade do volume da classe em qualquer dia normal.

Ele não disse nem uma palavra. Apenas ergueu algo no ar, sério, mostrando-o. O livro sobre a Califórnia. O meu. O seu. O que ele me havia deixado como presente dentro de uma sacola anônima em uma noite de *tortillas*, gaspacho e risos. O mesmo livro que eu lhe havia devolvido jogando-o no fundo de sua caixa de correspondência. Não quero nada seu, foi o quisera lhe dizer com isso. Imaginei que ele entendera. Então, fez um gesto simulando que o ia introduzir em algum lugar. Em meu escaninho, intuí. Eu não disse nem que sim nem que não e ele não esperou minha resposta. Apenas tornou a fechar a porta entreaberta e desapareceu.

Nunca foi minha intenção.
Espero-a no auditório.
Venha asap, pls.

Isso foi o que encontrei ao término da aula no vão em que costumavam me deixar as mensagens internas e as cartas que chegavam para mim de vez em quando de meu país. Escrito em um cartão branco sem timbre, encaixado ao acaso entre duas páginas de um livro de capa amarela, que já estava começando a me parecer lastimosamente familiar.

A primeira linha simplesmente negava.

A segunda me convocava para um encontro.

A última incorporava urgência. Venha *asap, as soon as possible*, o mais rapidamente possível.

Pls, please, por favor.

No palco havia cinco participantes; entre eles, distingui meu aluno Joe Super e dois professores que eu conhecia de vista. Assim como no dia da manifestação, a fauna de simpatizantes era heterogênea. Montes de estudantes, as vovozinhas guerreiras com um cartaz erguido, honrados cidadãos às dezenas e o rapaz do rastafári com sua cabeça exagerada se destacando a distância. Porém, não havia nem rastro do ambiente quase festivo do dia da manifestação. Rostos sérios, sorrisos poucos e atenção concentrada, foi isso que percebi.

O encontro havia começado fazia uma longa hora, um dos palestrantes comentava algo sobre umas explorações arqueológicas no terreno. No palco, em uma lousa branca, alguém havia escrito com um marcador grosso *10 days to Dec 22*. Dez dias era tudo que restava à plataforma para agir, julguei entender. Dez dias até a data-limite. Depois disso, se não encontrassem nada que pudessem apresentar às autoridades, teriam perdido a batalha.

Daniel me esperava sentado na penúltima fila.

— Temos de conversar — sussurrei sem o cumprimentar assim que me sentei ao seu lado. — Vamos sair daqui.

— Cinco minutos — pediu-me em voz baixa. — Eu lhe imploro, Blanca, dê-me só cinco minutos.

— Você vem ou fica, você é quem sabe.

O palestrante da vez mencionou seu nome, então; chamava-o para que respondesse algo.

— Espere por mim — insistiu me segurando pelo punho enquanto ao microfone repetiam seu nome e a pergunta.

Soltei-me com um puxão. Depois, levantei-me e fui embora.

CAPÍTULO 33

Meia hora depois, abri-lhe a porta.

— Lamento muito — disse entrando de uma vez, desbaratando com sua presença grande e agitada o sossego do meu apartamento. — Não pensei que fossem me solicitar, chamaram-me no último momento, eu havia acabado de chegar de Los Angeles quando vi seu livro em minha caixa de correspondência, fui procurá-la imediatamente, saí ontem cedinho...

Não o interrompi. Se o tivesse à minha frente um dia e meio antes, talvez houvesse voado em seu pescoço, talvez o houvesse encarado aos gritos ou descarregado toda a cólera que se amontoara em minhas entranhas ao constatar o que já intuía. Mas, passadas tantas horas, apenas o deixei falar. Naquele momento, minha ira se havia filtrado, e a raiva que antes me roía havia se transformado em outra coisa diferente. Em uma espécie de desolação, de amargura densa que, no fim das contas, talvez fosse até pior.

Quando ele terminou de desfiar as mil desculpas que eu não lhe havia pedido, por fim chegou minha vez.

— Por que mentiu para mim? — perguntei com frieza.

— Nunca quis fazer isso, Blanca. Nunca pretendi enganá-la.

Deu um passo adiante, estendeu o braço em minha direção. Como se com o contato físico pretendesse me transmitir uma dose extra de sinceridade.

— Mas enganou — disse eu me afastando para que não chegasse sequer a me roçar. — A FACMAF não existe e a bolsa com que venho me mantendo ao longo desses meses não é mais que uma maquinação sua que você escondeu de mim. Você escondeu e, com isso, me enganou, me decepcionou e me feriu.

— E, de coração, digo que você não faz ideia de quanto eu lamento. Mas quero que saiba que jamais pretendi...

— Não quero desculpas, apenas explicações — cortei-o contundente. — Só preciso que me conte o que é que há por trás dessa armação e que depois saia de minha vida para sempre.

Ele passou a mão pela cabeça e pela barba depois. Evidentemente constrangido.

— Explicações, Daniel — insisti. — Só quero explicações, nada mais.

Desapaixonada, desencantada, gélida. Não fiz esforços para que ele me percebesse assim, apenas me mostrei do jeito que me sentia.

— Bem, primeiramente, você tem razão, a FACMAF não consta, oficialmente, em nenhum lugar como Fundação de Ação Científica para Manuscritos Acadêmicos Filológicos — reconheceu então. — Nisso você não se enganou; trata-se de um nome falso, é verdade. Mas existe sim como uma entidade, digamos, não formal. Como algo diferente.

— Como o quê? Como algo que você inventou após a morte de Fontana e de sua mulher?

Ele me olhou por alguns instantes. Concentrado. Sério. Mas não surpreso.

— Eu imaginei que você acabaria fazendo suas investigações.

A resposta era tão óbvia que nem sequer me incomodei em verbalizá-la.

— Idealizei a FACMAF — continuou —, em sua essência, como Fundo Aurora Carter para a Memória de Andrés Fontana. Aurora Carter ou Aurora Carranza, que era seu sobrenome espanhol, dá no mesmo. Enfim, tratava-se de um projeto para fazer perdurar o legado intelectual de meu mentor por meio da herança de minha mulher. O acrônimo serve para as duas versões.

— Não me enrole com bobagens linguísticas, para mim dá exatamente na mesma se o primeiro F de FACMAF corresponde à palavra Fundo ou Fundação. O que quero saber é apenas por que, trinta anos depois da morte dos dois, você decidiu montar esse circo sinistro e me meteu no meio.

Ele afundou as mãos nos bolsos e baixou os olhos, como se no chão pudesse encontrar a maneira de focalizar sua resposta. Com o olhar fixo no horrível carpete cor de rato que silenciava diariamente meus passos cada vez que me movia por aquele alojamento circunstancial.

— Porque era a única opção viável para trazer à luz o legado de Fontana — disse erguendo por fim os olhos. — A única solução que me acorreu quando me fecharam todas as portas.

— Que portas?

— As habituais para poder ter feito tudo do jeito natural, por meio do Departamento de Línguas Modernas.

— E quem as fechou, Luis Zárate?

— Quem mais?

Recordei as palavras do diretor durante nosso jantar em Los Olivos, sua narração dos fatos do dia em que recebera Daniel em sua sala, a maneira frontalmente diferente que ele me contara o que acontecera entre ambos.

— Não acredito em você. Você tentou coagi-lo, pretendia que ele agisse segundo seus interesses. E ele não aceitou.
— Suponho que essa é a versão que ele lhe deu.
— Uma versão, em princípio, nem mais nem menos válida que a sua.
— Sem dúvida. Mas inexata. Eu jamais tentei coagi-lo. Eu sugeri simplesmente que o departamento talvez devesse fazer uso operacional dos seus recursos...
— ... para intervir no assunto de Los Pinitos, pelo que entendi — interrompi-o.
— Exato.
— E embora não lhe tenha dito de forma explícita, ao mencionar aqueles recursos, você estava se referindo aos papéis de Fontana.
— Vejo que está a par de tudo.
Não respondi diante da nova obviedade; esperei apenas que continuasse.
— Na época, eu havia começado a suspeitar que, entre os documentos que ficaram em sua sala do departamento após sua morte, talvez se pudessem encontrar dados interessantes. Dados fidedignos que vinculassem Los Pinitos a um remoto uso histórico especialmente significativo, algo que se pudesse apresentar contra o plano de construir na área um absurdo e desnecessário centro comercial.
— Algo significativo, como uma missão franciscana.
— Exatamente.
— Porque, se ficasse provado que ali houve uma missão, como Fontana intuía, tudo poderia ser detido.
— Ou, pelo menos, poderíamos tentar. A Prefeitura de Santa Cecilia exerce sua supremacia sobre a área, mas não tem o título de propriedade, não há evidência sobre a quem aquele território pertenceu em seu passado remoto. Se fosse possível argumentar que aquilo teve um antigo uso missionário em algum momento da história, tudo teria de ser submetido à revisão de novo. E o projeto, enquanto esse assunto não se resolvesse, teria de ficar paralisado.
— Por isso você sempre teve tanto interesse em me perguntar se no legado aparece alguma menção à suposta Missão Olvido. Por isso esteve tentando me arrancar informação constantemente. E por isso se empenhou em controlar meu trabalho: agora lhe dou um livro para que aprenda sobre a história da Califórnia, depois a levo para ver uma missão próxima...
— Não, Blanca — negou contundente. — Nunca tentei controlá-la nem me imiscuir em seu trabalho. Eu sempre confiei muito em você; a única coisa que pretendi fazer o tempo todo foi ajudá-la a avançar. Mas você precisa acreditar em mim, tudo se desencadeou, em princípio, por conta da negação de

Zárate. A partir daí, não tive mais remédio que montar a engrenagem da FACMAF, introduzi-la no departamento sem levantar suspeitas e tornar pública a convocatória. E assim, você entrou em cena.

Eu continuava irritada, continuava frustrada, mas, à medida que conversávamos, o sentimento que ia crescendo dentro de mim era o de curiosidade. Uma curiosidade faminta de entender as razões que havia por trás daquela trama obscura, de saber que complexas relações entre todos eles o tinham levado a agir assim.

— Além do mais, ainda não entendo o que a recuperação da memória de Fontana tem a ver com tudo isso. Se você só procurava dados concretos sobre uma missão, para que me fazer perder tempo catalogando seu legado milimetricamente? Para que me obrigar a organizar as milhares de peças pequenas que compõem o quebra-cabeça da vida dele? Estou há três meses dando meu sangue nisso, Daniel, três meses inteiros desperdiçando meu esforço como uma imbecil para fazer um trabalho que não interessa a ninguém — disse eu erguendo a voz, incapaz de conter minha indignação.

— Espere, Blanca, espere, espere...

Ele falava com contundência, enfatizando suas palavras com as mãos que por fim havia tirado dos bolsos de suas calças cinza. Sua roupa nesse dia nada tinha a ver com sua vestimenta comum em seus momentos desocupados de Santa Cecilia. Bom corte, bom tecido, profissional. Nem sombra das calças de sarja amassada e da velha jaqueta jeans do dia de Sonoma. Sua outra faceta. Seu lado B.

— Seu trabalho interessa muito, demais. É o mais valioso, o fundamental, o que realmente dá sentido a tudo. Mas há outras questões.

— Pois então, esclareça de uma vez por todas.

— Deixe-me ver como posso explicar... — disse se esforçando para encontrar as palavras exatas. — O assunto de Los Pinitos foi, certamente, o detonador de tudo. Um detonador muito poderoso, sem dúvida. Mas havia algo mais por trás. Por trás de tudo havia também uma dívida pendente.

— Com Fontana? — perguntei incrédula.

— Com Fontana, sim. Com sua memória e com sua dignidade.

— Você está querendo dizer que, trinta anos depois de sua morte, você ainda tinha contas a ajustar com seu professor?

— Isso mesmo — reconheceu com um gesto categórico. — Lamentando muito, é isso mesmo. Embora tivessem se passado três décadas desde sua morte e a de Aurora, e embora minha vida estivesse totalmente refeita e tudo aquilo pertencesse ao território do esquecimento, ainda restavam fios soltos entre nós.

— Eu juro que isto está superando minha capacidade de compreensão — murmurei.

— No fundo, tudo é muito simples. Tristemente simples. Para reduzir ao máximo o que foram os anos mais espantosos de minha vida, quero que você saiba que, após aquele acidente atroz, eu cheguei ao fundo. Como Dante em sua *Divina comédia*, na metade do caminho de minha vida eu me vi em um bosque escuro e perdi o caminho certo. Desci ao inferno. E cometi alguns atos insensatos.

— Continua cometendo.

Ele não pareceu se incomodar com meu comentário.

— Mas o daquele tempo, infelizmente, foram muito mais lamentáveis. E, entre eles, esteve me desinteressar pela memória de meu professor. Após o acidente eu literalmente fugi. Na realidade, eu não sabia de que estava fugindo, mas quis me distanciar, me desapegar de tudo que tivesse alguma relação com minha vida anterior.

— De sua vida com Aurora principalmente, suponho.

— Principalmente. De meus dez anos de felicidade plena com uma mulher maravilhosa de quem me despedi com um longo beijo na mesa de nossa cozinha na hora do café da manhã, e a quem essa mesma noite tornei a ver pela última vez jogada na lama de um acostamento, coberta com uma manta cheia de sangue e com o crânio esmagado entre ferragens.

A crueza de seu relato me comoveu, estremeceu-me a desconcertante naturalidade com que o narrara. Eu não disse nada, deixei-o prosseguir.

— Mas eu superei. Com tempo e esforço, após muitas turbulências, pouco a pouco o desespero foi se transformando primeiro em uma dor imensa, depois em uma tristeza mais suportável, e, por fim, em uma simples melancolia que com os anos foi se desvanecendo.

Sentei-me em uma poltrona e ele me imitou. No sofá em frente a mim, cara a cara, separados apenas por uma mesa baixa com algumas revistas velhas em cima, um corta-fogo entre os dois. Ele se inclinou para a frente, apoiou os cotovelos nos joelhos.

— Não sou um perturbado preso à sombra de uma ausência, Blanca, faz muitos anos que saí das trevas — garantiu. — Com muita, muita dor, aprendi a viver sem Aurora e consegui refazer minha vida. Mas com Andrés Fontana, lamentavelmente, não aconteceu o mesmo. Fiquei tão arrasado com a perda de minha mulher, tão perdido e tão desconsolado que nunca me reconciliei com a ausência dele, porque não chorei sua perda.

— E então, com o passar dos anos, você convocou essa suposta bolsa de pesquisa e me contratou para retirar as teias de aranha de seu legado. Não só

em busca de dados documentais contra o centro comercial, mas também para limpar sua consciência sem manchar as mãos?
— Ele não respondeu. Sustentou meu olhar, mas não respondeu.
— Eu confiava em você, sabia? — prossegui baixando os olhos para a mesa que nos separava como um cordão de isolamento, uma metáfora de nossa distância com quatro pés. Até que de novo ergui a vista para ele. — Talvez meus problemas lhe pareçam insignificantes comparados com a magnitude de sua própria tragédia, mas eu também sei o que é perder.
— Eu sei, Blanca, eu sei...
— Cheguei a Santa Cecilia desorientada e ferida, fugindo, lutando para resgatar a mim mesma do naufrágio em que minha vida havia se transformado.
— Eu sei, eu sei, eu sei... — repetiu.
— E me agarrei ao legado de Fontana como a uma tábua de salvação. E, depois, você cruzou meu caminho, aparentemente disposto a me ajudar sempre, a tornar minha vida mais fácil, a me fazer rir... a... a... E agora... — Engoli em seco, tentando não desmoronar. — Achei que você era meu amigo.

Ele estendeu a mão para mim, mas eu fui para trás. Eu me negava a aceitar seu contato. Muita água já havia corrido por baixo daquela ponte.

— Deixe-me terminar de lhe contar o que houve, desde o início, por trás de minha forma de agir. Antes de me julgar, você precisa saber de Fontana, de Aurora e de mim. Depois, faça o que lhe parecer mais conveniente: expulse-me de sua casa e de sua vida, odeie-me, esqueça-me, desculpe-me ou faça o que achar que deva fazer. Mas, primeiro, precisa me escutar para entender.

Voltou a minha memória a velha fotografia presa com tachinhas no porão de Rebecca. A mulher jovem e bonita de riso grande, o vestido branco e o cabelo agitado debaixo do sol do cabo San Lucas cuja vida terminou em uma noite de chuva. Talvez por ela, instintivamente, cedi.

— Eles se deram bem desde que se conheceram, desde que Aurora e eu nos estabelecemos em Santa Cecilia um pouco mais de dois anos antes. Nós três mantínhamos uma relação estreita, uma relação que ultrapassava em muito os limites do puramente profissional. Mas, entre eles, certamente por sua condição comum de espanhóis expatriados, haviam estabelecido um vínculo especial, com cumplicidades que às vezes nem sequer eu entendia. Referências e códigos culturais invisíveis, matizes que até a mim escapavam e os uniam; uma amizade profunda. E, com o tempo, Aurora começou a colaborar com ele.

— Em quê?

— Ela o acompanhava com frequência em suas buscas por documentação, cotejavam dados e analisavam papéis juntos.

— Porque ela era historiadora... — arrisquei.

— Nada a ver; era farmacêutica. De fato, quando chegamos a Santa Cecilia, ela havia acabado de concluir seu doutorado em Farmacologia em Indiana, onde havíamos vivido os cinco anos anteriores. O negócio dela eram as fórmulas e os compostos químicos, mas, não sei por quê, talvez porque ele lhe transmitira essa paixão, ela começou a se sentir vinculada à memória daqueles velhos compatriotas que transitaram por estas terras séculos atrás. Também influenciou, sem dúvida, o fato de ela manter intacta a fé católica na qual fora educada, canalizada na época para um compromisso social muito mais ativo: ela trabalhava com imigrantes e velhinhos, participava de programas de alfabetização de adultos. Enfim, algo muito digno, apesar de conviver com um agnóstico férreo que eu já era na época. A questão foi que ela também se sentiu, pouco a pouco, cativada pelas velhas missões franciscanas, e quando aconteceu o acidente, como eu disse outro dia em Sonoma, eles estavam justamente voltando de Berkeley, haviam ido buscar documentos relativos àquela que, ainda não sei se com muito ou pouco fundamento, eles chamavam de Missão Olvido. Com a morte de ambos, aquelas pesquisas ficaram inconclusas e o capítulo da missão não catalogada foi encerrado de repente.

— Mas...

— Espere, espere — murmurou. — Deixe-me prosseguir, acho que você ainda tem de saber algumas coisas. Fontana, em seu testamento, havia deixado quatro herdeiros. Metade de suas economias seria para Aurora, e acabou chegando a mim. Desse dinheiro que nunca toquei, saiu o que mês a mês você recebe, e daí partem também as três primeiras letras do acrônimo FACMAF, Fundo Aurora Carranza.

— E os outros herdeiros?

— A outra metade do dinheiro que ele deixou foi para Fanny Stern, ainda uma menina na época. Ele sentia um grande carinho por ela; sua mãe, Darla, aquela que você conheceu naquela noite na praça, lembra? Ela era, na época, secretária do departamento. Ele mantinha com ela uma amizade um tanto particular.

— Eu já sabia, a própria Fanny me contou — interrompi.

— Pois a ela, nominalmente, e às duas, na prática, ele deixou uma parte de seu dinheiro também. Legou sua casa à universidade, que a absorveu no que hoje são extensões do campus. Foi demolida poucos anos depois e em seu terreno há agora um laboratório, se não me engano. E a mim, ele nomeou seu herdeiro, digamos, intelectual, e como tal, com o tempo recebi a magnífica biblioteca que ele fora construindo ao longo de décadas. Mas seus documentos, seus papéis pessoais, suas pesquisas... nunca acabaram em meu poder, e aqui ficaram, em Santa Cecilia, amontoados em um porão perdido do Guevara Hall sem que ninguém nunca lhes prestasse a menor atenção.

— Mas era você quem os devia ter reclamado. Constituíam o legado de seu mentor e você era seu beneficiário.

Ele deu de ombros em um gesto de impotência.

— Eu sei. Legalmente, essa era minha responsabilidade. E moralmente, também.

— Mas você nunca fez isso.

— Nunca.

— Porque não se interessava por seu conteúdo.

— Provavelmente.

— E porque quis romper vínculos para sempre com tudo que o ligasse àquele passado.

— Provavelmente também.

— E por nada mais?

Ele me olhou fixamente. Tenso, apertando uma mão contra a outra com força, medindo as palavras antes de vertê-las.

Por fim, eu mesma sugeri a resposta que ele evitava liberar.

— Ou talvez também tenha havido um desejo de sua parte — disse eu em um tom inconscientemente baixo — de afastar Andrés Fontana de sua vida para sempre.

Ele assentiu com a cabeça. Devagar primeiro. Mais contundente depois.

— Nunca fui capaz de perdoá-lo totalmente — reconheceu por fim com voz pesada. — Durante meu longo luto, naqueles meses, naqueles anos terríveis de pura desolação, só chorei por Aurora. A ele, apenas culpei. Não por a ter matado, foi um acidente, isso sempre esteve claro. Mas eu o acusava, de certa maneira, de tê-la arrastado com ele, de tê-la metido em algo alheio a ela. De, em parte, tê-la afastado de mim, de minha custódia, de minha proteção...

— E decidiu castigá-lo. Manter sua memória sepultada durante trinta anos em um porão cheio de pó, sem que nem uma única mão humana se aproximasse dele. Desterrá-lo ao esquecimento.

Dessa vez, foi ele quem engoliu em seco antes de prosseguir.

— É um jeito muito cru de falar, mas talvez não lhe falte razão. De maneira voluntária, eu renunciei à sua herança documental, e, com isso, afastei-me também do homem que foi.

— Até que, há alguns meses, por conta do assunto de Los Pinitos, você decidiu indultá-lo. Pensou que talvez o velho Fontana, com sua paixão tardia por aqueles humildes franciscanos, e aquela extravagante intuição sobre a existência de uma missão cujo rastro estava perdido, talvez não estivesse totalmente enganado. E optou por agir.

Esboçou um sorriso sarcástico de um lado da boca. Estava apoiado no encosto do sofá. Tenso e cansado. Tenso, triste e cansado. Como eu.

— Sim e não. Quando fiquei sabendo por Rebecca da aberração urbanística que planejavam acometer, comecei a pensar no assunto. Rememorei os passeios que Aurora e ele costumavam dar por ali nas longas tardes daquela última primavera em que estiveram vivos. Voltou à minha memória todo aquele esforço sem fruto, o trabalho que jamais terminaram porque a morte os levou: suas suposições, suas ilusões e, principalmente, seu potencial de realidade presente. Então, fiz algumas investigações por minha conta e soube que Los Pinitos, hoje em dia, está sob a custódia da prefeitura sem proprietário legítimo nem história documentada.

— E aparou as arestas...

— E não me pareceu totalmente absurda a ideia de que no meio daqueles documentos esquecidos talvez se pudesse encontrar alguma chave. Mas o mais importante de tudo foi que também pensei que havia chegado o momento de me reconciliar com meu passado, de fazer as pazes de uma vez por todas com aquele homem que tanto significou em minha vida. De ressarcir meu comportamento injusto e tentar prestar uma espécie de tributo, metade íntimo, metade público, a sua pessoa e a seu trabalho.

— E assim tudo começou.

— E assim tudo começou, Blanca. Assim começou minha reconciliação.

CAPÍTULO 34

A noite avançava e ali estávamos os dois, sentados frente a frente. Iluminados pela luz tênue de uma luminária de canto, sem uma taça de vinho ou qualquer música de fundo ou um simples copo d'água que nos ajudasse a atenuar a tensão. Sem nenhum barulho que perturbasse a densidade do encontro além dos que ocasionalmente entravam da rua amortecidos pela janela fechada. Um carro em cima ou embaixo de vez em quando, algum grupo de estudantes a caminho da loja de conveniência, pouco mais.

A noite avançava e eu continuava com a tristeza colada na pele. Por mim, por ele, por seu passado, pelo meu, pelo presente dos dois. Pela maneira como tudo estava desmoronando como um torrão de areia apertado em um punho e solto depois pelos dedos abertos.

Seus sentimentos eram, sem dúvida, verdadeiros, eu em absoluto questionava sua sinceridade. Mas não me bastava. Acima daquelas palavras ora convincentes ora desoladoras, impunha-se a amarga sensação de ter sido traída outra vez por alguém em quem havia confiado cegamente. Como se a história se repetisse.

Analisando friamente, aquilo nada tinha a ver com a ferida causada pelo fim de meu casamento. A deslealdade de Alberto havia sido um ciclone devastador que pusera meu universo de ponta-cabeça. A manobra de Daniel era, em comparação, uma simples tempestade de verão. Mas, mesmo assim, tal qual o aguaceiro que cai sem aviso no fim de uma tarde de verão, havia me penetrado até os ossos. Havia me penetrado e intensificado meu desgaste, essa erosão emocional da qual eu achava que já estava me recuperando, mas à qual havia voltado de repente sem sequer ter tido tempo para abrir um guarda-chuva ou me abrigar do temporal. Por mais que ele se esforçasse para alinhavar um discurso lúcido e coerente com relação à gênese de toda aquela obscura trama, por mais que conseguisse me convencer de sua honestidade, em minha mente ainda estava a amarga sensação de ter sido enganada.

— E então, depois que montou esse seu suposto fundo, ou fundação, ou como quiser chamar, dentre todos os candidatos, por que selecionou a mim?
— Quis saber em um esforço de chegar até o fim.
— São seus filhos, não é? — perguntou-me de repente apontando uma foto apoiada na prateleira.

Junto ao único ponto de luz que nos acompanhava, ao lado de minhas chaves, a propaganda de um restaurante chinês e a réplica do sino missionário que ele mesmo me dera de presente. A fotografia que David e Pablo me mandaram no mesmo pacote que um par de luvas e um CD de Joaquín Sabina. Happy níver, mãe, com atraso como sempre, somos um desastre, desculpe, escreveram no cartão que acompanhava. Na imagem, os rostos morenos de um dia qualquer das últimas férias. O cabelo molhado nos olhos, os risos depois de uma tarde de praia, a brisa na despreocupação.

— São meus filhos, sim, mas isso não interessa agora.

Como se não houvesse me ouvido, foi até a prateleira em que repousava a foto.

— Eles se parecem muito com você — disse ele com um sorriso. O primeiro razoavelmente genuíno que surgia naquela noite em qualquer boca.

— Você se importa de deixá-la no lugar?

Devolveu meus filhos à estante e seu corpo ao sofá.

— Você jamais teve concorrência — reconheceu recostando-se outra vez. — Você foi a primeira a responder à minha ligação e imediatamente soube que era você que eu queria aqui. Achei que atendia de sobra aos requisitos que procurava. Só isso.

Falava seguro de novo, com naturalidade e as pernas cruzadas. Sem floreios nem falsas simpatias.

— Mas minha experiência não se adaptava ao que era necessário aqui — rebati. — Minha área de trabalho, você sabe bem, é linguística aplicada.

— Isso era secundário. O que eu procurava era um acadêmico capaz de fazer o trabalho generalista aplicando rigor e alguns procedimentos metodológicos elementares. Alguém que falasse inglês e que tivesse experiência em universidades estrangeiras. Além do mais, eu tinha pressa. Era conveniente começar o quanto antes, o assunto de Los Pinitos avançava com rapidez.

— E por que se empenhou em trazer alguém da Espanha? Por que não se limitou a procurar candidatos em seu próprio país?

— Por puro, absurdo e patético sentimentalismo — reconheceu. — Desde o início intuí que um compatriota poderia se envolver com Andrés Fontana de maneira muito mais afetiva. E para ser totalmente sincero, houve ainda outro critério que influiu, em grande medida, no fato de eu me decidir por você: a idade. Eu imaginava que alguém com uma maturidade de vida consolidada poderia abordar a reconstrução do legado sob uma perspectiva melhor.

Então, descolou as costas do sofá e se inclinou para a frente, apoiando outra vez os cotovelos nos joelhos, reduzindo de novo a distância entre nós dois.

— Eu procurava um profissional, e você, um novo lugar no mundo — disse olhando para mim fixamente. — Eu precisava de algo, você precisava de algo, e nós dois nos cruzamos no caminho. Graças ao nosso contrato, você atingiu seu objetivo, que agora já sei que era fugir de seu entorno o mais rápido possível. E eu o meu, o processamento urgente do legado de meu amigo. *Quid pro quo*, Blanca, nada mais.

Desviei meu olhar do seu e o fixei na janela. Através dela só se via um pedaço de noite negra.

— De qualquer maneira — acrescentou —, quero que saiba que não se passou nem um só dia, desde que comecei a conhecê-la, em que não tenha pensado em lhe contar tudo.

— Mas nunca contou! — gritei deixando explodir a ira que julgava ter dominado. — E isso é o pior, Daniel, o pior de tudo! Se houvesse sido claro desde o início, provavelmente teríamos chegado ao mesmo lugar e você teria me poupado uma dor enorme.

— Tem toda a razão. Toda, Blanca, absolutamente toda a razão — reconheceu contundente. — Eu devia ter sido claro com você desde o primeiro momento, mas isso eu sei agora, antes não. Porque, de fato, eu não contava que você e eu tivéssemos qualquer tipo de relação; achava que você seria para mim apenas uma espécie de funcionária na sombra. No início, inclusive, eu não tinha sequer a intenção de ficar em Santa Cecilia. Quando Rebecca nos apresentou no mercado, lembra? Eu havia vindo só para conhecê-la e me certificar de que meu projeto havia começado, por fim, como eu esperava.

— E por que não foi embora depois? Se você e eu não nos houvéssemos conhecido, ou se tivéssemos ficado naquele primeiro encontro, tudo teria sido muito mais fácil. Mais simples e menos tortuoso.

— Porque... porque às vezes as coisas tomam um rumo inesperado, porque... porque a vida é assim, Blanca, porque às vezes os planos se desviam...

Ele se levantou e percorreu a sala de ponta a ponta. Fez isso em quatro ou cinco passos, não havia espaço para mais. Depois, ficou em pé, desfiando as etapas de nossa travessia em comum do seu ponto de vista.

— Por você eu soube que o caminho que estava tomando não era o que eu pensei que seria: você se envolveu com Fontana e seu mundo muito mais do que eu jamais pensei que poderia. E, assim, comecei a ver que talvez houvesse avaliado mal a envergadura da tarefa, que havia subvalorizado a complexidade do legado e sua atitude diante dele. Até que decidi não ir embora. Então, aluguei um apartamento, trouxe de minha casa em Santa Bárbara o que necessitava para uma temporada e voltei. Para que eu estivesse por perto quando você precisasse de mim. Não para controlá-la nem para manipulá-la, mas apenas para estar perto de você e acompanhá-la ao longo do caminho.

— Três meses de caminho é muito tempo. Três meses de caminho nos quais você jamais me disse uma palavra...

— Porque não foi possível, porque sempre houve algo que me deteve — insistiu. — Zárate sempre esteve perto de você. Eu observava a proximidade crescente que você mantinha com ele, via-os juntos pelo campus, na lanchonete. Tinha certeza de que, se lhe dissesse algo inconveniente a respeito de sua bolsa, você se sentiria na obrigação de comunicá-lo. Na obrigação institucional. E até na moral. Ou não?

— Possivelmente — reconheci, a meu pesar.

— Quer eu goste ou não, ele é o diretor de um departamento, e enganá-lo significa, por extensão, enganar a universidade. E isso é coisa séria em minhas circunstâncias.

Sua opinião ficou sem réplica enquanto eu me levantava. Uma vez em pé, coloquei os dedos por entre meu cabelo e massageei minha cabeça, como se tentasse descongestionar meu cérebro ou arrancar as ideias turvas de minha cabeça, ou sei lá.

— Devia ter pensado nisso antes, professor Carter — disse dirigindo-me à porta. — Muito antes. Agora é tarde demais para tudo. Inclusive para que você continue aqui.

Ele ficou hierático, observando-me, como se quisesse me transmitir algo com seu olhar claro e agudo. Fiquei chocada com a dureza de minha carapaça, essa que eu mesma estava começando a fazer crescer para me proteger do restante do mundo.

— Há mais uma razão — acrescentou. — A última. A fundamental, talvez.

— Qual?

— Que eu a fui conhecendo. Que, quando me dei conta, já não consegui mais desaparecer como se nada houvesse acontecido. Eu estava muito envolvido, muito perto de você.

Fui invadida por uma fraqueza imensa. Já nada mais importava.

— Vá embora de uma vez, não vale a pena continuarmos discutindo sobre o que poderia ter sido e nunca será. Volto para Madri na semana que vem, não tenho mais nada para fazer aqui. Quero ver meus filhos e voltar à normalidade. Vai ser duro retomar minha vida antiga, mas nela, pelo menos, tenho as coordenadas claras e sei quem é quem.

Ele não disse nada, eu prossegui.

— Com meu trabalho, não se preocupe — acrescentei com a mão na maçaneta. — Tudo que havia no porão já está praticamente processado e organizado, só me falta concluir algumas coisas. Pelos documentos que faltam, se é que realmente falta alguma coisa, eu não respondo, isso não estava em meu contrato. É uma pena que metade de seu projeto não tenha chegado a bom porto, receio que já seja tarde demais para surgir algum rastro da missão que você procurava. Você e seus amigos da plataforma contra Los Pinitos vão ter de engolir a construção do centro comercial ou o que quiserem montar ali. Na verdade, a esta altura, o assunto já não me importa: por mim, podem criar um cemitério nuclear ali. Mas, pelo menos, terá resgatado do esquecimento a alma de seu professor, que não é coisa pouca. Depois de tantos anos de represália injusta, por fim sua consciência vai poder descansar em paz.

Abri, convidando-o a sair. Quando ele já estava no hall, lembrei-me de algo e me voltei.

— Espere.

Peguei na prateleira a réplica do sino de ferro e o entreguei a ele.

— Não quero mais ver isso. E acho que você também não.

Depois, fechei a porta com força.

— Outra vez sozinha, Blanca — sussurrei para mim mesma apoiando as costas na porta. — Mais sozinha que nunca outra vez.

CAPÍTULO 35

Um combo de paracetamol, café e vontade fez que o mundo se pusesse de novo em marcha na manhã seguinte. Após uma noite de sono turvo, sentei-me para tomar café da manhã ao amanhecer, e entre as torradas e a manteiga, tracei o mapa do que achava que seria meu final de trajeto naquela terra estranha. Depois, como todos os dias, peguei o caminho para o meu trabalho. Desenganada e doída, mas de novo na luta.

Tentei não ver ninguém ao longo do dia. Nem sequer saí para comer, para evitar cruzar com os colegas ou os estudantes que pudessem atravessar meu caminho. Dediquei-me só a trabalhar, a me isolar por imersão nos últimos documentos de Fontana e a tentar pôr uma ordem difícil naqueles papéis desconexos com os quais, para o bem ou para o mal, irremediavelmente acabaria meu trabalho em Santa Cecilia. Independentemente de quem houvesse determinado aquela tarefa; independentemente de seu gestor ter sido uma instituição sólida ou um simples humano de passado turbulento com dívidas afetivas para saldar, minha responsabilidade era completá-la com eficácia e rigor. Assim havia aceitado desde o início. E assim haveria de ser.

Meus esforços por me manter incomunicável, porém, não deram certo: algumas interrupções imprevisíveis acabaram com eles.

Contra qualquer prognóstico, o primeiro parêntese foi propiciado pela última pessoa que eu poderia imaginar provocando qualquer acontecimento razoavelmente notório em meu entorno: Fanny. Depois do meio-dia, ela apareceu em minha sala com um sanduíche amorfo embrulhado em plástico mais que amassado e uma garrafa de suco com cor de xarope para tosse.

— Notei que não saiu para almoçar, imagino que deve estar com muito trabalho. Então, trouxe alguma coisa — anunciou. A seguir, estendeu os braços, como acionados por uma mola mecânica.

— Muito obrigada, Fanny — disse eu aceitando sua delicadeza. Bem-intencionada, sem a menor dúvida. Pouco apetecível, também.

Apesar de minha fingida cordialidade e sua limitada perspicácia, meu rosto deve ter mostrado algo que a desconcertou.

— Você está bem, doutora Perea? Não está com uma cara boa.

— Estou perfeitamente bem, Fanny, obrigada — menti. — Só um pouco mais ocupada que o normal porque tenho de terminar isto com urgência. Volto para casa daqui a pouco e preciso deixar tudo organizado.

— Quando vai embora? — perguntou então, acelerando o tom. Como se realmente se importasse com a partida daquela visitante que durante alguns meses havia ocupado o canto mais triste do departamento.

— Na próxima sexta-feira.

Ela ficou me olhando sem pestanejar, com a boca meio aberta e os braços inertes caídos dos dois lados de seu corpo malfeito. Até que, dando meia-volta, saiu pelo corredor falando sozinha.

Escondi o sanduíche no fundo de minha bolsa para que ela não suspeitasse que jamais o comi e prossegui. Sem vontade, sem ânimo, mas ciente de que assim teria de ser.

Até que uma mão fechada bateu na porta aberta, e com ela chegou a segunda interrupção. Ergui a cabeça de um dos textos finais sobre a secularização das missões, e apenas a alguns passos encontrei Luis Zárate.

Tentei não deixar que notasse muito que ele era a última pessoa no mundo que eu queria ver nesse instante. Fazia vários dias, inclusive, que eu subia pela escada dos fundos em vez de usar o elevador a fim de evitar passar pela frente de sua sala. No início, foi pela suspeita, e mais tarde pela certeza: não ter compartilhado com ele primeiro minhas dúvidas e depois minhas evidências sobre quem estava por trás de minha bolsa, não lhe ter comunicado algo tão substancialmente ligado a seu próprio departamento me parecia uma contundente deslealdade de minha parte. Mas ainda tinha de pensar, ainda precisava de tempo para clarear minha cabeça confusa e decidir o que fazer. Por isso, por ora, preferia evitá-lo. E, por isso, vê-lo em minha porta me desconcertou.

— O sábado foi tão ruim assim que está fugindo de mim?

Falava brincando, mas, mesmo assim, hesitei antes de responder. Não, não foi ruim, ao contrário, poderia ter dito. Foi uma noite muito agradável, um jantar delicioso, você é um homem atraente, fico à vontade ao seu lado e nos entendemos bem; essas poderiam ter sido minhas palavras. Mas. Mas o quê?, poderia ter perguntado ele, então. Mas você acendeu o fósforo. Que fósforo? O que acabou fazendo arder a pilha de estranhezas emaranhadas que, como um monte de galhos secos, quase sem que eu tivesse consciência, fora se formando dentro de mim.

Nada disso foi dito, só em meu cérebro transcorreu essa conversa. Nem Luis Zárate suspeitava de nada, nem eu tinha, por ora, intenção de dividir com ele minhas preocupações. Por ora. Depois, veria.

— Ando enroladíssima, como pode ver, com um monte de coisas para fazer — disse eu apontando para minha mesa lotada com os últimos montes do legado. Tentava parecer convincente, gentil, normal. Mas não o convenci.

— É realmente só isso mesmo?

Notei que dava dois passos para a minha mesa e me levantei imediatamente. Como defesa, como falsa proteção. Não suportava a ideia de que ele me visse desmoronar em cima dos meus papéis.

— Não dormi muito bem, talvez tenha comido algo que me fez mal.

— Tem certeza de que não está com algum problema? — insistiu avançando mais um passo.

— Certeza, mas queria lhe dizer que meu trabalho está quase no fim, e que decidi, finalmente, que vou passar o Natal com meus filhos, de modo que...

— De modo que vai embora.

— Na semana que vem, juntamente com os alunos. Ia passar mais tarde em sua sala para lhe contar.

Dada a péssima qualidade de minha mentira, evidentemente, não colou.

Ele deu um último passo. Na estreiteza de minha humilde sala, aquilo significava que já estava perto de mim.

— O que está acontecendo, Blanca? — murmurou estendendo a mão para mim.

Senti o calor dos seus dedos em meu pescoço; não respondi.

— Você sabe que pode contar comigo.

Ele havia se aproximado ainda mais, sua voz baixa soou perto do meu ouvido, senti seu hálito. Fiquei calada. Muito perturbada, muito cansada, muito frágil. Seus lábios ameaçaram pousar nos meus, virei um pouco o rosto, não permiti. Mas também não me afastei.

— Para o que quiser, conte comigo para o que quiser — sussurrou de novo. Com os dedos ainda em meu pescoço. Com sua voz em meu ouvido outra vez.

Eu poderia ter gritado com todas as minhas forças sim, eu sei, ajude-me, tire-me deste atoleiro no qual eu mesma me enfiei, faça-me esquecer de tudo e de todos, abrace-me forte, tire-me daqui. Mas não respondi. Talvez por autoproteção, talvez para não complicar mais as coisas. Depois, lentamente, apenas me afastei dele.

Nesse exato momento, Fanny entrou como uma avalanche.

— Desculpe, doutor Zárate! Não sabia que estava aqui! — desculpou-se atropeladamente.

— Entre, Fanny, entre — replicou ele retomando seu tom frio de diretor. — Já terminei de falar com a doutora Perea, estava saindo. Insisto, Blanca — disse apenas como despedida. — Você sabe onde me encontrar.

— Mamãe gostaria muito de vê-la hoje à noite, doutora Perea — anunciou Fanny assim que ele saiu. Sem me dar tempo de entender o que havia acabado de acontecer entre nós. Sem me permitir um segundo para refletir. — Quando lhe contei que ia embora logo — prosseguiu em um arroubo —, ela me disse que quer falar com você, que pode ter algo que talvez lhe interesse.

Terminar aquele dia triste com a visita de cortesia à velha Darla Stern naquele momento me pareceu tão atraente quanto um gole de aguarrás. Mas era verdade que Fanny me falava constantemente dela, que em mais de uma ocasião me havia dito quanto gostaria que nos encontrássemos. E também era verdade que eu lhe tinha dado pretextos, confiando que aquele encontro nunca acontecesse. Nada menos atraente que um cara a cara com uma extravagante octogenária que com toda a certeza não tinha nada a me oferecer além de uma conversa desarticulada e talvez alguma recordação empoeirada de Fontana que já não me interessava. Àquela altura, não me importava conhecer o caráter da relação que mantiveram no passado, se foi meramente profissional ou se alguma vez deram juntos um passo além. Mas, por última deferência para com Fanny, agora que estava prestes a tomar o caminho de volta à minha vida de sempre, eu me senti obrigada a aceitar o convite.

— Certo, Fanny. Diga onde você mora e a que horas quer que eu vá.

A terceira surpresa que acrescentaria um novo dado a minhas errôneas suposições chegou apenas meia hora depois. Foi uma ligação telefônica no velho aparelho da minha sala. Uma ligação que quebrou de novo a quietude do trabalho e embaralhou bruscamente as peças das minhas previsões.

Daniel Carter. Outra vez.

Ao longo das horas de incerteza que ainda tivera de passar desde que ele saíra de minha casa na noite anterior, até que conseguira dormir, eu havia assumido o firme propósito de tirá-lo por completo da minha vida, de evitar que ocorresse entre nós o mais simples contato no pouco tempo que restava até minha partida. Eu entendia suas razões e sua dor, suas intenções, suas decisões e até mesmo seus passos ao agir. Entendia quase tudo. Quase, porque havia algo que ainda não tinha explicação: seu silêncio. Por isso, decidi me manter afastada dele. Começar a esquecer que um dia eu havia cruzado a vida de um colega americano alto e barbudo que falava minha própria língua quase melhor que eu mesma; livrar-me da sombra de alguém com quem a proximidade e o afeto haviam saltado pelos ares como a panela de pressão que explode estourando os vidros, espirrando nas paredes e sujando o teto da cozinha.

Contudo, meu velho telefone datava de muitos anos antes que a tecnologia incorporasse uma pequena tela para identificar a origem das chamadas. Por isso não pude antecipar que era ele que estava segurando o fone do outro lado. Por isso provavelmente ele havia decidido não me ligar no celular, prevendo que, se soubesse que era ele, eu não atenderia.

Assim que reconheci sua voz, pensei em desligar sem sequer o deixar falar; intuía que estava ligando para reiterar suas desculpas e continuar tentando me vender justificativas. Mas me enganei. O propósito de sua ligação era outro muito diferente e não tinha relação alguma com o vivido no dia anterior; apontava com precisão para o futuro imediato. Sua voz soou a distância séria e firme. Não autoritária, mas quase.

— Não desligue, Blanca, por favor. Escute só um instante, isto é importante. Sei que Darla Stern quer vê-la. Mandou um recado para mim também, marcou comigo para as oito. Com você também, suponho. Disse que quer nos propor algo. Você está ainda aí?

— Sim.

— Bem, não pense em ir à casa dela sozinha. Espere por mim. Eu pego você em seu apartamento e vamos juntos.

— Não é necessário, obrigada. Saberei chegar sozinha — repliquei sem pedir explicações sobre sua advertência.

Uma pausa de dois segundos e de novo suas palavras.

— Como quiser. Mas não vá antes da hora, nem entre sem mim. Eu estarei esperando você na porta. Às oito em ponto.

O mapa que Fanny havia rabiscado em meia folha com traços quase infantis me permitiu localizar sua casa sem dificuldade. No fim da rua percebi uma silhueta escura sentada nos degraus do alpendre.

— Fanny não estará aqui — anunciei friamente a modo de cumprimento.
— Ela me disse que passaria na igreja à noite, mas que deixaria a porta aberta. Pelo visto, a mãe caiu há pouco tempo e não pode andar.

A reação de Daniel, a princípio, não chegou com sua voz, mas com suas mãos. Levantando-se e pondo-se à minha altura, segurou-me pelos ombros com contundência e me obrigou a olhá-lo nos olhos. Aqueles olhos que, sob a luz amarelada de um poste, não transpiravam nem a cumplicidade, nem a ternura, nem a ironia de tantas outras vezes. Somente sobriedade e firmeza. E talvez, também, um pouco de inquietude.

Depois, falou sem me soltar.

— Escute bem, Blanca. Embora eu reafirme tudo que lhe disse ontem, andei pensando muito sobre isso e entendo perfeitamente sua reação. Entendo que se sinta decepcionada, que desconfie de mim e que tenha decidido me tirar de sua vida. Eu, no seu lugar, teria reagido da mesma forma. Ou pior. Mas o que quero agora é lhe dizer algo totalmente diferente. Algo muito mais imediato.

Não respondi. Nem me mexi.

— Não sei com plena segurança o que vamos encontrar aí dentro, mas pressinto que não será nada bom. Sei como era antes a mulher que vamos ver agora e duvido muito que os anos a tenham feito mudar. Ela sempre foi uma perfeita filha da puta e imagino que deve continuar sendo. Por isso, receio que isto não será uma mera visita de cortesia. Pode ser que eu esteja enganado, e tomara que sim, mas pressinto que a única coisa que Darla quer é remexer a merda e ver sangue, se tiver oportunidade. E, assim sendo, sei de antemão que não vou ser capaz de me manter impassível.

"O que vamos ouvir esta noite talvez acabe mostrando o mais baixo de mim, o mais rasteiro — prosseguiu. — Mas não quero que você interprete equivocadamente o que possa acontecer aí dentro. O fato de Darla e eu retomarmos certos assuntos do passado não significa que eu tenha ficado ancorado neles. Já lhe disse ontem que há muito tempo deixei de viver preso à saudade do que perdi; as fronteiras entre o hoje e o ontem estão bem delimitadas para mim. Meus mortos já estão há muito tempo enterrados, e embora eu dê minha alma para defender a memória deles, não estou com eles. Eu estou com os vivos. Aqui, agora, com você. Você entende, Blanca Perea? Entende bem?"

Esperou minha resposta sem desviar seus olhos dos meus. Com suas mãos grandes segurando com força meus ombros e seu olhar cravado em mim. Até que afirmei com um leve movimento de cabeça. Um movimento irreflexivo, instintivo, do qual me arrependi imediatamente. Deveria ter lhe pedido mais explicações. Ou talvez devesse ter ido embora naquele mesmo instante, ter fugido daquela história obscura que nada tinha a ver comigo.

Mas ele não me deu opção. Um firme aperto de suas mãos em meus ossos me transmitiu sua confiança. E já não pude recuar.

— Vamos lá. Quanto antes terminarmos, melhor.

CAPÍTULO 36

Com dois passos, subiu os quatro degraus do alpendre, bateu com o punho e, sem esperar resposta, empurrou a porta. Eu o segui, entramos diretamente na sala. Escura, lúgubre, lotada de móveis e trastes.

Uma voz áspera surgiu do fundo, abrindo caminho por entre o cheiro denso de falta de ventilação e decadência.

— Há semanas estou pensando em convidar os dois para jantar, mas a notícia de que a professora Perea está indo embora definitivamente me pegou de surpresa; espero que me desculpem por não ter tido tempo para preparativos.

Um abajur de luz mortiça iluminava o aposento. Em frente à poltrona da idosa, uma televisão acesa sem volume projetava seus reflexos catódicos sobre os contornos próximos. Tal como a recordava, mantinha sua densa cabeleira tingida em um tom loiro nórdico incongruente com sua idade. Em seu rosto dobrado em mil rugas, como se estivesse pronta para uma grande festa, ressaltavam de novo uns lábios pintados de vermelho intenso. Sua vestimenta, outro velho moletom de cor incerta, indicava, porém, que seus planos não contemplavam ir a nenhum lugar.

— Mas se estiverem com fome, sirvam-se vocês mesmos. Deve haver na geladeira alguma coxa de frango do outro dia e acho que também há meio pacote de pão e um pouco de salada de couve da semana passada.

Só de pensar em comer aquilo senti náuseas, mas Daniel foi mais educado que eu.

— Estamos bem assim, obrigado, Darla.

— Sentem-se pelo menos, fiquem à vontade. Como se estivessem em sua casa.

— Estamos com um pouco de pressa, sabe? — Mentiu de novo sem se mexer. — De modo que é melhor nos dizer o quanto antes para que nos chamou e assim deixamos você ver TV tranquila.

A idosa estalou a língua.

— Ai, Carter, Carter, você e sua pressa... Parece que estou vendo você outra vez... indo em busca de sua sala de aula ou a uma daquelas assembleias políticas, ou pedir qualquer coisa ao decano, sempre feito um louco, correndo.

Ele permaneceu imutável; ela repetiu o estalo.

— Foram bons tempos, hein, rapaz? Muito bons tempos...

Nem uma palavra em resposta.

— Enfim — acrescentou diante de seu silêncio férreo —, vejo que não tem muito interesse em chafurdar na nostalgia. Uma pena, se quer que lhe diga a verdade, porque poderíamos passar uma noite divina rememorando algumas histórias. Lembra-se de quando...

— A doutora Perea e eu gostaríamos de saber de uma vez por todas para que nos chamou.

Seu tom estava começando a se despojar da camada de falsa gentileza com que havia começado a conversa. Então, ela suspirou com uma atitude teatral.

— Bom, se não quer mesmo desperdiçar seu valioso tempo com uma conversa entre velhos amigos, vamos ao que interessa.

— E o que interessa, posso saber?

— Os negócios, meu amigo. No fim do dia, por mais intelectuais ou espirituais que pretendamos ser, sempre acabamos enredados com assuntos de dinheiro.

— Não me diga... — comentou Daniel com evidente desinteresse.

— Negócios, dinheiro: eu vendo, você compra. Se é que interessa a vocês o que quero oferecer, claro.

— Eu duvido, mas diga, por via das dúvidas.

— Deixe-me antes cumprimentar nossa convidada, como vai, professora Perea?

— Bem, obrigada — respondi com aspereza.

Eu não gostava do tom em que aquela visita estava se desenrolando. Não gostava de Darla Stern, não gostava do jeito como se dirigia a Daniel e muito menos da forma que indicava que me trataria. Olhou-me com atenção, semicerrando os olhos para ajustar a vista enquanto inclinava a cabeça para o lado.

— De altura são mais ou menos iguais, não? As duas magras, mas esta parece um pouco mais séria, não é, Carter? A outra ria mais, era mais, mais... E a cor do cabelo também não...

— Pare, Darla — ordenou cortante.

— Desculpe, querido, era uma simples observação — replicou sem se amedrontar. — Bem, vamos lá. Pelo que entendi, a professora Perea continuou remexendo nos papéis de nosso chorado Andrés Fontana.

Antes que eu pudesse responder, Daniel falou por mim.

— A doutora Perea, como já lhe contamos antes, esteve simplesmente trabalhando para a universidade na classificação de seu legado.

— Importam-se se eu gargalhar um pouco? Por favor! A universidade não está nem aí para uma merda de legado de Fontana, suas coisas estavam há décadas convivendo com os ratos. Até que, de repente, surpresa, surpresa, uma espanholinha vem meter o nariz nelas. E justamente então o ilustre professor aparece de novo por aqui, para passear pelo campus como nos velhos tempos.

— Como vê — disse Daniel sem se esforçar para disfarçar seu cinismo. — Acasos da vida.

Permanecíamos em pé no meio da sala; o ambiente era cada vez mais denso, mais surrealista, com as rajadas do brilho da televisão distorcidas pelos movimentos mudos das imagens.

— Não se faça de esperto comigo, Carter. Contaram-me que você acabou se transformando em uma celebridade acadêmica, mas eu o conheço há mais tempo do que você e eu gostaríamos. E essa história cheira mal. Cheira péssimo. Você desapareceu como se fugisse da peste depois do acidente, nem sequer ficou para chorar os mortos. Andou perdido, muito perdido. E agora, de repente, aqui está outra vez, sabe-se lá com que intenções. Mas a mim você não engana. Posso nunca ter sido tão erudita quanto todos vocês, mas continuo sabendo somar dois mais dois.

— Ninguém duvida.

— Por isso, embora não saiba o que você anda procurando especificamente, acho que tenho algo que talvez possa interessar vocês. Algo de que essa aí — disse apontando para mim com um depreciativo movimento de queixo — anda sentindo falta há semanas. Fanny me disse, desde pequena a instruí para que me conte tudo que sua mente registrar; há anos ela é minha janela para o mundo. Ela me contou que precisa de documentos de Fontana que não aparecem. E suponho que seria bom encontrá-los o quanto antes, se, como parece, vai embora logo...

— Você não ficaria com nada dele que não lhe pertencesse, não é?

Percebia-se na voz de Daniel uma mistura de estupor e incredulidade. A velha respondeu rápida, com uma agilidade imprópria de sua frágil figura.

— Com tudo que eu quis, para isso o enterrei! Porque você, seu grande amigo, seu afilhado, nem sequer foi ao seu funeral.

— Eu tinha outras coisas para fazer, infelizmente — esclareceu com amarga ironia. — Enterrar minha própria mulher em sua pátria, por exemplo.

— E quantas vezes voltou para visitar o túmulo de seu professor depois? Quantas vezes se preocupou em organizar o que ele deixou para trás?

— Jamais visito sepulturas. Nem a de Fontana, nem a de minha mulher, nem a de ninguém. Eles estão em minha memória e em meu coração, o que fica nos cemitérios não me importa — disse com exasperação. — E agora, vamos parar de perder tempo, se não se importa. Diga de uma vez o que é que tem que acha que pode nos interessar.

Ele havia respondido à primeira pergunta, a que tinha a ver com sua falta de visitas ao túmulo de Fontana. À segunda, quanto a sua despreocupação com o legado, fez ouvidos moucos. Ela, por sorte, não se deu conta.

— Um monte de caixas cheias de documentos mais velhos que Matusalém, é o que tenho. Os últimos com que ele trabalhou na sua vida. Em sua obsessão por fugir de tudo que aconteceu aqui, também deve ter evaporado de sua mente que, nas semanas anteriores ao acidente, o Guevara Hall esteve em obras e não havia jeito de fazer nada ali normalmente — continuou. — Por isso, ele levou para casa todos aqueles papéis, para poder estudá-los lá. Eu mesma o ajudei a levá-los. Ainda lembro como pesavam as caixas do diabo, até quebrei duas unhas carregando-as. Nunca tive nem ideia do que continham, não entendo sua maldita língua, e seus assuntos acadêmicos jamais me interessaram. Mas ele andou uma boa temporada absorto naquele lixo, ficou com tudo aquilo esparramado por todos os lados até o fim.

Daniel entreabriu a boca, mas não conseguiu dizer nada. Desconcertado com o que ouvia, estupefato. Culpando-se por sua falta de memória, incapaz de pôr sua reação em palavras.

— Onde estão agora? — perguntei sem poder me conter.

A velha soltou uma gargalhada ácida.

— Acham que estou gagá, acham que vou contar a vocês sem mais nem menos?

— O que você quer em troca? — disse Daniel voltando à realidade.

— Já disse que dinheiro, querido, já disse, que mais vou querer? Sou uma pobre idosa desvalida que vive em um barraco. Garantam-me um futuro melhor e terão os documentos para fazer com eles o que quiserem; por mim, podem limpar a bunda com eles.

Imaginei que ele ia deter bruscamente aquela tentativa, não pensei que fosse ceder diante de uma chantagem tão baixa. Com certeza existia alguma maneira de pegar esse resto do legado por um canal mais ortodoxo e menos vil. Mas, como em tantas outras coisas nos últimos tempos, eu me enganei. Levou apenas dois segundos para entrar de cabeça na negociação. E, para a minha surpresa, arrastando-me nela.

— Antes, teremos de verificar se são os documentos que interessam à doutora Perea.

— Acho fantástico: poderão vê-los, conversar entre si tudo que tiverem de falar e pensar depois se o trato lhes convém ou não. A única coisa que sei é que eu só pretendo dar uma oportunidade a vocês. Amanhã às dez da manhã haverá um advogado aqui; vocês terão quinze minutos para avaliar o conteúdo das caixas. Se por fim decidirem que lhes interessam, vocês as levam. Senão, eu mesma cuidarei para que todos esses papéis sejam destruídos à tarde, caso seus sofisticados intelectos ousem pensar que talvez possam enganar esta pobre velha e conseguir todo esse material de algum outro jeito. O preço, a propósito, não será muito elevado, algo quase simbólico.

— Tão simbólico quanto o quê?

— Como o valor de um apartamento de dois quartos em um condomínio para pessoas com necessidades especiais.

Saiu uma gargalhada de sua garganta. Rouca e amarga. Cortante.

— Você perdeu a cabeça, mulher.

— Na realidade, estou sendo mais que generosa com você, Carter. Se desde o início você me houvesse dado o que me cabia, sem dúvida teria ganhado muito mais.

— Não sei do que está falando.

A idosa demorou a responder. Pela primeira vez desde que chegamos, parecia estar medindo suas palavras para acertar o alvo sem possibilidade de erro.

— Você ficou com o dinheiro de Fontana que devia ser nosso — disse por fim com lentidão forçada. — Aquele que ele pôs no nome de sua mulher no testamento quando ela o engambelou.

— Cuidado com o que diz, Darla. Cuidado — advertiu Daniel erguendo um dedo ameaçador.

— Sei perfeitamente do que estou falando. Sua mulher seduziu Fontana. E ele acabou deixando seu dinheiro para ela; esse que no fim acabou em suas mãos. Esse que caberia a minha filha e a mim se vocês nunca houvessem aparecido por aqui e se ele não tivesse se apaixonado por ela como um completo imbecil.

Minha pele se arrepiou ao ouvi-la. Daniel respondeu sem mal mexer os lábios.

— Você não sabe do que está falando...

— Sei perfeitamente o que digo. Perfeitamente. Andrés Fontana estava louco por sua mulher e ela lhe dava corda. Andava sempre perto dele, com seu cabelo comprido, com seu sorriso permanente. Cada vez que ela aparecia no departamento, ele perdia o rumo. Você só lhe dedicava dois minutos: dava-lhe um beijinho, fazia uma gracinha e continuava cuidando das suas coisas. E então, ela ia vê-lo, e ele a devorava com os olhos, virava outro de repente, doce como um cordeiro. Durante todos os anos que o conheci, nunca o ouvi rir tanto como quando estava com ela. Ele a adorava, Carter, e você não percebia.

— Ela está só tentando provocar você, Daniel — eu disse em voz baixa. — Vamos embora daqui. Não a deixe prosseguir.

— Está vendo? A mesma coisa que essa aí faz agora com você para enrolá-lo, usa o maldito espanhol. Porque essa sua amiguinha, igual à outra, também tem um marido em algum lugar, não tem?

Preferi não responder. Ele, porém, não se conteve.

— O que lhe importa, deixe-a em paz! — explodiu. Com um movimento impulsivo, talvez para me proteger, talvez para se proteger, segurou minha mão com força. — Isto é entre mim e você, Darla, nem pense em atacá-la.

— No fim, a história sempre se repete: os humanos são bobos mesmo — continuou sem se alterar. — A mulher jovem e esperta seduz o homem maduro, e o homem maduro, que se julgava mais esperto ainda, acaba caindo como um adolescente. Não sei se você tem alguém esperando-o em sua casa em Santa Bárbara ou onde quer que more enquanto anda saracoteando com essa aí, mas Fontana tinha alguém quando sua mulher o enfeitiçou. Ele tinha a mim.

Agora foi uma risada rude de Daniel que a cortou.

— Fontana não tinha nada com você. Ele era só uma boa pessoa que sentia pena de você e de sua filha.

— Ele era meu até que vocês chegaram! — gritou a idosa afastando, colérica, as costas da poltrona. — Ele cuidava de minha Fanny e de mim, cuidava de nós desde que o bêbado inútil do meu marido nos deixou. Mas vocês tiveram de aparecer por aqui, os maravilhosos Carter, para estragar tudo. E então, sua mulher o enfeitiçou, ele caiu nas redes dela e nos deixou de lado.

— Ele estava farto de você, Darla — replicou Daniel. Tentava reunir paciência, a duras penas conseguia. — Farto de seus caprichos e suas exigências, de seu comportamento impertinente com ele e com todos nós. Não sei o que houve entre vocês antes de minha mulher e eu nos estabelecermos em Santa Cecilia, ele preferiu não me contar. Talvez tenham vivido uma aventura, pode ser. O que sei é que, quando nós chegamos aqui, daquele afeto que um dia ele pode ou não ter tido não restava nada. Absolutamente nada. Para ele, fomos uma libertação, um sopro de ar fresco. Graças a Aurora e a mim, ele conseguiu se distanciar mais ainda de você.

— E sabe de uma coisa? — prosseguiu ela ignorando as palavras dele. — Tudo que aconteceu depois foi culpa sua. Você devia tê-la vigiado mais, devia ter ficado de olho nela. Era sua responsabilidade: você a tirou de seu país, separou-a de sua família e de seu mundo. Arrastou-a com você a uma terra estranha, mas não foi capaz de protegê-la o suficiente. Quem sabe, tudo aquilo que tanto choramos depois nunca teria acontecido se você estivesse mais atento.

Voltaram a minha memória as palavras da noite anterior em meu apartamento. Suas próprias reflexões a respeito, a longa culpa que por tantos anos atribuiu a Fontana.

— Que caralho você sabe de minha vida com minha mulher? — gritou cheio de cólera.

Um segundo depois, com minha mão ainda na sua, deu um pontapé em uma cadeira com tanta fúria que fez voar um montão de trastes inúteis que acabaram se estatelando na parede. O chão ficou semeado de porcelanas decapitadas, pedaços de cerâmica e tripas de suvenires. Sem ligar para o estrago, a idosa continuou impassível.

— Eu os via, eu os observava, percebia tudo. Ela passava o tempo por aí, entrando e saindo, à vontade. E você, enquanto isso, em sua sala, socando o dia todo aquela máquina de escrever que retumbava por todo o andar do Guevara Hall. Ainda posso ouvi-lo martelar as teclas, plec! plec! plec! plec!, e depois aquelas pancadas que dava nela para mudar de linha, como um animal, trac! trac! E dá-lhe datilografar outra vez, santo Deus, que suplício. Mas você vivia alheio a tudo, em primeiro lugar suas aspirações profissionais. Você queria ir embora daqui, lembra? Isto estava ficando pequeno para você, queria ir para Berkeley, fazer carreira em uma grande universidade.

— Pare, Darla... — insistiu tentando recuperar a calma. Sua paciência, porém, parecia à beira do esgotamento.

— Você era o professor mais popular da universidade, o mais autêntico, o mais divertido, o mais bonito — prosseguiu ela incontrolável como um rolo compressor. — E quando não estava trancado em sua sala ou dando suas aulas sempre cheias ou convidando seus alunos para festas até as tantas em sua casa, ficava agitando-os pelo campus com suas arengas contra a Guerra do Vietnã, com seus discursos contra o sistema. Esqueceu-se disso também? Tiveram de chamar a sua atenção várias vezes, abriram até uma ficha sua.

— Pare, Darla, pare com isso agora, por favor... — tornou a insistir.

— Fontana e sua mulher morreram juntos por causa do seu egoísmo, porque você não quis saber o que havia entre eles, por permanecer absorto em seu próprio universo. Você devia ter sabido e não consentido que fossem íntimos assim. Devia tê-los separado. Se houvesse feito isso, nem sua mulher nem meu homem teriam chegado àquele penoso desenlace.

O silêncio tenso tornou a se estabelecer na sala lúgubre. Percebi que Daniel se preparava para responder, que processava a informação, ordenava seus pensamentos e escolhia as palavras. E então, tive ciência de que tudo estava indo longe demais. Darla o estava arrastando para o abismo, e ele a seguia em seu jogo macabro.

Soltei sua mão e o peguei pelo braço.

— Vamos embora daqui — ordenei puxando-o. — Agora mesmo.

— Um minuto, Blanca, só um minuto e acabou.

Imediatamente, mudando de tom e de idioma, voltou-se para a idosa outra vez.

— Já se passou muito tempo e não há como voltar atrás, Darla. Nada do que me disser hoje vai fazer que os ausentes voltem para mim. Seus desvarios, sejam verdade ou não, em nada vão alterar a imensidão de tudo que um dia sofri, mas isso foi ontem, e já estou fora desse tempo terrível. Por isso, por favor, vamos terminar com este encontro de uma vez.

— Você cuide de me mandar o dinheiro para um apartamento para gente como eu e tudo terá chegado ao fim.

— Para gente como você? Tão decrépita ou tão miserável?

— Ora, ora — disse ela fingindo um risinho transbordando cinismo —, vejo que ainda mantém a mente viva, professor. Imagino que todo aquele lixo que enfiou em seu corpo não corroeu você. O grande acadêmico contou para você o que fez quando fugiu de Santa Cecilia, Perea? Contou por que perdeu seu cargo nesta universidade? Eu só conheço parte da história, mas acho que é muito interessante. Conte para ela, Carter, conte enquanto trepa com sua nova cadela espanhola hoje à noite, se é que o negócio ainda levanta.

— Agora vamos, Blanca — disse Daniel por fim, sem responder à obscenidade. — E desculpe por este espetáculo tão miserável. Não é mais que uma velha patética que há trinta anos acumula rancor.

— Ai, ai, ai, não seja tão mau comigo, querido — disse ela com uma aparente docilidade cheia de hipocrisia. — Amanhã, às dez. Não se esqueçam.

— Vamos pensar. E agora, se nos permite, vamos indo. Já ouvimos bastante fanfarrice por esta noite.

Deixando a velha carcomida em sua poltrona, dirigimo-nos à saída. Foi difícil conter meu alívio, a vontade de gritar, de respirar o ar da noite, de voltar para o mundo real outra vez.

Estávamos quase abrindo a porta quando sua voz nos deteve.

— Carter!

Um grasnado, mais que um grito. Um berro áspero que gelou nossos ouvidos.

Ambos voltamos a cabeça e em um lampejo súbito de repente tive ciência de que eu estava enganada no presságio do fim. Ainda faltava a queima de fogos naquela festa lúgubre.

Ela continuava afundada, com o batom já fora de seu contorno e aquele cabelo de boneca barata esparramado no encosto da poltrona, preparando-se para lançar a última carga de sua munição devastadora.

— Talvez nada disso acontecesse se você tivesse sido capaz de dar a sua mulher algo que ela pedia desesperadamente.

Uma pausa horripilante precedeu o torpedo.

— Um filho, por exemplo.

CAPÍTULO 37

Darla Stern soltou uma última gargalhada. Uma gargalhada pungente, assustadora. Automaticamente, olhei para o rosto de Daniel e percebi que ele semicerrava os olhos e puxava com ânsia o ar pelo nariz. Antecipei sua reação e o segurei com força, mas ele se safou de mim, deu um passo à frente e começou a erguer um punho fechado. Ia para cima dela às cegas. Reagi velozmente, soube de imediato que tinha de tirá-lo dali de qualquer jeito. Afastá-lo de Darla, daquele corpo exíguo carregado de anos, ossos e artrose. Se o deixasse se aproximar, ele acabaria com ela.

Com dois passos me pus à frente dele. Apoiei minhas mãos em seu peito, detendo seu avanço como um muro de contenção. Ele continuava gritando como um energúmeno, alterado. O punho ameaçador ainda erguido, o cabelo no rosto, soltando com fúria imensa os insultos mais aberrantes em uma catarata sem freio. Falei, então, com um arroubo de autoridade que não sei de onde consegui tirar.

— Acabou. Ela é uma perturbada, uma provocadora. Não faça o jogo dela, não se deixe arrastar.

A duras penas consegui mantê-lo razoavelmente imobilizado durante alguns instantes que me pareceram eternos, até que por fim percebi certo relaxamento na tensão de seu corpo. Então, segurei-o de novo pelo braço e o puxei com toda a minha energia até arrastá-lo para fora daquele cenário grotesco.

Não lhe perguntei se estava de carro ou não; por pura inércia, saímos andando. Calados e abatidos, ambos exaustos por conta da atrocidade do encontro.

Havia chovido, não havia uma alma pelas ruas. No chão molhado só se ouviam nossos passos. Andamos sem rumo durante um tempo longo, enquanto me assaltavam mil perguntas, mil dúvidas. Mas preferi não falar nem tentar fazer que falasse. Até que, em dado momento de nossa caminhada errática, ele parou e me olhou.

— Aurora estava grávida. Já havia sofrido dois abortos, era nossa terceira esperança, a mais avançada de todas as suas gestações. Ela tinha problemas para levar a termo a gravidez. Sua vontade de ser mãe era imensa, contudo, aguentava a adversidade com uma integridade admirável. Ela era uma mulher magnífica, uma grande pessoa.

Ele não disse mais nada, e eu, simplesmente, assenti com a cabeça sem saber nem julgar. Retomamos a marcha caminhando em silêncio outra vez ao longo de ruas e praças desertas. Tudo já estava fechado, os restaurantes, as lojas, os cafés. Com exceção de algum carro muito de vez em quando, éramos os únicos que perambulavam por aquele lugar.

— Você também suspeitou alguma vez, não é?

Eu mesma me surpreendi ao ouvir minha pergunta no meio da noite. Fiquei impressionada com minha ousadia, com minha invasão insolente de privacidade. Mas meu subconsciente sabia que eu precisava saber. E ele entendeu.

— Alguma vez, não; pensei centenas de vezes, Blanca. Milhares de vezes.

Deixou passar alguns momentos, engoliu em seco com esforço, ouvi o barulho do pomo de adão em sua garganta. Depois prosseguiu.

— Passei três anos atrozes fora do mundo, ausente, perdido, sem contato com a realidade. Três anos são suficientes para fazer algumas imbecilidades e também para pensar muito.

— E qual foi sua conclusão?

— Que ele se apaixonou por Aurora caladamente — disse com voz turva. — E que ela nunca chegou a saber.

Tornou a emudecer, tornou a meditar. Depois, prosseguiu.

— Ele já estava recolhendo velas, desencantado após relações afetivas tortuosas que nunca deram frutos, ficando velho e disposto a dedicar seus dias a terminar sua carreira e sua vida sem sobressaltos.

— E então, você apareceu com ela...

— Então, ela apareceu com sua luz. Com sua alegria de viver e sua ternura, com a alma da velha pátria à qual ele jamais voltou. E ele, que apesar de seu corpo de touro era um homem de coração frágil, como no fim todos somos, quando já achava estar no caminho de volta, simplesmente se apaixonou.

Notei um levíssimo tremor em sua voz e preferi não continuar perguntando; não precisava saber mais. Todas as peças já estavam no lugar. Completar o quebra-cabeça, porém, não havia sido gratuito. Não para mim, muito menos para ele. Sua dor se percebia em seu rosto contraído, na tensão de seu corpo próximo ao meu, no silêncio que já não tornou a romper.

Os passos nos levaram a seu apartamento; pode ser que eu mesma, instintivamente, os tenha dirigido para lá. Acompanhei para dentro. Sem nem sequer acender uma luz, tirou o paletó, deixou-o cair no chão e desabou em uma poltrona.

Com as luzes apagadas, fui em direção à cozinha. Foi fácil, mal havia móveis nem empecilhos a vencer; assim como meu próprio alojamento, tratava-se de um lugar de passagem sem marcas nem sinais das almas que acidentalmente passavam ano após ano por ali. Revirei os armários semivazios, iluminada apenas pelo reflexo amarelado de um poste da rua através da janela. Entre meia dúzia de taças desparelhas e uma breve pilha de pratos de sopa, encontrei uma garrafa de Four Roses pela metade. Servi dois copos generosos, entreguei-lhe um. Não me agradeceu, nem sequer me olhou. Só pegou o copo e bebeu um longo trago. Eu fiz o mesmo, nossa mente castigada precisava de um pouco de ajuda para digerir toda aquela situação sinistra. Para aplacar a aspereza da desolação após a batalha.

Não trocamos nem uma palavra até que, depois de um bom tempo, eu me levantei. Ele continuava sentado, absorto na escuridão. Com as pernas afastadas e as mãos juntas, segurando o copo vazio. Retirei-o de suas mãos e o deixei em cima da mesa. Sentei-me no braço de sua poltrona, passei minha mão por seu cabelo e seu rosto, por sua barba clara, por seu rosto ainda contraído.

— Vou para casa.

Antes de alcançar a porta, ele me chamou. Com voz rouca, escura, como se saísse de um poço. Do poço sem fundo do horror revivido.

Voltei-me.

— Não vá. Fique comigo esta noite.

Voltei para o seu lado sem uma palavra e me acomodei junto dele para lhe fazer companhia enquanto cada um acertava as contas com seus próprios demônios. Depois de um longo tempo, sem iluminação e sem tirar o olhar da parede, começou a falar.

— Jamais pude encontrar uma resposta coerente que justifique meu comportamento tão insensato durante aqueles anos; não sei se foi um ato de rebeldia ou de covardia, ou uma simples reação animal diante do desespero e da dor, mas, após o acidente, fui incapaz de suportar a ideia de continuar sozinho em Santa Cecilia e optei por ir embora sem sequer terminar o ano letivo, sem dizer nada a ninguém e sem ter a mais remota ideia de onde ia acabar. No fim, depois de andar tombando pela costa mexicana do Pacífico, acabei ficando quase três anos em um vilarejo de pescadores perto de Zihuatanejo. Três anos em que não fiz absolutamente nada mais que atormentar meu corpo e minha alma: não li nem um único livro, não abri nem um único jornal nem escrevi uma única linha. Só me dediquei a enfiar no corpo toda a merda que pude encontrar e a me isolar em minha agonia; era só osso, vestido como um mendigo, e sem falar com ninguém. Olhar o oceano e consumir porcaria, esse foi todo meu trabalho.

— Até que Paul Cullen foi buscá-lo — antecipei recordando nossa conversa do dia em que eu conhecera o ex-marido de Rebecca. — Por isso você me disse na noite de *Thanksgiving* que ele havia sido testemunha de seu inferno.

Ele sorriu com uma careta acre na penumbra.

— Algum fugaz rastro de lucidez devia ter restado, por sorte, em minha pobre cabeça, porque, depois de um tempo, eu dei sinais de vida e liguei para os Cullen. E então, Paul foi e, ao ver meu estado, ficou comigo um tempo. Cortou meu cabelo e minhas unhas, fez minha barba e me obrigou a comer como a uma criança. Curou minhas feridas e as picadas que tinha por todo o corpo e me abraçou como abraçava seus filhos pequenos quando à noite tinham febre ou eram assediados por pesadelos.

— Mas não conseguiu fazer que voltasse...

— Eu ainda não estava pronto, e ele entendeu; ainda teve que passar um tempo até que meu patético luto chegou ao fim. Não sei por que decidi percorrer aquela via morta — acrescentou dando de ombros —, juro que não tenho a menor ideia. A única coisa certa é que, no fim, consegui sair. Por Aurora e por mim mesmo: por sua memória, por minha sensatez e minha dignidade. Quando consegui recuperar a lucidez necessária para analisar o que havia sido de mim, vi que, em meus 37 anos, não era mais que um ex-viciado sozinho como um cão sarnento, mais pobre que os ratos e sem perspectiva alguma de trabalho imediato. Contudo, aprendi a existir de novo, de frente, de cabeça erguida. Disposto a lutar para voltar a ser feliz, mas sem estar, talvez, totalmente preparado para que alguém abrisse de repente a pontapés essa porta que eu julgava fechada já fazia tanto tempo.

A primeira luz do sol inundava o apartamento quando acordei. Demorei apenas dois segundos para me situar e recordar a noite anterior em um lampejo. Eu continuava deitada no sofá, mas o espaço que ele havia ocupado estava vazio. Ao fundo, por trás de uma porta fechada, ouvia a água caindo de um chuveiro aberto. No chão, um par de tênis que não estava ali antes, vestígios de uma corrida matutina, intuí. Não sabia se ele havia conseguido descansar um pouco; imaginei que não.

Quando me levantei, senti o peso do chumbo na cabeça. Estava com a boca pastosa, as articulações rígidas e uma inclemente ameaça de torcicolo. Descalça e adormecida, preparei uma cafeteira. Os dois copos em que havíamos bebido estavam na pia, a garrafa de *bourbon* no cesto de lixo, vazia.

Ele apareceu em poucos minutos. De cabelo molhado, roupa limpa e os olhos úmidos; apareceu na área aberta da cozinha enquanto dobrava as mangas de uma camisa preta. Preta como seu ânimo, como sua alma. Não dissemos nada, simplesmente lhe passei um café. Aproximou suas duas mãos da minha. Com a esquerda pegou a xícara, retirou-a de meus dedos e a deixou sobre o balcão. Com a direita me puxou para si.

— Venha aqui. — Abraçou-me. — Obrigado por não ir embora. Foi uma noite muito longa. Muito longa e muito triste, uma noite de facas afiadas. Nunca pensei que os fantasmas pudessem voltar com tanta força.

Apoiei meu rosto em seu peito e fechei os olhos; ainda estava meio dormindo. Não nos afastamos durante um tempo eterno.

CAPÍTULO 38

Ao meio-dia estávamos de volta ao apartamento de Daniel pela segunda vez, tirando do porta-malas de seu carro os últimos pacotes de material.

Antes, quando por fim retornamos à urgência do presente, ele me havia comunicado suas decisões noturnas.

— Você vai ser mesmo capaz de dar a ela o dinheiro de um apartamento em troca de umas caixas de papéis que nem sequer sabe o que contêm? — perguntei incrédula.

— Prefiro correr esse risco a que ela os acabe queimando ou destruindo em uma picadora de papel. E, além do mais, é o próprio dinheiro de Fontana que vai pagar, a herança que ele decidiu legar a Aurora sem suspeitar que ambos perderiam a vida juntos. Nunca o toquei, exceto, como disse, para pagar seu trabalho estes meses. Mas há muito mais; a princípio, foram suas economias e um seguro nada desprezível, e com o tempo tudo isso foi rendendo até se transformar em um pequeno capital. Sempre pensei que o acabaria doando à universidade ou a alguma instituição humanitária, jamais o teria gastado comigo.

— Ainda não entendo...

— Não tenho nenhum interesse em proporcionar a Darla um mínimo de qualidade de vida em seu declínio; se depender de mim, os vermes podem comê-la viva. Mas pelo menos me consola pensar que isso redundará mais tarde em benefício para a pobre Fanny, que vai tirá-la dessa casa miserável e lhe proporcionará um lar digno que um dia acabará sendo de sua propriedade. E, sob essa perspectiva, também não acho que seja a pior solução. Não tenho dúvidas de que ele teria achado bom destinar seu dinheiro a isso.

Não insisti, aquilo não era assunto meu, mas continuei pensando se tinha ou não razão enquanto ele falava ao telefone com seu banco e resolvia a burocracia.

Às dez em ponto, conforme o combinado, acabamos voltando à casa de Darla Stern. A luz do dia não conseguia diminuir o pateticismo do ambiente; tudo continuava tão sórdido quanto na noite anterior: coisas esparramadas, uma cadeira tombada, a televisão acesa sem voz e aquele nauseabundo cheiro a ocaso flutuando no ar. A velha continuava em sua poltrona, com certeza nem sequer havia se deitado a noite toda. A única diferença nessa nova visita foi que permaneceu calada o tempo todo. Muda, meio letárgica, de olhos fechados. Talvez sedada, talvez esgotada. Ou, simplesmente, fingindo.

Um homem corpulento de óculos de armação metálica e um grosso anel de ouro no dedo mindinho se apresentou como seu representante legal disposto a se encarregar da transação.

— Acompanhem-me, por favor.

Ele nos conduziu à garagem por uma lateral da cozinha, suja, caindo aos pedaços, com um leve fedor de putrefação. A seguir, abriu uma porta com esforço, empurrando-a com o ombro até que a fez ceder. Afastando-se para o lado, convidou-nos a entrar em uma fusão de lixão e quarto de bagunça sem espaço para nos movermos lá dentro, de tão cheio de trastes e teias de aranha, montanhas de sacos de lixo amarradas e pilhas de jornais de décadas atrás. Sob a luz sinistra de uma fraca lâmpada coberta de sujeira e bichos mortos, o advogado apontou um monte de caixas encostadas na parede.

Enquanto Daniel negociava com ele sem se incomodar em disfarçar sua antipatia nem com as maneiras nem com a voz, eu abri uma das caixas para examinar o objeto da chantagem. No meio daquela asquerosa situação, não pude evitar que um suspiro de alívio saísse de mim. Não precisei fuçar muito para ver que tudo aquilo parecia coincidir com o resto das posses documentais de Fontana. Ali estava, possivelmente, aquilo de que eu tanto havia sentido falta naquelas semanas, meses quase, quando o fio condutor do trabalho de meu compatriota havia me escapado das mãos como um réptil escorregadio. Amarelados e surrados, aqueles papéis reunidos em uma bagunça imensa continham, sem dúvida, o imprescindível para dotar de coerência a última etapa do legado.

A voz de Daniel me tirou do devaneio; bastou que pronunciasse meu nome em tom interrogativo. Eu respondi com um gesto. Conciso e breve, definitivo. Então, ele tirou o talão de cheques do bolso interior de seu paletó e imprimiu sua assinatura em várias folhas que passaram imediatamente à mão do advogado. Darla, aparentemente alheia ao assunto, continuava adormecida na sala.

Levamos mais de duas horas para tirar tudo da sinistra garagem e organizar dentro do Volvo de Daniel, ocupando por completo em duas viagens o porta-malas e o banco de trás. Mal falamos durante os trajetos. Nem quando nós dois juntos carregamos as caixas do carro para seu apartamento. Nem quando as observamos com incerteza, como se fossem um batalhão de alienígenas no meio do assoalho. Finalmente, foi ele quem quebrou o silêncio.

— E agora, que vamos fazer?

— Eu sei lá, Daniel, eu sei lá... — murmurei. Enchi os pulmões de ar, expirei. — Imagino o que esteja pensando, e receio que a resposta seja não. É tarde demais, já estou fora dessa história. Além do mais, volto para casa daqui a pouco, você sabe.

Mantive meu olhar concentrado nas caixas enquanto sentia o seu sobre mim.

— Você não pode ou não quer?

— Não posso cuidar disso, é material demais. E, depois de tudo que aconteceu nestes dias, não tenho mais forças. Não seria capaz de fazer isso em tão pouco tempo, isto é um mundo, não vê? — disse eu com impotência apontando para as caixas lotadas.

— Mas você também não sabe se quer.

Fui até o banheiro sem responder nem pedir licença; lavei as mãos sujas. À minha volta, as coisas pessoais de um homem acostumado a viver sozinho. Escova e pasta de dentes, lâmina de barbear, uma toalha grande pendurada na parede. A roupa suja do esporte matutino jogada no chão em um canto; em uma prateleira, um rádio. Nem rastro de cosméticos ou coisas desnecessárias.

— Muitas coisas inesperadas aconteceram nestes últimos dias... — disse eu voltando para perto dele enquanto terminava de secar as mãos nas calças.

Ele não havia se movido, continuava com a atenção concentrada nos documentos. Pelo menos, era o que parecia.

— Coisas que nos abalaram, que ora nos afastaram, ora nos aproximaram...

— Mas você continua pensando que eu enganei você — concluiu.

Nós dois erguemos os olhos ao mesmo tempo. Os seus claros, os meus escuros. Os seus cansados, os meus também.

— Acho que ainda não consegui fazê-la entender quanto me arrependo — continuou. — Eu poderia ficar repetindo da manhã até a noite e, ainda assim, não conseguiria me perdoar pelo idiota que fui com você. Agi como um imbecil e um covarde, entendo como você se sente e daria tudo para poder começar de novo esta história com outro pé. Mas, infelizmente, já não é possível, Blanca. Agora só podemos olhar para a frente, não há jeito de voltar atrás. Por isso, peço-lhe que zeremos o contador. Que comecemos sem rancores outra vez.

Continuávamos em pé na frente das caixas, ambos de braços cruzados, imóveis.

— Na semana que vem acabaria tudo — acrescentou. — No mesmo dia de sua partida, acaba o prazo para interpor qualquer recurso contra o projeto de Los Pinitos; você nem sequer teria de mudar a data da volta.

— Mas há uma solução muito mais fácil, Daniel: você assume o testemunho; você pode fazer este trabalho tanto quanto eu. Como você mesmo disse, não é preciso ser especialista em nada para isso. Simplesmente aplicar rigor e método.

— Não temos tempo, eu nunca poderia avançar a seu ritmo, precisaria retomar o material anterior, revisar tudo para saber o que exatamente preciso buscar. E receio que já seja tarde demais. Com o tempo tão no limite, você é a única pessoa que neste momento tem uma ideia precisa de por onde anda todo este assunto: os antecedentes, as lacunas específicas que se devem preencher, as conexões entre uns documentos e outros, as peças que se devem encaixar. A única que está em condições de fazer isso e de chegar a saber se pode haver algo definitivo aqui é você.

Abandonei o apartamento ancorada em minha negativa.

Encaminhei-me à minha sala; naquela mesma tarde tinha minha última aula do curso de Cultura Espanhola. Antes, ainda tinha trabalho a fazer.

Por mais que tenha me esforçado para esvaziar minha mente e voltar à normalidade, os acontecimentos e as emoções dos dois últimos dias haviam sido tão intensos que conseguiram abalar minhas percepções e virar meus sentimentos de ponta-cabeça. Talvez por isso tenha sido difícil me concentrar naqueles que já seriam os últimos escritos, e por isso me enganei um monte de vezes com as teclas no computador. Meus sentidos não estavam equilibrados. Minha mente andava por outras trilhas.

Depois de um longo tempo de absoluta improdutividade, tirei os olhos da tela e os desviei para as pilhas de documentos organizados e classificados em que havia se transformado, com o passar dos dias, a bagunça inicial do legado de Fontana.

Já perdida toda a esperança de me concentrar no trabalho, recostei-me em minha cadeira e parei para pensar nele. Rememorei sua figura rotunda nas velhas fotografias da sala de reuniões: sua barba escura, os olhos vivos e agudos. Repassei mentalmente seus escritos, suas cartas e os milhares de bilhetes escritos com seu traço contundente. E, misturado com tudo isso, recompus seu rastro dilatado ao longo dos cinquenta e seis anos que o destino lhe concedeu viver. Durante meses imaginei intuitivamente que ele havia morrido em uma idade muito superior. Meu velho professor, dizia Daniel com frequência. Agora ele mesmo o ultrapassava em idade.

Quase sem querer, começaram a se amontoar em minha cabeça ruídos e sequências, imagens imaginadas de como podia ter sido seu trágico final. Faróis cegantes, guinadas bruscas, pneus cantando. Ela aterrorizada, seus dedos feito garras cravados nele quando a contagem regressiva já estava em andamento. Luzes deslumbrantes, vidros quebrados, gritos. O som das gotas de chuva quando tudo parou, o silêncio depois. E, no final, a escuridão.

Levantei-me, então, e fui até à janela. Em pé, com o ombro apoiado na esquadria e o rosto a apenas um palmo do vidro, contemplei o campus quase deserto àquela hora da tarde. Os estudantes esgotavam suas últimas aulas ou estavam trancados se preparando para as provas; o outono se consumia antecipando o inverno iminente, as folhas se acumulavam em montinhos sobre a grama, e os galhos das árvores mostravam sua nudez sem pudor.

As palavras de Darla Stern retornaram a minha memória arrastando com elas aquela que talvez fosse a última grande certeza na vida do professor. Ela tinha convicção de que ele esteve apaixonado por Aurora. Daniel, sob outra perspectiva, também acreditava nisso. Teriam razão ambos, aquela era a verdade? O filho do mineiro apaixonado pela mulher de seu amigo e pupilo, alguém a quem jamais poderia ter. Atraído até as profundezas por aquela compatriota jovem e linda de quem o separava uma barreira que nunca seria capaz de ultrapassar.

Tirei os olhos da tarde através do vidro e os concentrei nas pilhas que ao longo dos meses haviam configurado o legado já em ordem. Uma ideia tão vaga quanto insistente começava a tomar forma. Uma intuição, um pressentimento. Algo difuso que me dizia que entre aqueles papéis havia algo que poderia testemunhar o que eles davam por certo. Algo que havia passado por meus olhos, que eu havia lido em certo momento sem perceber o que se escondia por trás disso.

Olhei a hora incapaz de vislumbrar algo definitivo. Cinco minutos para a minha última aula em Santa Cecilia. O primeiro adeus.

Uma hora depois, quando a sessão havia perdido qualquer remoto cheiro de encontro acadêmico e estávamos trocando endereços de e-mail para essa visita à Espanha, com que todos os meus alunos prometiam me obsequiar em algum impreciso lugar do tempo, no canto mais escuro de meu cérebro se acendeu uma luz. Pequena como um fósforo no meio de um descampado escuro. Imperceptível quase, mas com capacidade de iluminar minha memória e de me orientar na busca do que precisava encontrar.

Voltei à sala apertando o passo pelos corredores enquanto minha convicção ganhava peso. Entrei abrupta, ajoelhei-me diante de uma das pilhas de papéis e comecei a fuçar em suas entranhas com as duas mãos. Até que apareceu. Uma folha de papel amarelada na qual Fontana, com a tipografia das antigas máquinas, havia datilografado uma estrofe de um poema de Luis Cernuda. Só mais um breve documento, arquivado como tantos entre seus escritos.

Os quatro versos iniciais do poema "Donde habite el olvido", com umas anotações adicionais.

E entre eles, a evidência.

> *Donde habite el olvido,*
> *En los vastos jardines sin aurora*
>   *s i n a u r o r a*
>   *aurora – a-u-r-o-r-a – Aurora*
> *sin aurora sin Aurora*
>   *AURORA A - U - R - O - R - A*
> *Donde yo sólo sea memoria de una piedra sepultada*
> *entre ortigas*
> *Sobre la cual el viento escapa a sus insomnios.*
>   *A - U - R - O - R - A*
>   *aurora*
>   *Sin Aurora*
>   *Jardines sin aurora*
>   *Sin Aurora*
>   *Aurora*
>   *Tú*[16]

Assim que acabei de ler, senti uma vontade imensa de chorar.

Desprovidos da tintura distorcida e maliciosa que Darla Stern se empenhava em lhes conferir, e próximos das dúvidas que acossaram Daniel em seus momentos mais lúgubres, os sentimentos de Andrés Fontana afloravam entre os versos em sua plena essência, evidenciando o amor calado pela compatriota inesperada que sem pretender encheu o trecho final de sua vida com aquilo de que havia tanto tempo ele sentia falta sem sequer saber, talvez.

Ecos de sua própria língua, de sua terra e sua infância. O som rotundo dos "r" e dos "ñ", os "l" e os "z". *Barreño, chorro, aliño. Arrullo, chiquillo, chispazo, barrizal.* Evocações relegadas aos fundos da memória, aos ditados e às rezas que havia mais de três décadas ele não ouvia. Memórias de cozidos no lume, *Mambrú se fue a la guerra*, a marmelada, *Ave María Purísima* e algum *válgame Dios*. O cheiro alheio, o riso jovem, o toque involuntário de

---

[16] Onde habita o esquecimento,/ nos vastos jardins de aurora/ s e m a u r o r a/ aurora – a-u-r-o-r-a – Aurora/ sem aurora sem Aurora/ AURORA A - U - R - O - R - A/ Onde eu seja apenas a memória de uma pedra sepultada entre urtigas/ sobre a qual o vento escapa à sua insônia./ A - U - R - O - R - A/ aurora/ Sem Aurora/ Jardins sem aurora/ Sem Aurora/ Aurora/ Você. (Tradução livre)

sua pele. A razão tentando pôr freio a seus sentimentos, e estes, desbocados, desobedientes, crescendo sem contenção.

Uma paixão muda, soterrada diante do mundo. Até para ela, talvez. Mas viva e real, poderosa. Andrés Fontana e Aurora Carter. O velho professor longamente expatriado e a mulher mediterrânea que chegou pela mão de seu discípulo àquela terra que não era de nenhum dos dois. Tão díspares em tudo. Tão próximos no fim.

E, de repente, estranhamente, o pulso do ontem se reativou em meu presente, e em uma conexão precipitada, intuí outra nova luz. Nítida, clara, iluminando minha própria vida e dissipando por um momento a bruma densa que havia meses estava instalada sobre mim. Ao assumir a paixão de Fontana por Aurora, de certa maneira compreendi Alberto também. Por meio deles entendi algo tão simples, tão orgânico e elementar: que a única causa que o guiou a se afastar de mim foi a força de um amor inesperado que cruzou seu caminho como talvez pudesse ter cruzado o meu. Um sentimento que o venceu.

Apesar de seu comportamento imbecil comigo, de tudo de censurável e da dor que me causou, o amor alheio do velho professor me fez entender que diante dos lances que o destino põe insuspeitadamente em nossa frente, às vezes não se pode aplicar a razão.

Só então tive consciência de que nada havia terminado.

De que, de fato, quase tudo ainda estava só começando.

Não restava uma vivalma no Guevara Hall quando saí de minha sala, só silêncio, portas fechadas e a tristeza dos corredores vazios.

Ao chegar de novo à casa dele, encontrei-o sentado em frente à sua mesa de trabalho, em um estado de absoluta desconcentração. *Come in!*, gritou quando toquei a campainha. Nem sequer se levantou a fim de abrir para mim.

As costas caídas como chumbo no encosto da cadeira, descalço, as mãos entrelaçadas na nuca, um lápis mordido entre os dentes. A viva imagem do bloqueio mental. Ao seu redor, esparramados pelo chão, fragmentos de material tirado de qualquer jeito das caixas.

Não mudou de posição ao me ver. Nem se surpreendeu, nem me cumprimentou. Simplesmente passou seus óculos de leitura para a ponta do nariz e me contemplou por cima deles.

— Você está com uma aparência terrível, vamos dar uma volta — disse eu da porta.

Esperei-o na rua; levou alguns segundos para aparecer.

— Hoje de manhã disse não, mas agora digo sim — anunciei após percorrer umas dezenas de metros em silêncio. — Aceito processar o conteúdo de todas as caixas que Darla trouxe à luz, estou disposta a mergulhar fundo na tarefa de tentar recompor o final do legado.

— Você não imagina...

— Mas quero que saiba a razão pela qual estou fazendo isso — acrescentei sem o deixar falar —, não é pela aberração urbanística de Los Pinitos, nem por meu próprio orgulho profissional, nem por você. Faço isso exclusivamente por Fontana. Pelo Andrés Fontana cuja vida reconstruí ao longo desses meses, por meu compromisso com ele. Para tentar fazer que seus esforços não caiam no esquecimento, como sua velha missão. Só por ele faço isso, Daniel, saiba. Apenas por ele.

Continuamos caminhando sem nos olhar, mas de soslaio notei que a expressão de seu rosto havia mudado.

— E também não cante vitória antes do tempo — adverti. — Tenho condições. A primeira é a respeito de minha partida: continuo indo, aconteça o que acontecer, dia 22. E a segunda tem a ver com você. Eu não menti antes, o volume de trabalho é imenso e eu sozinha não vou poder com tudo no pouco tempo que resta até que vá embora. Por isso preciso que me ajude: eu vou dirigir tudo, mas preciso dos seus olhos, suas mãos e sua cabeça ao meu lado, cem por cento durante todas as horas que forem necessárias e sem garantia de poder chegar a nenhuma conclusão a tempo. De modo que se prepare para deixar temporariamente no acostamento seus romancistas espanhóis de fim de século, porque você vai ter de voltar o olhar muito mais atrás.

Ele parou em seco e se voltou para mim. O semblante preocupado de pouco antes havia desaparecido como levado pelo vento do anoitecer.

— Estou em suas mãos, minha querida Blanca.

Sem deixar de me olhar, afastou de meu rosto uma mecha de cabelo despenteado após o longo dia.

— Totalmente seu até o final.

CAPÍTULO 39

Assim como se monta um hospital de campanha entre os escombros de um terremoto ou se avança uma doca por sobre o mar, nós também procedemos à tarefa antinatural de transformar o apartamento de Daniel em uma espécie de laboratório de documentos. Ambos vestidos com um conforto próximo do desalinho, montamos no meio da sala um enorme tablado apoiado em cavaletes e sobre ele instalamos nossos computadores, um escâner e a impressora que levei da minha sala. Como contrapeso à tecnologia contemporânea, algumas relíquias que um antigo colega dele nos arranjou sabe Deus em que depósito de cacarecos da universidade: um aparelho pré-histórico para ler microfilmes, um velho reprodutor de rolos de fitas cassete e um par de lupas gigantescas fabricadas antes do dilúvio.

A economia decorativa do alojamento facilitou a tarefa. Nas paredes nuas penduramos alguns mapas e no chão limpo distribuímos pilhas enormes de papéis. Havia de tudo: certificações legais, pedaços de papel rabiscados pelo traço inconfundível de Fontana, manuscritos amarelados com letra antiga e cópias reproduzidas por meio do nostálgico papel-carbono. Encontramos até uma cruz. Uma humilde cruz de madeira, apenas dois paus porcamente amarrados com um cordão esfarrapado.

— De onde ele tirou isto? — murmurei.

Daniel tirou-o de minhas mãos.

— Sabe Deus...— disse olhando para a cruz. Passou os dedos pelos nós e as bordas ásperas, acariciou sua rusticidade. — Mas, se serviu a ele, servirá a nós também.

Apoiou-a no velho gravador, tal como os padres franciscanos plantavam as cruzes em suas missões. Para que nos acompanhasse como a eles na aspereza do caminho, para tornar mais suportável o rigor de nossa empreitada. Nenhum dos dois era movido pelo sentimento religioso, assim como Fontana jamais havia sido, mas aquela velha cruz nos aproximou um pouco mais da memória de Andrés Fontana.

A morte lhe havia chegado sem que houvesse conseguido extrair resultados conclusivos sobre sua investigação, mas percebia-se que o esforço havia sido titânico. Ele havia percorrido praticamente todos os arquivos e bibliotecas da Califórnia que pudessem conter informação sobre a presença espanhola na região; havia visitado, uma a uma, todas as missões, dioceses e arquidioceses do estado e, aonde não conseguiu chegar com seus próprios pés, chegou por correio em centenas de cartas que foram respondidas por seus destinatários com profusão. Seu trabalho havia sido exaustivo e minucioso ao extremo. Agora, era nossa responsabilidade nos manter à sua altura.

Começamos na sexta-feira pela manhã e esquecemos por completo que nos calendários de nossa vida de gente normal existia algo que se chamava fim de semana. Em alguns momentos trabalhávamos sentados e em outros em pé, circulando em volta da grande mesa. Às vezes nos mantínhamos distantes, cada um concentrado no seu. Às vezes, porém, agíamos em necessária proximidade, inclinados sobre o mesmo documento. Procurando, encontrando, marcando. Os ombros colados, as cabeças juntas, meus dedos roçando seus dedos, seus dedos roçando minha pele.

Os intercâmbios verbais eram poucos e quase telegráficos. Por surpresa, por contrariedade inesperada ou por mera admiração pelo que a última parte do legado abria diante de nossos olhos, de vez em quando soltávamos algum palavrão. Em inglês ou espanhol, indiferentemente. *Fuck. Quétío! Shit.*

Cotejamos dados, marcamos lugares e localizamos padrões coincidentes. Até que as primeiras surpresas começaram a pular.

— Em Sonoma você me disse que o padre Altimira foi o fundador daquela missão, não é? — perguntou Daniel em algum momento da tarde de sábado do outro lado da mesa. — O franciscano rebelde que não contou com a permissão de seus superiores para levantá-la, segundo me contou.

— Encontrou algo sobre ele? — disse eu com surpresa. — Eu já topei com ele três vezes.

— E eu outras tantas — confirmou. — E aqui aparece em algumas notas manuscritas, escute:

Dezembro de 1820: Padre José Altimira anuncia a coronel Pablo Vicente de Solá, o último espanhol governador da Alta Califórnia, seu novo destino nesta terra. Junho 1821: Altimira agradece a Solá vários favores. Outubro 1821: Altimira notifica a Solá a entrega de um carregamento de grãos a um navio russo...

Os dados não eram necessariamente significativos nem destacavam nenhum fato de especial relevância, mas testemunhavam a fluente relação com as altas autoridades civis do franciscano recém-chegado àquelas terras.

— De qualquer maneira, outros nomes aparecem com relativa frequência. O padre Señán já encontrei em outras quatro ou cinco referências, e o padre Fortuni também.

À medida que continuávamos trabalhando, efetivamente, o rastro dos velhos padres franciscanos ia aparecendo com força entre os papéis.

— Reserve Altimira, por via das dúvidas. Vamos empilhar todos os seus documentos aqui — disse eu apontando para uma ponta da tábua. — Para não o perdermos.

E não o perdemos. Nem ele, nem nenhum outro. Nem Altimira, nem Fortuni, nem Señán, nem as dúzias de monges, missões, presídios, leis ou governadores que foram aparecendo. Sem diminuir o ritmo nem baixar a guarda, alertas diante de qualquer pequeno dado que nos chamasse a atenção.

Acabou o sábado, voou o domingo, chegou a segunda-feira. No fim de cada dia saíamos à pequena varanda do apartamento com os casacos vestidos. Deixando que o ar frio nos limpasse a mente, esticávamos as pernas na mureta e bebíamos uma taça de vinho. Ou duas. Ou três.

Na tarde de segunda-feira, porém, ainda não havíamos feito uma pausa quando nossa paz foi abalada.

— Ela está aqui! Está aqui!

Eram quase sete horas e estávamos o dia todo dissecando papéis e escutando um monte de velhas fitas cassete. Entrevistas com padres, arquivistas e compatriotas, com a voz rotunda de Fontana de fundo. Fiquei comovida ao ouvi-lo. Daniel, ainda mais.

Então, bateram à porta, ele gritou seu *come in!* e, sem tempo sequer para cumprimentá-la, ouvimos Fanny gritar feito uma possessa.

— Ela está aqui! Encontrei!

Assim que entendemos a quem ela se dirigia com aquele aparatoso entusiasmo, trocamos um olhar rápido carregado de desconcerto.

— Ela está aqui, doutor Zárate! Não precisa continuar procurando! A professora Perea está aqui, com o doutor Carter!

A figura espigada de Luis Zárate apareceu na porta sem mal nos dar tempo de pensar no que fazer. Por minha mente passou um palavrão sonoro. Como não havia pensado em avisar o diretor, disfarçar minha ausência com qualquer pretexto?!

Tarde demais para lamentos. Levantamo-nos e o cumprimentamos, permanecendo imóveis em um dos lados da longa mesa. Ele, enquanto isso, adentrou o apartamento sem esperar que Daniel o convidasse. Então, passou atentamente o olhar sobre o material e o equipamento espalhado à nossa volta. Maços de papéis, planos, mapas. Nossos computadores. O escâner. Os aparelhos pré-históricos. E a impressora. Minha impressora. A mesma que ele me cedera.

A situação ficou imensamente constrangedora para os três e eu tornei a me maldizer por não ter pensado antes que aquele momento talvez pudesse chegar.

Após o desafio mudo, ele foi o primeiro a falar.

— Que encontro mais interessante — disse irônico sem se dirigir inicialmente a nenhum de nós em específico. Até que seu olhar pousou em mim. — Estamos procurando você, Blanca, porque Fanny insistiu que poderia ter acontecido alguma coisa. Ela disse que você não apareceu na sexta-feira em sua sala e que também não foi hoje. Ligamos para seu apartamento várias vezes sem sorte, seu celular está fora de serviço e Rebecca Cullen está em um curso em San Francisco, de modo que também não pudemos descobrir seu paradeiro por meio dela.

— Então, Luis, eu...

— Não é parte de meu trabalho como diretor, evidentemente, andar procurando pelas ruas quem não comparece ao trabalho — interrompeu-me —, mas Fanny estava bastante alarmada, e diante de sua insistência não tive mais remédio a não ser ajudá-la a encontrar você.

— Mil perdões, de verdade. Eu devia tê-lo informado de que ia me ausentar temporariamente — justifiquei.

Fui sincera. Lamentava não o ter avisado, mas tudo havia se precipitado de uma maneira tão rápida e conturbada que nem sequer havia me passado pela cabeça pôr o departamento a par de minhas intenções. Mas, talvez, pensei de repente, meu esquecimento tenha sido apenas um mecanismo de defesa para não ter de mascarar uma verdade que para Luis seria inadmissível.

Não o havia visto, calculei então, desde o dia em que ele aparecera de surpresa em minha sala. Quando à noite se sucedeu a visita amarga à casa de Darla Stern, quando passei a noite aconchegada a Daniel em seu sofá enquanto ele narrava à escuridão e a mim os momentos mais tristes de sua vida. O mesmo dia em que o próprio Luis Zárate, dentro do feudo de seu próprio departamento, me ofereceu seu apoio com um caráter a anos-luz de distância do meramente profissional.

Aquela cumplicidade, porém, parecia haver desaparecido em vista das novas circunstâncias. E, diante disso, eu soube que, por ora, o mais prudente de minha parte era calar.

— Uma ausência muito produtiva, pelo que posso ver — prosseguiu enquanto continuava xeretando o material.

Levantou um mapa da costa da Califórnia e o examinou com fingido interesse. A seguir, fez o mesmo com uma carta com timbre da biblioteca Huntington de San Marino. Por fim, pôs sua mão esquerda sobre a impressora e deu-lhe dois tapinhas.

Daniel e eu optamos por manter silêncio, à espera de verificar o rumo que a visita tomaria. Ignorante de tudo, Fanny, por sua vez, contemplava impávida a cena, irradiando satisfação por ter me encontrado e sem vislumbrar nem remotamente a espinhosa magnitude do que ela mesma havia desencadeado.

— Pelo que observo aqui — prosseguiu Luis dirigindo-se a mim e ignorando Daniel com distante soberba —, não foram exatamente uns dias de férias que você tirou, não é, Blanca? Vejo que se dedicou a trabalhar duro, e, além do mais, sem se afastar da linha de sua tarefa.

— Isso mesmo — disse eu apenas. — E o professor Carter está me ajudando.

— Algo, por outro lado, que não parece muito normal, por se tratar de uma pessoa desvinculada desta universidade. E, além do mais, também não consigo entender que fazem todos esses documentos de propriedade da instituição em seu domicílio particular. Caso não se recorde, esses papéis estão sem classificação e não deveriam sair da universidade sem autorização.

Onde estava o Luis Zárate daquela noite em Los Olivos? Aquele que preparava coquetéis em minha festa, que flertava comigo sem pudor diante de um maravilhoso risoto de cogumelos, aquele que pusera seus dedos em meu pescoço, tentara pousar seus lábios nos meus e me oferecera um afeto aparentemente sincero?

— Este material não pertence à universidade, é de minha propriedade — esclareceu Daniel antes que eu dissesse qualquer coisa. Acre e contundente, para que não restasse dúvida.

Imediatamente, tirando algumas notas do bolso, mudou de tom, idioma e destinatário.

— Fanny, meu bem, você se importaria de ir comprar umas pizzas? Do que você quiser, do que mais gostar. Obrigado, querida. E não tenha pressa, não tenha pressa.

Livres de Fanny, tentamos resumir como aqueles documentos haviam chegado às nossas mãos. Obviamente, lhe contamos somente setenta por cento da verdade. Mencionamos a garagem de Darla Stern, mas não os cheques assinados para satisfazer seu capricho; falamos da distante relação de Fontana com Daniel, mas não dos trinta anos que este havia decidido mantê-lo no esquecimento. De qualquer maneira, apesar de nosso esforço em parecer verossímeis, ele resistiu a aceitar nossa versão.

— Tudo muito meritório, não tenho a menor dúvida. Mas a evidência que eu aprecio é esta somente— disse estendendo as duas mãos sobre nossa mesa lotada. — Que todo este material é parte do que o professor Andrés Fontana deixou, quando morreu, no departamento que agora eu dirijo, assim como no passado ele o fez, e que neste momento se encontra no domicílio particular de um indivíduo alheio à instituição, evidentemente facilitado de maneira ilícita pela pesquisadora formalmente incumbida de seu processamento.

— Luis, por favor...— interrompi erguendo a voz, incrédula.

— De modo que, sentindo muito, acho que minha obrigação institucional é exigir que tudo isto saia daqui imediatamente, e depois, elaborar um relatório explicitando este cúmulo de irregularidades. Um relatório que terei de enviar ao decano, claro.

Daniel e eu trocamos um novo olhar fugaz, mas nenhum dos dois disse nada.

— E, provavelmente— prosseguiu usando um tom de superioridade que nunca até então havia empregado em minha presença—, minha obrigação será encaminhar esse relatório também a sua própria universidade, Blanca.

— Não creio que lhes interesse muito — disse eu com certa insolência.

Ele ignorou meu comentário.

— E no que lhe diz respeito, senhor Carter, tenha certeza de que também encontrarei um jeito de que meu relatório seja recebido em Santa Barbara.

— Deixe de bobagens de uma vez por todas, Zárate, faça-me o favor. E faça um esforço para confiar no que estamos lhe contando.

— Tenho certeza de que muitos dos nossos colegas — prosseguiu como se não o houvesse ouvido — gostarão de saber que o eminente Daniel Carter utiliza métodos de trabalho, digamos, pouco convencionais para suas pesquisas.

Notei que a paciência de Daniel estava se esgotando.

— O senhor está começando a me dar no saco com tanta ameaça, senhor diretor.

Quase soltei uma gargalhada. A situação era tensa, sim, mas também bastante ridícula. Dois acadêmicos calejados envolvidos em uma disputa absurda como dois galos de briga, nenhum dos dois capaz de ceder um milímetro na defesa de seu território. Talvez por deferência para comigo, talvez por pura inércia, ambos falavam em espanhol. Porém, mantinham o tom formal no trato, deixando as distâncias bem delimitadas.

— Entenda como quiser — respondeu Luis com desdém.

— Desde quando esse rancor todo, senhor Zárate? — perguntou Daniel contornando a mesa para se aproximar dele sem barreiras materiais.

Uma lâmina de silêncio denso se estendeu sobre a sala. Até que Luis a quebrou.

— Eu não tenho rancor nenhum...

— Porque, certamente, tudo isto não começou a partir da primeira vez que nos reunimos em sua sala, não é?

Franzi a testa surpresa; de repente, a curiosidade me invadiu.

— Aquele foi nosso primeiro cara a cara e antes havíamos falado por telefone, lembra? Mas, antes desse antes, houve algo mais. Ou é apenas suposição minha?

— Nunca tivemos o menor contato.

Ele se mantinha ereto, tenso. Com os braços cruzados sobre o peito, sem baixar o olhar, na defensiva.

— Certo. Diretamente, nunca tivemos. Mas, de maneira indireta, sim. Mountview University, março de 1992. Há quase oito anos. Está começando a se lembrar?

— Aquilo foi...

— Aquilo foi um relatório negativo de minha parte que segurou sua promoção. Após analisar seu currículo como avaliador externo, considerei que o senhor não era o melhor candidato para esse cargo. Meu erro posterior foi esquecer seu nome e não o recordar depois de tantos anos e tantos relatórios similares; mas é evidente que o senhor me manteve fresco na memória.

As conexões do subsolo, as tripas. Os condutos subterrâneos pelos quais tudo se podia saber.

— Isso não tem nada a ver com o que nos agora ocupa — refutou Luis com aparente parcimônia. Por sua postura notei, porém, que sua tensão ia crescendo.

— Tem certeza? Porque, pelo que entendi — acrescentou Daniel —, foi meu voto que desequilibrou a balança. E, com ele, o senhor perdeu definitivamente o cargo a que aspirava.

Fazia tempo que Daniel havia deixado de ser meu simples assistente na exumação da duvidosa missão. Por trás daqueles jeans velhos, e daquela camisa xadrez com jeito de ter passado um milhão de vezes pela lavadora, o acadêmico sólido de quem o próprio Luis Zárate havia me falado ocupou de novo seu lugar.

— Lamento enormemente os efeitos adversos de minha decisão — continuou implacável —, mas eu me limitei a fazer meu trabalho com o rigor que se esperava de mim; aquilo foi jogo limpo. Puro jogo acadêmico. Contudo, o senhor o tomou como algo pessoal. E, alguns anos depois, quando cruzei casualmente seu caminho, entreguei-lhe a oportunidade de revanche de bandeja.

Touché. A insolência não havia desaparecido totalmente do rosto de Luis, mas, sem dúvida, estava enfraquecida. Obviamente, não parecia esperar que Daniel trouxesse à luz aquela roupa suja. Mas também não estava disposto a jogar a toalha. Longe disso.

Continuavam frente a frente, só meio metro os separava. O zeloso diretor, impecável na formalidade de seu terno escuro. Daniel, raposa velha, disposto a cutucar onde mais dói por trás da indumentária informal de um estudante. E, separada deles por uma superfície cheia de coisas e papéis, eu. Três seres diferentes com a vida bem estabelecida em três mundos diferentes, unidos de maneira quase acidental em uma disputa inesperada.

— Que tal deixarmos de desenterrar velhas histórias que já não têm volta e nos esforçamos em ser produtivos? — intervim em uma tentativa de relaxar a crescente tensão. Como quando pretendia fazer que meus filhos usassem a razão em momentos de soberana teimosia, mas dessa vez com dois egos mais que maduros.

— Totalmente de acordo, Blanca — disse Luis. — Não fui eu, de fato, quem decidiu rememorar circunstâncias periféricas ao que agora nos ocupa. A única coisa a fazer agora é solucionar esta... digamos, irregularidade.

Daniel se dirigiu à cozinha, separada da sala por um pequeno balcão. Abriu com brusquidão a geladeira, tirou uma cerveja e tornou a fechá-la batendo a porta. Nem se incomodou em nos oferecer qualquer coisa. Luis e eu prosseguimos no lugar, um em frente ao outro, separados pela mesa e a barricada de materiais. Negociando um jeito de sair daquela encruzilhada que, caso se complicasse, poderia ser enormemente comprometedora para todas as partes.

— De qualquer maneira — acrescentou —, independentemente da propriedade legal de todos esses papéis, eu gostaria de saber com exatidão o que se está tramando aqui, porque não tenho a menor dúvida de que, seja o que for, vai além da mera catalogação de documentos. E, caso não obtenha uma resposta convincente, o passo seguinte será pedir explicações à FACMAF.

Uma gargalhada rude de Daniel cortou nosso diálogo. Afastando-se do balcão no qual estava apoiado, lentamente andou para a mesa com a garrafa de cerveja na mão, ostentando de novo uma severidade distante mil anos-luz de sua vestimenta.

— Não se incomode, Zárate — disse abrindo os braços em toda a sua extensão em um gesto teatral. — Eu lhe apresento a FACMAF. A única pessoa que está por trás dela sou eu.

Fechei os olhos alguns instantes e inspirei com força, tentando descobrir aonde ele queria chegar com aquela temerária confissão. A reação foi imediata. Como não seria?

— Isso é um ultraje, Carter! Uma infração de qualquer código ético, uma absoluta...

— Deixe que ele explique, Luis, por favor — roguei.

Para a minha surpresa, ele concordou. E Daniel falou, detalhando tudo que eu já sabia. Tudo que dias atrás havia provocado em mim uma mistura parecida de indignação e desconcerto.

— Isso é tudo, Zárate, isso é tudo — acrescentou a modo de conclusão quando terminou de confessar sua montagem. — E, a partir daqui, o senhor decide o que fazer.

— Obviamente, a primeira coisa será comunicar a universidade da ilegalidade da suposta FACMAF.

— Perfeito, mas eu o aconselho a pensar bem antes, porque tamanha reação pode se voltar contra o senhor. Caso aja assim, não duvide de que eu encontrarei um jeito de tornar pública a deficiente gestão de seu departamento ao receber fundos de uma fundação fraudulenta sem se certificar de sua proveniência.

Estavam se desafiando novamente. Alheios a tudo, e particularmente a mim.

— Isso não será mais que uma mancha ocasional em minha gestão, mas o senhor ficará diante dos olhos de toda a comunidade universitária como um infrator — antecipou Luis.

— Por favor, vocês poderiam...

Nenhum dos dois me deu ouvidos.

— Chegados a esse extremo, não me importa que se saiba o que fiz — respondeu Daniel desafiador. — Estou até disposto a assumir a culpa para não permitir que este trabalho fique inconcluso.

Falavam praticamente aos gritos, meus rogos para que pusessem um pouco de razão naquele enfrentamento não pareciam sequer roçar suas orelhas.

— Receio que não vou consentir, de jeito nenhum.

— Por favor...— insisti.

— E o que vai fazer? Denunciar-me? Chamar um tabelião para que certifique...

A culpa foi da garrafa de cerveja. Por estar tão à mão. E vazia. Daniel a havia posto em cima da mesa descuidadamente; de fato, até deixou um anel úmido sobre um mapa da missão de San Rafael.

Só o barulho de vidro quebrado os deteve. Errei a pontaria, mas serviu o efeito. Estrépito primeiro e silêncio depois. Para me fazer ouvir. Finalmente.

CAPÍTULO 40

Eles me olharam desconcertados. Eu havia acabado de arremessar uma garrafa na porta, farta do acre combate verbal em que os dois haviam se enroscado.

— Não dá para acreditar que sejam incapazes de tentar argumentar com um pouco de bom senso.

Ambos murmuraram justificativas.

— Caso pretendam continuar nesse emperramento de não ceder nem um milímetro — continuei—, quem está disposta a trazer à luz toda a roupa suja da fraudulenta FACMAF sou eu. Faltam quatro dias para que eu vá embora, mas com certeza ao longo deles terei tempo de sobra para solicitar uma reunião com o decano e lhe expor em detalhes as mil irregularidades de minha contratação.

Nenhum dos dois pronunciou uma palavra. Nenhum dos três, porque eu também demorei a prosseguir. Antes, tive de me esforçar para trancar a sete chaves minha irritação em algum sótão remoto da cabeça. E depois, precisei pôr ordem às diferentes condições que eu ia apresentar. Enquanto isso, nem um nem outro afastaram os olhos de mim. À espera, ainda desconcertados.

— Agora é minha vez de falar e vocês vão me escutar, certo? E sem interrupções, por favor. Bem, nós três temos interesses neste assunto. Interesses díspares, mas importantes para cada um. Você, Luis, quer que tudo siga o caminho oficial e está, por puro princípio, contra quem tentou burlar sua posição como diretor, mas não tem interesse de que este assunto venha à tona com a verdade nua e crua porque algumas das suas atitudes poderiam ser questionadas e sua solvência profissional, comprometida. E você, Daniel, pode ser que tenha pouco se lixado para a vontade de Zárate e os assuntos oficiais de Santa Cecilia, mas o preocupa ver que tudo isto está fugindo de suas mãos e que o que começou como um honesto plano de reconciliação e expiação pessoal pode acabar se transformando em um escândalo acadêmico de grande envergadura. E eu, já que tomei a decisão de também cuidar desta parte agregada do legado, não estou disposta a jogar fora três meses de trabalho sem chegar até o fim. De modo que, se quisermos que tudo se resolva de maneira positiva, e que cada um consiga o que mais lhe beneficia, temos todos de estar dispostos a fazer concessões.

Zárate foi o primeiro a replicar. Imóvel ainda, impávido.

— Eu não tenho tanta certeza de...

— Pois vai ter — cortei. — Não ignorem que, neste procedimento cheio de lamentáveis anomalias, vocês envolveram não só uma simples estrangeira separada com quem podiam sair por aí para jantar. Não se esqueçam, nenhum dos dois, que sou uma pesquisadora visitante, funcionária de carreira do Estado espanhol e professora titular de uma instituição que, caso seja informada por mim desta fraude, provavelmente exigirá da Universidade de Santa Cecilia as pertinentes explicações oficiais.

Daniel voltou à geladeira. Em vez de uma cerveja, dessa vez pegou três. Estendeu-me uma e deixou outra para Luis em cima da mesa. Eu não provei a minha e o diretor não pegou a dele. Daniel, porém, bebeu metade da sua de um gole só. Depois se sentou, esparramado, com suas longas pernas abertas e a camisa para fora das calças caindo para os lados, tão farto daquele assunto quanto eu.

— O que pretende que façamos? — disse então.

Não havia simpatia em suas palavras. Nem contestação. Apenas a frieza de quem sabe que não tem mais remédio que cumprir um protocolo. Felizmente para mim, parecia ter aceitado que, dessa vez, esse protocolo de atuação quem determinaria seria eu.

— Para começar, todo este material tem de sair de sua casa o quanto antes. Enquanto não houver um jeito de certificar se é legalmente seu ou não, Zárate tem razão porque tudo indica que pertence ao legado de Fontana.

— Mas você sabe que não é verdade! — protestou deixando a garrafa na mesa com um golpe seco.

— O que eu sei não interessa. Vamos tentar conciliar todas as partes guiando-nos por critérios objetivos, para ver se conseguimos avançar de uma vez por todas.

— Então, tudo volta para o departamento — antecipou Zárate pressentindo o primeiro gol do jogo.

Ele também havia se sentado, a única que permanecia em pé era eu.

— Nem de brincadeira. Não volta porque nunca esteve lá. Minha proposta é que fique em um território neutro.

— Onde? — disseram em uníssono.

Nenhum de nós riu como se costuma rir nessas ocasiões. Ninguém tinha vontade de rir.

— Na casa de Rebecca Cullen. Ela é funcionária da universidade e amiga de todos. Tenho certeza de que aceitará nossa proposta sem criar problemas. Ela ficará com a custódia do legado fielmente e eu me mudarei para lá para continuar trabalhando.

— Você sozinha? — perguntou Daniel, cortante.

— Não. Você continua comigo, preciso de você.

— De jeito nenhum — protestou Zárate com a velocidade de um lançador de facas.

— Luis, receio que não haja outra opção. Carter acata a primeira condição, que é concordar em tirar tudo isto de sua casa porque os termos de sua propriedade, embora verdadeiros, são objetivamente um tanto suspeitos. Agora é sua vez. E o que você vai fazer é aceitar que ele continue trabalhando comigo esses dias.

Sentei-me por fim em frente a eles e continuei.

— Quando todo este assunto de Los Pinitos estiver legalmente concluído, seja qual for o resultado, eu já não estarei aqui. Mas se...

Fui interrompida por uns golpes contundentes na porta. Daniel gritou seu *come in!* outra vez, mas ninguém entrou. Então, ele se levantou para abrir e deu de cara com uma presença carregada de caixas quadradas.

— Entre, Fanny, meu bem — disse com um falso tom de cordialidade. — Essas pizzas estão com um cheiro maravilhoso, seria um pecado deixar que esfriem.

— Eu vou embora — anunciou Luis então.

— Fique — pedi. — Temos de continuar conversando.

Dirigiu-se à porta sem intenção de me atender.

— Acho que já ouvi o que tinha de ouvir, agora preciso pensar.

— Amanhã de manhã não haverá nem um só papel aqui, eu prometo.

— Espero que sim.

Fechou a porta atrás de si, mas eu a abri imediatamente. O apartamento dava para uma espécie de plataforma de madeira erguida sobre a rua por dois lances de escada externa. Ele ainda não havia começado a descer o primeiro deles quando segurei seu braço por trás e o obriguei a se virar.

— Você me disse que eu podia contar com você, lembra?

— Isso foi antes de que se comportasse de um jeito que eu não esperava.

— Isso foi quando você quis me beijar e me ofereceu seu apoio sem condições. Ou já esqueceu?

A noite havia caído totalmente, fazia frio. Apertei meu velho casaco de lã cinza contra o peito cruzando os braços. Ele não respondeu.

— Todos temos várias razões para nos sentir decepcionados e outras tantas para seguir em frente e não olhar para atrás — acrescentei.

— Mas o que vocês fizeram é imperdoável...

— Não diga bobagens, Luis, por favor — interrompi. Dei um passo para ele, aproximei-me mais. — Tudo isto é muito irregular, concordo. Imensamente irregular. Viola todas as normas possíveis e às vezes até transgride o bom senso. E, além do mais, aconteceram coisas que pegaram todos nós de surpresa, desarmados, sem tempo nem capacidade de reação. Mas, se quiser, há um modo simples de sair disso.

Ele não perguntou qual era a solução, mas eu sabia que queria saber.

— Pare de querer atrapalhar — pedi em voz baixa aproximando-me ainda mais. — Restam-me menos de quatro dias com vocês, você sabe. E, ao longo deles, só pretendemos trabalhar. Não coloque troncos em nosso caminho; tenha certeza de que, se tudo isso se resolver de maneira favorável, seu departamento vai sair beneficiado, e você, pessoalmente, em nada vai ser prejudicado.

Apenas uma luz fraca fixada na parede sobre nossas cabeças nos iluminava. As casas da calçada da frente já mostravam seus enfeites natalinos: um grande pinheiro se acendia e apagava intermitentemente no jardim da frente de uma delas; outra tinha lâmpadas de cem cores penduradas nas janelas. Em algum lugar do céu negro teria de haver uma lua, mas eu não a vi.

— Pense em todos nós. Pense que, por trás das toneladas de papéis do porão, havia um homem de carne e osso que merece ser reconhecido. Pense no Daniel Carter que não agiu movido por interesses acadêmicos, e sim por puro impulso sentimental. No que o assunto de Los Pinitos significa para esta universidade e para todos os habitantes de Santa Cecilia.

— Nada disso me interessa particularmente — antecipou.

— Então, se alguma estima teve por mim ao longo deste tempo, eu lhe peço que o faça por mim.

Quando entrei de novo, o vidro da garrafa quebrada já não estava no chão. Daniel e Fanny conversavam na cozinha enquanto traçavam, pau a pau, uma excêntrica pizza cheia de pedaços de salsicha, molho *barbecue* e mais algumas coisas nojentas. Na realidade, era ela quem falava sem parar enquanto mastigava mexendo compassadamente a cabeça. Um apartamento novo, minha mãe, uma herança, julguei ouvir ela dizer com a boca cheia.

Daniel, enquanto isso, fingia escutar. Talvez até escutasse, mas só com metade dos neurônios. Os outros, sem dúvida, havia um tempo se esforçavam para descobrir o que estava acontecendo por trás da porta. O que eu estava dizendo a Luis Zárate. O que ele estava me dizendo.

Passamos ombro a ombro muitas horas, muitos dias. Próximos, cúmplices, buscando-nos e distanciando-nos, aproximando-nos e resistindo ao mesmo tempo. Mergulhados em uma tarefa urgente que não admitia interferências nem demoras por mais que às vezes a insensatez nos pedisse algo totalmente diferente. Conhecendo-nos cada vez mais.

Por isso, talvez, ele começava a me parecer tão transparente. Por isso fui capaz de entrever seu pensamento e soube que não ia falar de nós, de nossos instintos e do que poderia ser. Seu objetivo, naquele momento, apontava em outra direção. Para o homem vestido de terno escuro que naquele instante ligava o carro enquanto as palavras de uma mulher ainda davam voltas em sua cabeça.

Temos de nos livrar do diretor de qualquer jeito, intuí que pretendia me dizer. Temos de nos livrar dele.

Antes que ele conseguisse engolir seu grude de pizza para certificar meu pressentimento com a boca vazia, ergui um dedo advertindo-o.

— Sei o que está pensando. A resposta é nem pensar.

CAPÍTULO 41

A grande mesa de sala de jantar de Rebecca foi o destino seguinte do legado. A mesma onde havíamos celebrado o jantar de *Thanksgiving*, quando demos mil graças à vida e escutamos um emotivo canto à compaixão. Haviam se passado apenas algumas semanas desde então, mas nada mais era igual. Aquele amigo da família que chegara arrastando um carregamento de memórias do ontem, que nos comovera com palavras transbordando afeto e verdade, movia-se agora mal-humorado e bufando pelo aposento enquanto desemaranhava cabos, procurava tomadas e conectava aparelhos. Eu, enquanto isso, sem uma palavra, desempacotava de novo um monte de caixas e distribuía papéis em pilhas enquanto tentava encontrar um destino para eles.

Em uma das caixas que havíamos enchido um pouco antes precipitadamente, apareceu outra vez a velha cruz de pau. Tornei a segurá-la, a acariciar com os dedos sua aspereza. Deixei-a em um canto, sozinha, deitada. Não falhe conosco, quis lhe dizer. Mas não disse. Para quê?

Em termos objetivos, aquela casa era um quartel-general cinco estrelas. Com tapetes grossos e cortinas de linho que deixavam transpassar a quantidade exata de luz. Com flores frescas, quadros luminosos e a linda mesa de carvalho que convocava gerações da família quando todos se reuniam de novo. Sem que nem Daniel nem eu chegássemos a expressar abertamente, eu sabia, porém, que ambos sentíamos falta da camaradagem que havia nos unido no austero apartamento que havíamos sido obrigados a deixar. O calor que emanava entre nós apesar da pobreza do mobiliário, do chão nu e das paredes vazias. A corrente de energia positiva que transmitíamos um ao outro com o simples toque de minha mão em seu braço ao avisá-lo de qualquer pequeno achado, de seus dedos em meu ombro ao me perguntar como estava indo. Um riso espontâneo por qualquer bobagem e essa conivência que nos incitava a trabalhar frenéticos sobre a superfície de uma simples tábua esquecendo que no dicionário existiam as palavras fadiga, desânimo ou desalento.

Mas não havia tempo para nostalgia. Talvez nem para a esperança de que tudo voltasse a ser como foi. Algo havia se quebrado entre nós com a chegada intempestiva de Luis Zárate e dificilmente haveria volta. Nosso objetivo estava à frente, não às costas. Faltavam apenas três dias para a minha partida e para o fim do prazo contra o projeto de Los Pinitos. Havíamos avançado desde que resgatamos o material da casa da Darla, mas ainda faltava um enorme trabalho a fazer. E sem saber até onde poderíamos chegar.

No meio da manhã, quando por fim havíamos começado a retomar o ritmo, eu me levantei para fazer uma ligação.

— Tudo em ordem — disse apenas. Depois, escutei umas palavras. E depois desliguei.

Daniel, enquanto isso, não havia tirado os olhos do documento que tinha à sua frente. Como se não soubesse que eu havia acabado de falar com Luis Zárate, como se não me houvesse ouvido. Mas me ouviu. E só me dirigiu a palavra duas horas depois.

— Está com fome? — perguntou-me então.

— Ainda não.

Pensei que ia me esperar para comermos algo juntos como outras vezes, mas me enganei. Diante de minha negativa, dirigiu-se à cozinha, e com a confiança de quem se sabe em território amigo, começou a revirar. Ouvi-o procurar na geladeira, rasgar um saco plástico, cortar, partir, verter, untar. Uma faca bateu na pia, depois abriu a torneira do jeito que os homens costumam abrir, no máximo e sem contenção. Pela porta que atravessamos juntos no dia em que ele quisera que eu conhecesse o que restava de seu amigo Paul Cullen, da mesma cozinha, saiu para o jardim.

A grande janela da sala de jantar me ofereceu a possibilidade de observá-lo sem que ele me visse. De costas, outra vez de jeans velhos e uma blusa de lã azul. Sentado na pedra fria de um simples degrau, acompanhado a distância pelo sonolento cachorro Macan. Comendo um sanduíche com o olhar fixo na triste piscina cheia de fim de outono. Pensando. Talvez em sua própria presença naquela mesma casa quando ainda era um jovem professor transbordando ambição e projetos; quando ainda carecia da mais microscópica suspeita dos golpes baixos que o destino tinha guardados para ele. Ou em todos os que o acompanharam ao longo daquele tempo: em Aurora e seu riso grande, em um filósofo lúcido e divertido rolando com seus filhos no gramado, em Andrés Fontana apaixonado em silêncio pela linda espanhola que era sua própria mulher.

Ou talvez, entre mordidas de pão recheado de qualquer coisa, sua mente andava por trilhas mais próximas. Contornando as margens de nosso empenho em comum, rememorando Luis Zárate e sua desafortunada irrupção em nosso trabalho e em nossa proximidade. Ou pensando naquilo que ele entendia como minha traição.

— Deixei um sanduíche feito para você — disse ao voltar ao seu lugar.

— Obrigada — murmurei. Nunca cheguei a comê-lo.

Após outras tantas horas varrendo sem sucesso centenas de documentos desconexos, surgiu uma velha pasta de papelão amarrada com uma simples fita. Dentro, algumas folhas soltas. Algum dia talvez tenham sido brancas, mas, naquele momento, distribuíam-se vários tons de amarelo, do mais apagado ao mais pardo. Entre linhas e manchas, achamos algumas referências escritas rapidamente por Fontana, mais uma prova de seu interesse pelo mesmo franciscano.

> *Ano 1823. Abril: Altimira reclama a Argüello documentos para a melhor administração de sua futura missão. 10 julho: Altimira anuncia ao padre Señán a construção da nova missão em Sonoma. 22 julho: Altimira urge a Argüello o levantamento de novas instalações. 23 agosto: Padre Sarría escreve a Altimira desaprovando a fundação de sua recente missão em Sonoma por não ter solicitado licença a seus superiores.*

O rebelde padre Altimira fora, a conta-gotas, se transformando no grande protagonista do rastro que o professor havia nos convidado a seguir. Sabíamos que o franciscano insurgente conseguira construir a missão Sonoma. Apesar das reticências iniciais de sua própria hierarquia eclesiástica — que se negou a admitir a fundação unilateral daquela nova missão —, ele conseguiu dar um jeito de seguir em frente. Os documentos mostravam, porém, que o apoio sem fissuras que a princípio o governador Argüello lhe havia prestado começara a fraquejar pouco a pouco.

Por documentos diferentes, soubemos que em janeiro de 1824 Altimira pedira, por carta, um sino para a missão de Sonoma, mas Argüello, ao que parecia, nem sequer lhe respondera. No mesmo mês do ano seguinte, 1825, tornou a lhe enviar um pedido dizendo que seria apenas um empréstimo provisório, mas parece que sua súplica foi outra vez em vão. Ninguém parecia se interessar mais por aquelas missões caducas que ele se empenhava em fazer sobreviver.

A pista de Altimira se perdia por completo a partir do verão de 1826. Nesse momento, aparentemente fartos do tratamento agressivo do padre para com os índios, estes se rebelaram e puseram fogo na missão que com tantas anomalias e irregularidades ele mesmo havia construído. Por mais que tenhamos rebuscado e virado centenas de papéis do avesso, não soubemos ao certo qual foi o destino do impetuoso padre desde então; à missão Sonoma, ao que parecia, nunca voltou.

Até que uma referência a uma carta de março de 1828 dirigida ao padre Sarría por um tal de Ildefonso de Arreguín nos fez saber de seu paradeiro. Altimira apareceu de novo e evaporou no início desse mesmo ano. Escapou da Alta Califórnia de forma obscura, juntamente com outro padre chamado Antonio Ripoll. De volta à Espanha, presumivelmente.

Depois dessa última pincelada sobre o final da estada do franciscano em terra americana, chegou a escuridão. Onde esteve aquele tempo, José Altimira, que foi de você quando a missão Sonoma foi pasto das chamas, por onde andou aquele ano e meio? Nunca verbalizamos essas perguntas em voz alta, mas as fizemos mil vezes mentalmente à medida que íamos esvaziando as caixas sem conseguir uma resposta. Por que Andrés Fontana o seguia tão de perto, o que você fez depois que os índios revoltados arrasaram sua primeira missão?

Juntamos a pasta à pequena, mas crescente, pilha de evidências acumuladas ao longo dos dias anteriores, continuamos abrindo caminho.

Rebecca voltou pouco antes das sete. Com uma jaqueta listrada, dois sacos de papel pardo do mercado e uma notícia.

— O assunto de Los Pinitos está se intensificando. Convocaram uma nova assembleia, estão se mobilizando outra vez.

— Mas continuam sem nada a que se agarrar, falei com Joe Super há duas horas — disse Daniel.

— Nada de nada, ao que parece — confirmou ela elevando o tom de voz à medida que se afastava para a cozinha contígua com os sacos nos braços —, mas restam menos de três dias para acabar o prazo e insistem em continuar fazendo barulho até o final. Alguém quer uma taça de vinho?

Nós dois nos levantamos dispostos a aceitar o convite. Sem olhar para Daniel, apenas lhe perguntei.

— Pretende ir?

Ele ergueu os braços para o teto e se esticou expirando com força, como um gigante cansado.

— À assembleia? Não.

Como era reconfortante sentir-se cuidada por mãos generosas... Enquanto bebíamos aquela primeira taça, Rebecca preparou o jantar com sua diligência habitual. Saboroso, quente, alentador, servido em grandes pratos de cerâmica branca sobre a rústica mesa da cozinha sem toalha de mesa. Não foi preciso que combinássemos tacitamente não falar do trabalho; preferimos arejar a cabeça percorrendo mil trivialidades que não afetavam ninguém em demasia. E assim, ao longo de pouco mais de uma hora, a tensão foi se diluindo e em algum momento voltamos a sorrir.

Até que, quase terminando o sorvete da sobremesa, o celular de Daniel tocou no fundo de seu bolso.

— E aí, Joe? — disse levantando-se.

Voltou em meio minuto com a jaqueta na mão; não se sentou.

— Os estudantes decidiram acampar esta noite em Los Pinitos — anunciou enquanto pegava as chaves do carro. — Sem permissão e em bando. Vou dar um pulo lá. Assim que puder, volto para tentar continuar trabalhando um pouco mais.

Nem me perguntou se queria acompanhá-lo, nem eu pedi. A leve proximidade que havíamos reconquistado durante o jantar havia evaporado; sua confiança em mim se mantinha hesitante. Ainda veríamos se conseguiríamos recuperar alguma das duas.

Rebecca me propôs ver um filme com ela, qualquer comédia de final doce ou um dramalhão tortuoso que me transportasse a outra realidade. Preferi não aceitar a oferta e continuar com minha tarefa, porém, aceitei seu convite de dormir no quarto de alguma de suas filhas. Assim, não teria que voltar ao meu apartamento no meio da noite, pensei. Assim, também me sentiria menos sozinha.

Apesar de ter batalhado sem ajuda com o legado de Fontana ao longo de quase três meses, a presença de Daniel no último trecho havia sido tão intensa que mergulhar de novo naquele mundo sem ele ao meu lado de repente me pareceu estranho. Estranho e triste. Estranho e amargo. Mas superei o momento e continuei. Até as tantas, desembaraçando dados sobre transações entre assistências e missões, quem havia cedido duas dúzias de galinhas e três mulas, quem havia acolhido quinze neófitos doentes, quem havia solicitado da sé uma estátua de uma virgem, ferramentas para a ferraria ou alguma autorização. Às quinze para as duas, com Rebecca já deitada fazia horas, a casa às escuras no mais denso silêncio e Daniel ainda ausente, com meus olhos quase se fechando, uma simples frase em um velho documento me tirou do estupor.

E desculpou-se Altimira diante de V. R. por não ter solicitado de novo a licença para proceder a tal fundação.

Nada mais; o resto era a repetição de um monte de pequenos dados, uma espécie de ata incompleta sem cabeçalho nem rodapé. Anotei as palavras em um pedaço de papel. *Por não ter solicitado de novo a licença.* Sublinhei *de novo*, sublinhei *licença*, sublinhei *fundação*. O *de novo*, obviamente, implicava que quem quer que houvesse escrito aquilo não estava se referindo à missão Sonoma, a primeira que Altimira fundara sem autorização, mas a outra empreitada diferente. Que mais você fez, Altimira, que mais, que mais, que mais, repeti baixinho dando tapinhas na mesa, estimulando-o ilusoriamente a sair de seu esconderijo e a se deixar ver. Continuei procurando com fome, com ânsia. Mas nada tornei a encontrar.

Apaguei a última luz e subi a escada um bom tempo depois me perguntando até onde acabariam nos levando os passos do errático franciscano. Se é que havia algum lugar para chegar.

Ao me levantar, pela manhã, comprovei que Rebecca e sua eficácia haviam se antecipado a mim. No banheiro, ao lado do quarto onde eu dormira, encontrei minha *nécessaire* e minhas roupas. Ela tinha um molho de chaves de meu apartamento, eu mesma lhe dera. Caso um dia aconteça qualquer coisa, pensei vagamente no momento. Essa qualquer coisa acabava de acontecer: Rebecca, sempre um passo à frente, havia intuído que não me convinha perder tempo indo e vindo sem necessidade.

Daniel já estava em seu lugar quando desci. Atrás dele, um grande quadro que recordava a estética *naif* de Frida Kahlo. A seus pés, cochilando, Macan. Em vez da blusa de lã do dia anterior, ele usava um moletom com o escudo e as letras de alguma universidade praticamente ilegíveis por conta do desgaste. O que havia dentro de sua cabeça não pude sequer entrever.

— No fim, você não voltou. Como foi? — disse eu em vez de bom-dia.

— Mal — respondeu sem olhar para mim. — Empenhados em continuar fazendo oposição, mas sem nenhuma prova concludente para apresentar.

— Acabaram acampando?

— Mais de duzentos estudantes, ao lado das escavadeiras que já andam por ali. Com certeza não têm intenção de começar a tirar terra ainda, só as mandaram para amedrontar. Mas receio que a contagem regressiva já tenha começado, e por mais barulho que façam não vai adiantar muito.

— A menos que nós consigamos algo — disse estendendo-lhe o documento. — Ontem à noite Altimira voltou a aparecer.

CAPÍTULO 42

Passou a quarta-feira sem pena nem glória, chegou a quinta-feira e, com ela, a chuva: não muita e só de vez em quando, mas o suficiente para deixar ver pela janela um dia cinza que não convidava a pôr o pé na rua. Todas as luzes da sala de jantar de Rebecca estavam acesas desde cedo, jogando claridade sobre nossa cabeça e sobre os materiais esparramados pela mesa, pelo chão e pelos cantos sem nenhuma contenção.

Ela voltou com a noite já caída. Nem sequer havíamos parado para comer; pelo chão rolava uma garrafa d'água vazia, e em uma prateleira duas latas de Coca-Cola, miolos de três maçãs e um saco de Doritos. Para nossa angústia, antecipando o pior dos cenários, restavam apenas poucos papéis soltos no fundo da última caixa. O recibo amassado de alguns livros comprados em março de 1969 na livraria Moe's de Berkeley. O horário de eventos litúrgicos na missão de Santa Clara. Um mapa de estradas vicinais.

E depois disso, a desolação.

Havíamos chegado ao final sem conseguir construir uma evidência firme; tínhamos intuições, pressentimentos. E mil dados soltos que apontavam para um desenlace veraz. O padre Altimira, aquele que supúnhamos que acabaria nos levando a algum porto, havia desaparecido de qualquer testemunho escrito durante mais de um ano sem deixar que víssemos o que fez ao longo daquele 1827. Nenhuma das missões irmãs o acolheu. Seus amigos entre as autoridades deixaram de citá-lo. Fontana nunca soube o que foi dele. Baseando-se no caráter veemente e impulsivo do franciscano, o professor suspeitou ilusoriamente que poderia ter erigido uma nova missão. Sem autorização nem licenças. Sem ata de fundação, sem verba nem apoio, movido apenas por uma fé à prova de dinamite, ou talvez por uma ambição tão feroz quanto insensata. Esse foi o sonho de Fontana, que nos contagiou.

— Não há mais nada — anunciei em voz baixa.

Rendida diante da certeza de que nada nos restava fazer, joguei a caixa vazia no chão. Caiu virada para baixo, como uma confirmação lúgubre da verdade.

Daniel se sentou pesadamente em uma das cadeiras. Com as pernas afastadas e o olhar ausente. Abatido, como um animal ferido sem forças para se defender.

Pensei em recolher a caixa, virá-la e endireitá-la. Mas me faltaram forças, e em vez de resgatá-la, deixei-me cair no chão ao lado dela. No lindo assoalho de madeira de Rebecca. Exausta, com as costas apoiadas na parede.

— Como fui imbecil... — disse ele então com o rosto erguido para o teto. Com os olhos fechados, passando os dedos pela cabeça, afundando-os no cabelo meio comprido da raiz até as pontas. — Mas que imbecil...

— Não tem nenhum sentido se culpar agora. Ninguém podia saber o que íamos encontrar, não tínhamos nem ideia de até onde Fontana havia sido capaz de chegar.

— Eu devia ter sido menos ingênuo, mais realista. Não ter confiado cegamente, depois de tantos anos, em algo tão... tão frágil, tão incerto, tão pouco substancial.

— Era um risco. Você decidiu apostar forte e perdeu. Mas, se serve de consolo a você, pelo menos conseguiu metade do que queria: o legado de seu professor já está fora das trevas.

— E, acima de tudo, não devia ter envolvido ninguém nisto. Não devia ter recorrido a você, nem ter enfrentado Zárate, nem ter comprometido o departamento, nem...

Parecia que estávamos dialogando. Só parecia: supostamente, dirigíamos a palavra um ao outro, mas, na verdade, não. A verdade era que cada um falava em voz alta consigo mesmo e nossas frases apenas se cruzavam no ar carregado da sala de jantar.

E quando acabaram as frases, começamos a pensar. Calados, ruminando cada um seu próprio dissabor. A crua realidade era incontestável: nada, não havia nada de substancioso a que pudéssemos nos agarrar. Nada conclusivo para construir um argumento firme a fim de recorrer do projeto de Los Pinitos. Dados dispersos e suspeitas que subiam como fumaça sem que fôssemos capazes de capturá-los. Nada mais.

— Vamos ficar aqui lambendo nossas feridas a noite toda ou vamos começar a recolher os cacos?

A proposta veio de mim após alguns minutos. De volta à vida, de volta ao presente. Havíamos fracassado, concordo. Mas eu, pelo menos, sabia que tinha de andar de novo. Adeus a Andrés Fontana e suas falsas ilusões. Adeus a seu velho aluno e a seu projeto escusatório, a um mundo alheio e a homens que me seduziram e me arrastaram por um tempo, mas com quem, enfim, muito pouco eu tinha a ver. Para o bem ou para o mal, era hora de virar a página.

De nada valia se lamentar, já era tarde demais. Eu estava indo embora, ainda tinha o apartamento para esvaziar. Malas por fazer, arremates, despedidas. E algumas sensações que melhor seria esquecer.

Como tantas vezes antes na vida, chegara o momento de me erguer do chão e começar de novo.

— Levante — quis dizer a mim mesma.

Minha voz, porém, me traiu. Em vez de me dar uma ordem interna, a palavra saltou de minha boca sem que eu previsse e se transformou em uma ordem para os dois.

O grande indômito obedeceu sem protestar. Antes que eu me levantasse do chão por mim mesma, ele deixou sua cadeira e se aproximou para me estender a mão. Uma vez em pé, sem trocar nem uma sílaba mais, preparamo-nos para empacotar de novo o caos e transformar de novo aquele aposento emprestado e revirado em uma sala normal.

Ele começou por um lado da mesa e eu pelo outro. Empilhando documentos, amontoando papéis. Mecanicamente, apenas.

— Até contas de telefone o condenado deixou, mas nenhuma pista certeira...

— De que contas está falando? Eu não vi nenhuma.

— Destas — disse ele erguendo um bloco de cartas no ar. Presas com um elástico que já apertava pouco. Algumas, não muitas. Sete, oito, nove, na distância não as pude contar.

— Onde estavam?

— Embaixo deste monte de recortes de jornal, pensei que você havia dado uma olhada.

— Nem sequer as vi...

— Imagino que não deve haver nada nelas, mas dê uma olhada, por via das dúvidas. — Jogou-as para mim, peguei-as no ar. — Enquanto isso, vou levando isto para o porta-malas do carro.

Duas cartas comerciais da companhia telefônica Pacific Bell, três do Federal Reserve Bank de San Francisco, uma de seu seguro saúde e outra de um dentista local trocando a data de uma consulta. Todas datadas de junho do ano em que o professor deixou de existir. Talvez a própria Darla as tenha recolhido de sua casa; talvez tenha levado com ela mais coisas, talvez roupa, objetos pessoais, algumas fotografias. E aquelas cartas pouco substanciais que juntou por acaso aos papéis de trabalho que também decidiu recolher sem nenhuma razão aparente.

Entre os envelopes, quase perdido entre as cartas tediosas de bancos e empresas, havia um de tamanho menor. Mais grosso, menos vazio que o restante.

Manuscrito, para variar. E. de C. y Villar, Fr., lia-se com dificuldade no canto superior esquerdo. Letra de velho, pensei. Santa Barbara Mission, CA.

— Vem de sua cidade— disse ao ver Daniel entrando de novo na sala de jantar.

— De que cidade? — perguntou sem muito interesse enquanto carregava outro par de caixas e três rolos de mapas.

— De Santa Barbara. Da missão.

Rasguei o envelope, desdobrei a carta. Umas linhas manuscritas com pulso hesitante e caligrafia da mais vetusta escola antecediam seu conteúdo essencial.

> *15 de Maio de 1969, ano do Senhor*
> *Mui estimado professor*
> *Após sua última visita na semana passada ao arquivo desta nossa missão, ao devolver de novo os registros consultados a suas correspondentes restantes, ficou de fora este simples pedaço de carta que, ao que parece, passou despercebido por vocês, o qual, por não poder ser catalogado por carecer de dados suficientes, lhe encaminho como mera curiosidade e testemunho de meu pessoal reconhecimento ao seu grande interesse pela história de nossas queridas missões.*
> *À espera de uma próxima visita, transmito-lhe meu cumprimento afetuoso na paz infinita do Senhor com o rogo de que o faça extensivo à grata e extremamente amável senhora espanhola que em nosso último encontro o acompanhou.*

A imagem me veio à mente com uma poderosa luminosidade. Com perfis nítidos, como clareada por um *flash*. Um velho arquivista cujos dias se passavam enfiados entre documentos e papéis empoeirados e a quem, com toda a probabilidade, nunca ninguém consultava fazia séculos. As visitas sucessivas de um professor curioso com quem compartilhava uma língua em comum. A linda mulher que inesperadamente apareceu ao seu lado em seu último encontro, a espanhola de voz próxima e riso fácil cuja imagem ficou gravada na alma do velho arquivista acostumado ao silêncio e à solidão.

A carta estava datada dois dias antes da morte de ambos. Jamais chegaram a conhecer seu conteúdo.

— Leia isto— sussurrei a Daniel quando entrou de novo disposto a continuar recolhendo as coisas.

Não lhe mostrei a carta do franciscano com a alusão a Fontana e Aurora, para que remexer de novo naquela história dolorosa? Mas lhe estendi o pedaço de papel desdobrado que o arquivo da missão de Santa Barbara lhes mandava. Aquele que eu mesma acabara de ler incrédula. Sem timbre nem destinatário. Sem cabeçalho nem data nem saudação, com metade de sua essência irrecuperável. E, contudo, tão, tão vital.

— Altimira se despedindo de nós. Agora, filho da mãe — disse com ironia.

Era a primeira vez que víamos sua letra e sua própria assinatura naquilo que parecia metade de uma carta que talvez nunca tenha chegado a enviar.

> *... e foi vítima, então, nossa modesta construção, da violentíssima ação de índios obstinados em seus erros pagãos, que providos de machados e arcos e flechas, dispuseram-se a pôr em execução seu depravado desígnio. "Amai a Deus, filhos", disse-lhes, mas não pareceram os pagãos compreender tal saudação em seu afã de atacar. "Viva a fé de Jesus Cristo e morram os inimigos dela", insisti, e também não atenderam, resultado do qual perderam a vida em suas mãos sete neófitos, havendo sido todos eles enterrados entre pinheiros na terra sacramentada de nossa humilde missão, sob simples lajes gravadas com uma cruz do Senhor e as iniciais de seu nome cristão e o ano 1827 de sua fatalidade.*
>
> *E com isto digo a V. R. adeus, até outra oportunidade, e o Altíssimo guarde ao senhor muitos anos em Seu amor e Sua graça. Seu afetíssimo servo que se encomenda a V. R. com veras de seu coração.*
>
> *Fr. José Altimira*

Uma pobre construção, sete neófitos enterrados entre pinheiros sob simples lajes com a cruz do Senhor, ano 1827, a terra sacramentada de nossa humilde missão. De nossa humilde missão. Humilde missão.

— Estávamos tão perto, tão perto, tão perto... — sussurrei mordendo o lábio.

Ele pousou a mão em meu ombro, apertou. Um inútil gesto de consolo.

— Não vale a pena nos lamentar; venha, vamos terminar de recolher as coisas, temos de devolver a decência a esta sala de jantar.

Justamente nesse momento, seu celular começou a tocar.

— E aí, Joe? — tornou a dizer enquanto me soltava. As mesmas palavras da outra vez, a mesma reação.

Com a metade da carta de Altimira na mão e a do arquivista no bolso de trás das calças, me dirigi à cozinha em busca de Rebecca. Aquele seria nosso último jantar, o último dia que me sentaria à sua mesa, a última noite que desfrutaria de seu afeto e seu calor.

— Posso ajudar? — perguntei.

Quem sabe se mexendo o molho para a massa que ela cozinhava eu conseguiria que meu desassossego se dissolvesse também.

— Blanca! — ouvi Daniel gritar assim que peguei a espátula. — Blanca! — repetiu.

Entrou em turbilhão, chamando-me alto, aproximando-se com passos de maratonista até ficar em frente a mim. Então, segurou-me pelos braços com força, cravou seus olhos em minhas pupilas, quase me sacudiu.

— Ao cavar em Los Pinitos para fazer uma... uma... let... lit... Como diabos se chama esse buraco que se faz no chão para os excrementos?

Era a primeira vez que eu o ouvia titubear em minha língua, a primeira vez a imensidão de seu vocabulário espanhol o traía.

— Latrina.

— Latrina, isso mesmo! Ao cavar para fazer uma latrina, o pessoal acampado encontrou entre os pinheiros o que parece ter sido um pequeno cemitério. Por enquanto, encontraram três supostos túmulos, mas pode haver mais. Muito simples, apenas umas pedras planas com umas inscrições rudimentares.

Um calafrio percorreu minhas costas.

— Cada pedra com umas iniciais.

— E uma cruz?

— E uma cruz.

— E um ano?

Sorriu entre sua barba clara. A expressão de sempre, dos dias em que havia sol entre nós.

— Também.

— 1827?

A espátula caiu de minhas mãos e bateu no chão com estrépito; as lajotas e nossos pés ficaram respingados.

— O ano em que o louco do Altimira desapareceu.

CAPÍTULO 43

Mal havíamos dormido; ambos ainda tínhamos o rastro da água do chuveiro no cabelo e uma pasta com documentos no banco de trás.

As aulas e os exames haviam acabado, os alunos andavam à espera de notas ou fazendo a bagagem para o Natal. Muitos já haviam ido para casa. Os mais combativos, porém, continuavam em Los Pinitos. Acampados junto às humildes sepulturas de sete neófitos nesse território sobre o qual já não tínhamos dúvida de que havia acolhido uma missão. A última missão franciscana do lendário Camino Real. A nunca catalogada, a que formava o número vinte e dois: a mais frágil e efêmera, essa que Andrés Fontana, com fundamento ou sem ele, deu por chamar de Missão Olvido.

Ao passarmos em frente à porta da sala de Rebecca, fizemos um breve cumprimento sem voz. Ela sabia que nosso destino era outro. E sabia que não tínhamos nem um minuto a perder.

Luis Zárate estava de sobreaviso, eu mesma havia lhe telefonado na noite anterior.

— Temos provas sólidas para apresentar contra o projeto de Los Pinitos — antecipei por telefone. — Temos de deixar tudo fechado amanhã de manhã, meu avião parte às seis da tarde, tenho de sair de Santa Cecilia às duas.

Marcou conosco para as nove. Às oito e quarenta e cinco estávamos lá.

Tive menos de meia hora antes para passar por meu apartamento a fim de trocar de roupa e, de quebra, começar a recolher as coisas correndo. Esvaziando estantes e gavetas com as duas mãos, enchendo as malas de qualquer jeito. Com os cinco sentidos voltados para a urgência da tarefa. Sem me conceder nem um simples minuto para parar e pensar no que estava deixando para trás.

— Queremos que nos ajude, Luis — disse quando estávamos sentados em frente a ele.

— De que ajuda estamos falando, exatamente? — replicou de trás de sua mesa arrumada, como sempre, com a precisão de uma parada militar.

Em seu laconismo não percebi desaprovação, mas nem simpatia. Daniel, sentado à minha direita com as pernas e braços cruzados, escutava sem intervir. Com ele já sabia que não havia perigo, a fera havia finalmente cedido. Ao longo da madrugada, enquanto batalhávamos em frente à tela de meu computador com quatro mãos e dois cérebros lotados de cafeína para redigir um relatório coerente que sintetizasse nossa investigação, consegui que me desse seu sim. Sim a comunicar Zárate. Sim a que o resto do legado procedente da garagem de Darla fosse integrado totalmente ao que o departamento já custodiava. Sim a algumas coisas mais.

— Minha proposta é que se una a nós — disse eu então. — Que faça isso como diretor deste departamento com o qual, de uma maneira ou outra, no passado ou no presente, todos temos uma ligação. Que esqueça a FACMAF e suas irregularidades, que aceite a parte do legado pertencente a Daniel Carter como uma doação e que seu nome, Zárate, conste no recurso a apresentar. Que você seja o porta-voz oficial de nossas conclusões.

Ele me olhou com a dúvida no rosto, sem conseguir acreditar. E, então, retomei a palavra. De uma vez.

— Peço-lhe que aceite em nome de Andrés Fontana. O que fizemos durante esses dias, inclusive o que eu fiz ao longo de mais de três meses, é uma tarefa insignificante comparada com o esforço titânico que ele realizou. Nosso trabalho se limitou a amarrar algumas pontas soltas, mas quem lutou durante anos para trazer essa missão à luz foi ele. Talvez tenha feito isso movido, a princípio, por um impulso puramente pessoal, ao perceber nas velhas missões um rastro da alma de sua pátria e de sua própria essência. Mas, acima de tudo, fez isso como acadêmico, como humanista comprometido com a pesquisa e a difusão do conhecimento, com este departamento, esta universidade e esta cidade. Quando a morte o levou, ele ocupava exatamente o mesmo cargo que você ocupa agora, Luis. E como você, velava por esta casa e por sua gente, pela excelência acadêmica e o bem comum.

Então, apontei para Daniel, que, recostado em sua cadeira, me escutava atento.

— Pode ser que Daniel seja seu herdeiro intelectual e sentimental por tudo o que os uniu durante anos, disso não há nenhuma dúvida. — Voltei a vista para a frente depois. Para o rosto sério do diretor. Para sua contenção. — Mas não esqueça que seu herdeiro institucional é quem está hoje no cargo que ele ocupou. E esse herdeiro institucional, Luis Zárate, é você. Por isso, vocês dois têm a obrigação moral de se respeitar e de lutar conjuntamente pela dignidade do homem de cujo legado são depositários, os dois.

O silêncio se estendeu sobre a sala. Do corredor, através da parede, entrou amortecido o grito histérico de uma aluna, talvez uma explosão incontrolável de felicidade diante de uma nota mais alta que o esperado. Enquanto isso, nós três permanecíamos calados, cada um absorto em suas próprias reflexões.

Até que Daniel se endireitou, desatou os braços do nó em que os mantinha e, entrecruzando os dedos das mãos, quebrou a quietude.

— Acho que Blanca está coberta de razão e nos oferece uma solução sensata. Minha intenção, a princípio, era levar nossos resultados para a plataforma contra Los Pinitos e que eles decidissem a melhor maneira de usar a documentação. Mas ela me convenceu de que a voz de Fontana tem que ser ouvida por si mesma de algum modo. E a melhor forma é por meio da instituição para a qual ele trabalhou. — Pigarreou, prosseguiu. — E no que me diz respeito, lamento por meu comportamento. Reconheço meu erro e peço desculpas a você, Luis, por ter invadido seu âmbito perseguindo meu próprio interesse.

Eu não sabia se soltava um grito de júbilo, erguia um punho vitorioso no ar ou o abraçava com todas as minhas forças. Minha sugestão de reivindicar Fontana o havia convencido a antepor a seu próprio orgulho a memória daquele que fora seu amigo e professor, mas eu não imaginava que chegasse a expressar suas desculpas assim. Com sóbria humildade, sem alarde. Nem se levantou para estender uma mão sentida ao diretor, nem entoou um doloroso *mea culpa*. Mas o chamou de você, chamou-o pelo nome e soou verdadeiro.

Luis, do outro lado da mesa, não respondeu.

— Contamos com você, então? Aqui estão todas as provas conclusivas e um relatório redigido — disse eu mostrando-lhe a pasta em que havíamos guardado o resultado de nosso trabalho. — Podemos ver tudo agora mesmo.

Suas palavras fluíram carregadas de ambiguidade.

— Às vezes a arrogância nos cega e não percebemos quão elementares são as coisas. Até que alguém põe diante dos nossos olhos a simplicidade nua da realidade.

Foi difícil entender se aquilo era uma aceitação retórica das desculpas de Daniel ou uma paralela autocensura por sua própria atitude. Mas não era hora de brincar de adivinhas. O tempo avançava, não podíamos esperar.

— Então, está disposto a... — insisti.

Como havia feito alguns dias antes quando chegara carregada de pizzas, Fanny tornara a me deixar com a palavra na boca. Sua cabeça arrebatada, dessa vez sem nem sequer bater, apareceu na porta e, como uma machadada, interrompeu-me.

— O professor Super está procurando vocês, disse que é urgente.

Daniel automaticamente apalpou os bolsos do paletó e das calças. Depois, soltou um *shit*. Merda, quis dizer. Sua reação espontânea ao perceber que havia esquecido o celular em algum lugar naquela manhã frenética após uma noite sem dormir.

Imediatamente, Fanny abriu totalmente a porta para dar passagem ao veterano professor.

Os olhos de Joe Super não mostravam naquele dia a cordialidade e o senso de humor com que sempre participava de minhas aulas. Também não mantinham sequer um resto da simpatia com que se aproximara para nos cumprimentar na noite em Los Olivos. Aquela manhã, seus olhos só transmitiam preocupação.

— A polícia chegou a Los Pinitos, pretendem desalojar os acampados. Diante da descoberta dos túmulos, o juiz ordenou a evacuação, mas os rapazes se negam a sair e a coisa está cada vez mais tensa. Se vão lhes dizer algo, é melhor que seja o quanto antes.

Levantamo-nos imediatamente e olhamos para Luis Zárate com expressão de dúvida. Sem palavras, esperando sua reação. Se aceitasse vir conosco, seria um ato de fé cega, pois ainda não havíamos tido oportunidade de lhe mostrar nossas conclusões. Talvez por isso levou alguns momentos para reagir. Até que, por fim, numa confirmação silenciosa, também se levantou.

Enquanto Daniel dirigia inclinando-se nas curvas e furando alguns semáforos, fomos lhes detalhando um tanto atropeladamente os pormenores de nossos achados. Ambos, Luis e Joe, sabiam desde a noite anterior que tínhamos provas definitivas, mas desconheciam os detalhes. A longa madrugada de trabalho havia nos permitido incorporar estrutura e coerência à nossa investigação, e por fim tínhamos uma narração consistente dos fatos e alguns dados ordenados para fornecer.

Chegamos a Los Pinitos mais de onze e meia da manhã, quase ao mesmo tempo que mais dois carros de polícia prestes a se somar aos outros tantos que havia ali estacionados com as sirenes e as luzes ligadas. Junto a eles, duas imponentes escavadeiras paradas e, em volta, um monte de veículos particulares. O cartaz imenso que prometia *exciting shopping* e diversão sem fim mantinha-se erguido cheio de rostos publicitários, sorrisos vazios e frases cuja consistência estava começando a se diluir.

Tivemos de andar um trecho considerável até chegar à área dos acampados: mais de uma dúzia de tendas multicoloridas, incontáveis cartazes e cinquenta ou sessenta estudantes à vista, também alguns voluntários e alguns professores. Todos usavam sobre suas roupas as camisetas reivindicativas cor de laranja que haviam começado a ser vistas pelo campus desde a tarde da manifestação.

Em volta deles, gente aos montes. Membros menos belicosos da plataforma, simpatizantes e curiosos de todos os tamanhos e cores. Muitos tiravam fotografias, havia câmeras da televisão local. Sobre uma mesa de *camping*, atrás de duas enormes garrafas térmicas, as vovozinhas guerreiras distribuíam copos de plástico cheios de café. Outros conversavam ou simplesmente contemplavam a cena expectantes, sem saber o que ia acontecer.

A polícia havia isolado o perímetro daquilo que nós já sabíamos que havia sido o minúsculo cemitério da missão. Uma área pequena entre pinheiros, retangular. Quatro ou cinco metros de comprimento, não mais de dois de largura. A primeira coisa que Daniel e eu fizemos, instintivamente, foi irmos até lá.

— Ei, não podem passar! — gritou um policial a distância. Daniel acabava de se agachar para passar por baixo da fita que limitava o acesso. Em letras pretas sobre fundo amarelo, dizia claramente *"do not cross"*.

Como se fosse surdo e não soubesse ler, estendeu-me a mão. Vamos, ordenou.

— Aqui esteve você, padre Altimira— disse em voz baixa quando paramos diante da primeira sepultura. Coberta por uma pedra cinza suja de apenas trinta por trinta, tosca, irregular.

Atrás de nós ouvíamos Joe Super tentando negociar com o policial que pretendia nos obrigar a sair.

Agachamo-nos. E. F. eram as iniciais gravadas toscamente, provavelmente sem mais ferramenta que um formão rudimentar. Em cima delas, uma humilde cruz. E embaixo o ano: 1827. O parêntese após a queima da missão San Francisco Solano de Sonoma e a volta à Espanha daquele frade rebelde entre cujas virtudes definitivamente não estava a submissão.

— Que pena que Fontana nunca as tenha encontrado — murmurei.

— Teria sido difícil, o tempo as havia coberto bem, veja — disse Daniel pegando um punhado da terra que haviam afastado para expô-las.

— O que pode ser que tenha encontrado por aqui foi isto — acrescentei tirando a cruz de madeira do bolso do casaco. A tosca cruz amarrada porcamente com uma velha corda que encontramos no meio dos papéis bagunçados em uma das caixas de Darla Stern.

Daniel pegou-a de minha mão.

— Foi uma boa colega de viagem — reconheceu enquanto a contemplava. Depois, olhou-me nos olhos e acariciou minha face com dois dedos. — E você também.

— Saiam daí de uma vez, por favor! — gritou o policial.

Não tivemos mais remédio que obedecer.

Joe Super e Luis Zárate estavam agora com alguns membros da plataforma. Todos estavam a par da notícia de nosso achado desde que Joe, após a ligação de Daniel, a compartilhara com eles na noite anterior.

— Chegou a hora de torná-la pública — pediu-nos então.

Daniel me olhou erguendo uma sobrancelha. Eu entendi e respondi imediatamente.

— Não.
— Sim.
— Sim.

O não contundente proveio de mim. O primeiro sim saiu da boca de Daniel; o segundo, da de Luis. Ambos sérios, convictos. Engoli em seco.

— Com a condição de que fale em espanhol — aceitei após alguns segundos de desconcerto. — Se for falar em inglês, não creio que consiga transferir as minhas palavras a alma desta história. Preciso de um tradutor.

Olharam-se um ao outro.

— Avante, senhor diretor — disse então Daniel. — Se daqui em diante vai ser o porta-voz de Fontana, este é um bom momento para começar.

A notícia de que alguém ia fazer umas declarações correu rapidamente, todo mundo começou a se amontoar à nossa volta. O jovem de rastafári que eu já vira repetidamente na manifestação e na assembleia tirou de uma barraca seu inseparável tambor e tocou com bom ritmo, convidando os presentes a se calar.

Quando se fez silêncio, comecei. Com a voz da cabeça e a voz do coração. Em meu próprio nome, no dos que haviam me acompanhado nessa aventura e, principalmente, no dos que ficaram para trás.

— Durante pouco mais de cinco décadas, alguns franciscanos espanhóis, monges austeros movidos por uma fé de ferro e uma cega lealdade a seu rei, percorreram esta terra ainda selvagem da Califórnia levantando missões em nome de sua pátria e de seu Deus. Começaram em 1769 com San Diego de Alcalá, e avançando a pé e em lombo de mulas, foram abrindo caminho por territórios nunca explorados, erguendo pouco a pouco as vinte e uma construções que acabaram configurando o que veio a se chamar Camino Real. Seu propósito era cristianizar a população nativa e fazê-la entrar na civilização, e embora essas intenções sejam, aos olhos de hoje, questionáveis pelo preço dolorosamente alto que aquela população pagou em forma de doenças, submissão e perda de identidade, não podemos deixar de lado a parte meritocrática do trabalho desses homens que um dia cruzaram um oceano para cumprir aquilo que eles entendiam como um dever. Trouxeram para este lado do mundo sua língua e seus costumes, suas frutas e animais e seu jeito de trabalhar. E aqui ficou sua marca indelével, em centenas de nomes que navegam hoje pelo mapa e em mil pequenos detalhes que diariamente saltam à vista, desde a cor das paredes até as telhas de barro, as vinhas ou as ferragens das janelas.

Fiz uma pausa e deixei que Luis, à minha direita, me traduzisse. Daniel, ao lado de Joe, havia se afastado um pouco, cedendo-nos o protagonismo. Em torno de nós, mais de uma centena de pares de olhos e orelhas me olhavam e escutavam com interesse. Não me impressionavam, eu estava mais que acostumada a falar em público, a transmitir conhecimento e a instruir. Mas era importante que desfiasse a história com tino. Para que todos compreendessem o que acontecera ali.

— Mais de um século e meio depois, as mudanças da vida acabaram destinando a este confim um professor espanhol, Andrés Fontana. Descobrir de repente tantos ecos de sua própria terra nesta orla estranha a ele o comoveu. Longamente desterrado na época, decidiu se dedicar à pesquisa do que aqueles seus compatriotas fizeram aqui. E após anos de trabalho, à luz de velhos documentos, intuiu que a lendária cadeia de missões fundadas pelos franciscanos espanhóis não acabou com o levantamento, em 1823, de San Francisco Solano em Sonoma, como sempre se havia pensado. De alguma maneira soube que haviam ido além, e a isso dedicou o resto de sua vida: a buscar provas que conseguissem comprovar aquela hipótese. Infelizmente, ele morreu antes de concluir seu trabalho. Mas, graças a seu empenho e sua constância, chegamos à conclusão de que aquela missão que ele perseguiu como a um fantasma realmente chegou a existir. As sepulturas que apareceram ontem confirmam a interpretação sustentável dos fatos e nos fornecem a evidência necessária para afirmar o que aqui aconteceu.

Luis tornou a me traduzir e depois mencionei Altimira e seus antecedentes, seu desacato à hierarquia para criar a missão de Sonoma e o incêndio atroz que a arrasou.

— Desafiando mais uma vez seus superiores, movido talvez por uma mistura de frustração e rebeldia ou pela força inquebrantável de sua fé, o padre Altimira, um dos últimos frades a chegar à Califórnia proveniente da velha Espanha, avançou a pé até esta região então inóspita, e, sem meios, sem ajuda, sem licença alguma, fundou uma modestíssima missão. Acompanhavam-no apenas alguns índios cristianizados, esses neófitos que com ele haviam sobrevivido após o incêndio de Sonoma e que agora repousam sob estas lápides depois de perder a vida em um ataque indígena posterior. Como podem ver, nada resta agora daquela construção frágil e insignificante que Altimira levantou, à exceção dos restos daquilo que foi seu cemitério. Sua sobrevivência foi fugaz, circunscrita no máximo a alguns meses. E embora não tenhamos registro disso, contagiados pela utopia de Andrés Fontana, queremos pensar que o padre Altimira, em uma evocação a seu próprio desamparo, consagrou-a como a missão de Nuestra Señora del Olvido.

"Meu velho compatriota teria se sentido orgulhoso de todos vocês. Da perseverança com que lutaram para preservar este entorno, de seu empenho por manter a integridade deste lugar que é de todos e que para ele tanto significou. Vocês lutaram em bandos diferentes, mas perseguindo um mesmo objetivo. E após conviver intensamente com sua memória ao longo desses meses, eu me julgo legitimada para, em nome dele, transmitir-lhes sua gratidão."

Luis traduziu aos pedaços até que, no final, ouviram-se aplausos, gritos de júbilo, e o rapaz do rastafári tornou a tocar seu tambor.

Então, Joe Super tomou a palavra e antecipou alguns dados técnicos sobre o complexo emaranhado jurídico que começaria uma vez que se apresentasse o recurso. A Igreja Católica não poderia reclamar a propriedade da terra: os franciscanos jamais haviam tido a posse dos territórios que suas missões ocuparam, desfrutaram simplesmente do usufruto temporário desses. Mas o simples fato de poder constatar que aquilo havia sido terreno missionário submeteria a região a um tratamento legal especial, para cuja solução teriam de remontar à noite dos tempos. Disso, porém, cuidariam especialistas que reconstruiriam com o rigor necessário o que aconteceu naquele cenário e determinariam, em função disso, suas consequências. Existiam, contudo, razões de peso para otimismo. O pior, o mais difícil, o mais complexo, já estava feito.

Enquanto choviam mil perguntas a Joe, a voz de Daniel soou às minhas costas.

— Quinze para uma. Hora de irmos.

CAPÍTULO 44

— Só um instante.
Varri o entorno com o olhar em busca de Luis Zárate. Joe continuava respondendo a perguntas, e os estudantes se apertavam as mãos e distribuíam abraços às gargalhadas enquanto iniciavam a recolhida do acampamento. Os curiosos começaram a se retirar rumo a seus carros, as vovozinhas insistiam em distribuir mais café que ninguém mais queria tomar, e a polícia, embora se mantivesse vigiando, já não destilava tensão. No meio desse tumulto de movimentos, gritos e comentários cruzados, vi que um grupo de integrantes da plataforma o havia encurralado alguns metros além.
— Permitem que o roube um instante?
Sem esperar resposta, peguei-o pelo braço e o levei dali.
— Quero que saiba que eu sempre soube que cedo ou tarde você acabaria cedendo.
— Achava que eu ia me acovardar diante de Carter ou que você acabaria me convencendo? — perguntou com meio sorriso irônico.
Não respondi; ambos sabíamos que a razão definitiva pela qual decidira dar o passo não havíamos sido nem Daniel nem eu, mas ele mesmo.
— Prometa-me que vai fazer isso com vontade e dedicação.
— Prometa-me que um dia vai voltar. Poderá ministrar o curso que quiser. Aproximação às missões franciscanas. Fontana e sua memória. Ou como seduzir um diretor.
Ri sem muita vontade.
— Avise-me quando for a Madri. Deixamos algumas coisas pendentes, ainda podemos continuar sendo amigos.
— Não ficou nada pendente, Blanca. Tudo chegou aonde tinha de chegar.
Parei de andar, olhei-o nos olhos.
— Ele teria se sentido orgulhoso de saber que tudo ficou em boas mãos.
Então, do bolso de meu casaco, tirei a velha cruz.
— Entrego-lhe seu testemunho. Não tenho certeza, mas, com a imagina-

ção talvez um pouco solta, agora acho que ele a encontrou meio enterrada por aqui. Esteve ao nosso lado esses últimos dias; de alguma maneira, foi como tê-lo por perto.

Ele a pegou, e tal como antes Daniel e eu fizemos, passou os dedos por sua aspereza. Tocou a corda desfiada e a rudeza de seus cortes, apalpou-a, acariciou-a.

— Fique com ela — disse ele devolvendo-a a mim. — Você também tem muito caminho pela frente.

Não a aceitei.

— Meu caminho, seja qual for, já não está aqui. E o seu, acho que também não — acrescentei apontando com o olhar para as costas de Daniel. — Agora você é o responsável — insisti.

Entreguei-a de novo a ele e pressionei suas mãos com as minhas até que, entre aquele emaranhado de vinte dedos, só ficou visível um pedaço de madeira.

— Cuide dela e cuide-se — disse eu sem soltá-lo.

— Vou tentar.

Não houve abraços emotivos nem grandes frases de despedida, apenas apertamos de novo as mãos e com elas transmitimos um adeus. De algum modo, intuí que nunca me ligaria, nem em cem vezes que visitasse minha cidade, que nunca tornaríamos a nos ver.

Deixei-o entre os pinheiros e fui em busca de Daniel com passos precipitados. Preferi não olhar para trás.

Em dez minutos, estávamos de novo na porta do departamento. Eu tinha três assuntos pendentes.

— Pego-a em seu apartamento às duas em ponto— disse ele olhando a hora. — Tenho de passar por minha casa também.

A primeira parada foi em minha sala; ali me esperavam algumas obrigações. Assim que abri a porta, passei o olhar pelos papéis já em suas caixas e as pilhas ordenadas encostadas na parede. Ainda não sabíamos onde tudo aquilo acabaria nem por quem haveria de passar antes de chegar a qualquer que fosse seu último destino, mas eu não tinha dúvidas de que o tratariam bem.

Sem tempo para especulações, guardei na bolsa com pressa alguns disquetes cheios de dados para uma futura memória de meu trabalho; essa era minha primeira intenção. Para o fundo dela foram também meus marca-textos e dois cadernos. Só então me dispus a cumprir o segundo objetivo, o principal.

Em uma prateleira peguei o grosso e velho guia telefônico e dentre suas páginas de letras pequenas resgatei o papel dobrado ao meio.

Donde habite el olvido,
En los vastos jardines sin aurora...

Li o poema de Cernuda outra vez. E mais uma. Depois, da última gaveta de minha mesa tirei uma caixa de fósforos. Anônima, resto de algum usuário que um dia passou, como eu, por aquele reduto insignificante do fundo do corredor; esquecida com um apontador meio enferrujado, a conta de um quiroprático e um punhado de clipes.

O fogo levou alguns segundos para consumir as linhas.

Donde yo sólo sea
memoria de una piedra sepultada entre ortigas...

As cinzas pretas acabaram no cesto de lixo e com elas ficou o sentimento imenso de um homem. Por alguma razão imprecisa, pensei que Fontana gostaria de saber que alguém velava por preservar sua intimidade.

Encontrei Fanny em seu lugar, como quase nunca, devorando um *donut* de chocolate. Em seu ímpeto por me dizer algo assim que me viu, engasgou.

— Tenho uma coisa para você, professora, um presente de despedida! — conseguiu proferir enquanto tossia.

Levantou uma caixa do chão. Uma caixa velha porcamente forrada com tecido de listras verdes. Por ela mesma, segundo me disse. Muitos anos antes.

— Já sabe que vamos mudar de casa, não é? Mamãe me mandou começar a recolher minhas coisas e já comecei a esvaziar os armários.

— Ouvi dizer, sim, Fanny.

— Ontem à noite, tirando algumas coisas de um maleiro, veja o que encontrei...

Ergueu a tampa daquele depósito de restos de sua infância e juventude e, entre cartões de aniversário e fitas cassete dos Bee Gees, resgatou algumas fotografias. Instantâneos apagados, quadrados, pequenos, em um formato de câmera de péssima qualidade que deixara de existir fazia décadas.

— Lembra-se daquele dia que lhe falei de quando tio Andrés nos levou ao parque de diversões de Santa Cruz? Eu tinha nove anos, mas ainda me lembro muito bem. Mas não me lembrava destas fotografias. Ou seja, recordava que havíamos tirado fotografias, mas não onde estavam, porque se tivesse lembrado...

Eu havia parado de escutá-la no meio da primeira frase, assim que pôs as imagens diante dos meus olhos. Uma Fanny menina embutida em um vestido amarelo com uma âncora de marinheiro na parte da frente. Com o mesmo cabelo liso cortado rente à mandíbula, sorrindo encantada com um algodão-doce na mão direita. Com um homem à sua esquerda. Um homem moreno ainda com seus cinquenta e poucos bem vividos, moreno de cabelo e moreno de pele. Tronco largo e sobrancelhas fartas. Braços peludos, camisa bege entreaberta e barba fechada que em algumas partes começava a ficar grisalha. Uma mão no ombro da menina, um cigarro na outra. Sorrindo sem excesso, como obrigado pela situação. Quatro fotografias diferentes com muito poucas variações. A quinta, porém, mudava radicalmente. Já não eram dois que posavam, mas três.

No verso, com a caligrafia inocente da Fanny de então, umas palavras manuscritas. *Santa Cruz Beach Boardwalk, summer.* Na frente, Darla Stern, com a mesma tintura nórdica e os lábios igualmente berrantes que no presente, aparecia junto aos dois. Devia beirar os quarenta na época, um tanto excessiva em suas calças capri justas e sandálias de salto alto. Com uma pose artificial para estilizar sua silhueta em frente à câmera e um sorriso possessivo e triunfal. Minha filha e meu homem, parecia estar gritando ao mundo. Talvez ilusoriamente. Talvez não.

Fontana não sorria naquela imagem; não parecia confortável. Talvez não visse a menor graça em se deixar fotografar pelo estranho a quem ela pedira o favor. Mas concordara e assim ficara plasmado nesse testemunho visual que eu agora contemplava enquanto Fanny continuava tagarelando sobre carrosséis e montanhas-russas. Absorvi ansiosa os detalhes: os rostos, as roupas, os gestos. E sobrevoando tudo isso, o que mais me chamou a atenção foi a mão dele. Na cintura dela. Com confiança, sem rigidez. Segurando ainda o cigarro nos dedos, como se aquela parte do corpo de Darla lhe fosse um território totalmente familiar.

— Com qual quer ficar, doutora Perea?
— Não quero nenhuma, Fanny — disse afastando a vista delas por fim.
— São suas, seu patrimônio sentimental. Leve-as para sua nova casa, nunca as perca.
— Mas era um presente que eu queria dar a você — protestou.
— Meu presente será que me escreva de vez em quando e me conte como estão as coisas.

Dei-lhe um abraço antes que sua mente, sempre a passinho de caracol, tivesse tempo de reagir.

— E cuide de sua mãe — acrescentei no último segundo. Sem saber eu mesma, na realidade, por quê.

Rebecca foi a parada final.

— Você tem uma amiga espanhola de novo, sabia?

Ela me acompanhou até o elevador enquanto prometia cuidar de tudo aquilo que a pressa já não me permitiria fazer: devolver alguns livros à biblioteca, despedir-me de alguns colegas, esvaziar minha geladeira...

As portas já estavam deslizando para fechar quando ela inesperadamente apertou o botão externo. Abriram-se de novo, ela me fez um sinal, saí.

— Você reencontrou seu rumo, Blanca — disse segurando-me pelos punhos.
— O pior já passou. Analise agora o que a vida lhe trouxe e escute seu coração.

Tornou a me abraçar e me deixou ir.

Caminhei com pressa pelo campus, já era uma e quarenta. À medida que andava a bom passo, dentro das paredes de meu cérebro, como em um grande cozido, fervia um caldo grosso cheio de emoções e pensamentos. A satisfação por termos atingido nosso objetivo. Os amigos inesperados de quem eu acabava de me despedir. A incerteza diante do futuro que se abria diante de mim.

Em busca do sossego, esforcei-me para me agarrar à mais pacífica de todas as sensações. Assim, rememorei Rebecca, a pessoa boa que era, no sentido mais elementar da palavra. No sentido machadiano da palavra, diria qualquer colega hispanista meu em suas aulas de Literatura. Generosa, honesta, compassiva. Sempre disposta a estender uma mão ou guardar uma confidência, a pensar em outros antecipadamente, a nunca dizer não.

Em contrapartida, de maneira irremediável, minha memória ainda mantinha fresca a imagem de Darla na fotografia que Fanny acabava de me mostrar. Sua pose forçada para parecer atraente em frente à câmera, o exibicionismo altivo e ao mesmo tempo inseguro de seu poder e sua propriedade.

A luz e a sombra da essência humana em duas mulheres diferentes da raiz do cabelo às unhas dos pés. A cara e a coroa. A que assume e avança contra a que rumina o ressentimento como um chiclete amargo, que apesar das décadas ainda tem sabor. Atravessando o campus quase vazio já às portas do Natal, de repente tive consciência de que ao longo da última meia hora que passara no Guevara Hall, cada um a sua maneira, as duas haviam chegado a me comover. Respeitando suas diferenças, ambas haviam lutado por um propósito similar. O mesmo, de certa forma, pelo qual eu havia lutado durante vinte e cinco anos também: ver nossos filhos crescerem, ter um companheiro ao lado, construir um lar onde de manhã entrasse a luz do sol. Os instintos primários que desde que o mundo é mundo movem as mulheres da humanidade.

Nós três, porém, havíamos escorregado e caído na lama em algum momento inesperado. Nós três, um belo dia, deixamos de ser amadas. Diante do abandono e da incerteza, diante do desamor e da crueza irreversível da realidade, cada uma se defendeu como pôde e batalhou com as armas que teve ao seu alcance. Com boas ou más atitudes, com o que o intelecto, as vísceras ou o puro instinto de sobrevivência puseram na mão de cada uma. A distribuição de talentos sempre foi arbitrária, ninguém nunca pôde escolher.

Rebecca teve a integridade moral para superar e, tal como ela acabava de mostrar, eu estava abrindo meu caminho sem saber muito bem aonde meus passos acabariam me levando. Darla, por sua vez, jamais conseguiu. Como um pobre animal ferido, refugiou-se em sua caverna sem nunca curar suas feridas, confundindo a simplicidade da natureza humana com uma traição vil ou uma maquiavélica maquinação contra ela. Sem aceitar que o amor é volúvel, estranho e arbitrário, carente de entendimento e racionalidade. Talvez movida pelo medo da carência material, da mera solidão ou por não ser capaz de criar sozinha uma filha dependente; construindo fantasmas malévolos onde não existiam para ter a quem culpar, contra quem disparar sua fúria, fazendo mal a si mesma e fazendo sangrar quem nada teve conscientemente a ver com seu infortúnio.

A buzina de um Volvo soou duas vezes ao meu lado e com ela acabou meu devaneio.

— Você tem certeza de que tem de pegar um avião em San Francisco às seis?

CAPÍTULO 45

Abandonamos Santa Cecilia entre nuvens e pegamos a estrada rumo à baía. Ficamos calados por alguns quilômetros, cada um absorto em seus próprios pensamentos. Daniel ao volante, com a vista à frente por trás dos óculos escuros. Eu, com o olhar perdido pela janelinha direita, tentando pôr ordem em minha mente confusa. Nem sequer o rádio estava ligado, só o ronronar monótono do motor nos acompanhava. Por fim, foi ele quem decidiu acabar com o silêncio.

— Conte-me seus planos, como pretende passar este último Natal do milênio.

— Vou organizar minha casa, ligar o aquecimento, fazer uma grande compra, montar a árvore e o presépio...

Falava sem olhar para ele enquanto minha vista vagava errática pelo outro lado do vidro. Enumerando tarefas com a mesma pouca paixão de quem faz chamada em sala de aula ou a checagem monótona de uma lista de compras.

— Tudo vai ser diferente este ano — prossegui. — Só sei com certeza que vamos passar a noite de Natal na casa da minha irmã, África, que é um verdadeiro desastre como anfitriã e capaz de nos receber com uma lasanha congelada e uns sequilhos. A véspera de Ano-Novo costumávamos passar com a família de meu ex-marido ou em alguma viagem com amigos, algo que não tornarei a fazer. Meus filhos agora vão jantar com o pai, suponho, de modo que o mais provável é que eu acabe o ano sozinha, que veja um filme na cama às dez e até o século que vem. Grandes planos, como vê.

A paisagem continuava se deslocando veloz diante de nossos olhos. Santa Cecilia havia ficado para trás fazia tempo. Com a torneira dos propósitos aberta, continuei antecipando a Daniel meus planos, pondo voz ao que por fim, quase seis meses depois do dilúvio, seria capaz de fazer.

— E tenho de ver Alberto, talvez isso seja o principal. Organizei minhas ideias a respeito do que aconteceu conosco, agora vejo tudo de maneira diferente. Comecei a entender e é hora de começarmos a conversar.

— Isso é bom.

— Você já me disse isso um dia dentro deste mesmo carro. Quando voltamos de Sonoma, na porta de meu apartamento, lembra?

Ele balançou a cabeça devagar, de cima para baixo, de baixo para cima, com o olhar fixo na estrada.

— Perfeitamente. Eu disse que sempre precisamos pôr um ponto final nas coisas, mesmo que seja desolador, para que tudo acabe se curando sem deixar cicatrizes. Se eu houvesse sido capaz de fazer isso, teria me poupado anos de angústia.

— Seus anos sombrios...

— Meus anos sombrios, aqueles anos terríveis em que fui incapaz de aceitar a realidade com sensatez.

Eu já sabia o que havia acontecido, não lhe perguntei mais.

— Mas tudo passa, Blanca, tudo passa, acredite. É a coisa mais difícil do mundo e nada volta a ser como antes, mas, no fim, e sei do que estou falando, chega a reconstrução. Você volta a se abrir para a vida, avança, progride. Assim transitei pelos anos desde então: dando minhas aulas e escrevendo meus livros, fazendo outros amigos e vivendo outros amores, voltando à Espanha algumas vezes todos os anos... Até que, sem saber sequer como, há alguns meses decidi, de forma insensata, me meter em uma enorme confusão, e a reboque, me apareceu na frente uma espanhola magra e atormentada que andava procurando um novo lugar no mundo. E aqui estou, levando-a para que pegue o avião que está prestes a tirá-la de minha vida para que ela volte a pôr ordem na sua, sem saber o que vou fazer quando ela não estiver mais aqui.

Muitas turbulências, muitas emoções confusas, muitos sentimentos bloqueando minha capacidade de reação. Incapaz de dizer uma única palavra, engoli em seco e voltei o olhar para fora, pela janelinha.

Ele, porém, parecia ter aberto uma comporta que já não tinha como fechar. Descontraído por fim após a pressão dos últimos dias, não se calou.

— Lembro o dia que conheci você como se fosse hoje de manhã. No mercado, na seção da padaria. Só esperava encontrá-la no dia seguinte no campus. Eu havia acabado de chegar de um congresso em Toronto, havia deixado minha mala na casa de Rebecca e saímos para comprar alguma coisa para levar a um jantar na casa de um amigo em comum. Então, ela, com um gesto apenas, apontou as costas de uma mulher de camisa azul que se esforçava com dificuldade em escolher um pão como se daquela tarefa tão simples dependesse o destino da humanidade.

"Ela tocou seu ombro, você se voltou e por fim vi seu rosto. Estava de cabelo solto e ainda tinha o sol do verão na pele; você sorriu com alívio para

Rebecca, como se sua presença fosse uma tábua de salvação em sua deriva. Ela nos apresentou, eu disse alguma bobagem e peguei sua mão, lembra? Uma de suas mãos que agora me são tão familiares, mas que então me chamaram a atenção por conta de sua leveza. Uma mão sem peso, como uma pluma morena. Desde esse primeiro instante você me pareceu adorável, mas quanta, quanta tristeza havia em seus olhos... Um anjo com as asas partidas perdido no meio do supermercado. E a partir desse mesmo momento eu soube também que já não poderia ir embora. Empenhei-me em ir, e, de fato, tentei duas vezes. Mas em cada ausência não pude aguentar mais de três ou quatro dias, de modo que voltei para ficar. Para ajudá-la com o legado do velho Fontana, para saber se ia encontrando pistas sobre a difusa missão e, principalmente, acima de tudo, para estar perto de você e acompanhá-la em sua travessia sem ter a mais remota ideia de aonde acabaríamos chegando, juntos ou separados."

Continuei escutando-o sem olhar para ele, sem interromper aquela corrente de sinceridade.

— Foram meses fascinantes para mim, Blanca, imensamente enriquecedores em dimensões muito diferentes. Por me reconciliar com o passado, por conhecer você, por reencontrar-me comigo mesmo. E fiz algumas coisas que jamais pensei que faria. Escrevi sobre minha vida, por exemplo. Na solidão de muitas noites, raspei a fundo minha memória, refleti e pus em ordem um monte de recordações minhas e algumas de Andrés Fontana também, retalhos do tempo que passei ao lado dele e detalhes de sua própria vida que ele foi me contando de modo desmembrado ao longo dos anos. Pode pegar esse envelope do banco de trás, por favor?

Um envelope comum de papel pardo, desses que diariamente usávamos na universidade para transportar documentos de um lugar a outro.

— É para você; o que falta saber de meu professor e de mim, para que nos entenda um pouco melhor. Para que você saiba o que levou ambos a dar esse passo que agora você deu: afastar-se e pular sem rede no desconhecido, sem previsão nem registro do que haveríamos de encontrar. Transformarmo-nos no outro, no que não pertence e, por isso, talvez um pouco mais livre.

Guardei-o em minha bolsa sem abrir, como se queimasse minhas mãos.

— Sabe de uma coisa? — continuou. — No fundo, Fontana, você e eu temos mais em comum do que parece à primeira vista. Você, como nós, também deu esse passo. E embora agora esteja voltando para seu universo de sempre, nada mais será igual.

— Não duvido— disse eu sincera. — Acho que jamais esquecerei estes meses.

— Por que não escreve também? O que aconteceu ao longo deste tempo dentro e fora de você. As outras vidas que conheceu, o que sentiu...

— Jamais escrevi nada além de trabalhos acadêmicos e cartas para meus filhos quando os mandava ao acampamento de verão na Inglaterra.

— Eu também nunca havia escrito, e agora percebi que é menos complexo e infinitamente mais enriquecedor do que achava. É como se à escrita acadêmica a que estamos acostumados acrescentássemos um pouco de coração. Faz que reflitamos sobre muitas coisas, que mergulhemos em emoções e vejamos outros ângulos da realidade. Uma espécie de catarse que tira de dentro de você...

Não deixei que continuasse tentando me convencer.

— Ali está a saída para o aeroporto — avisei apenas. — Se continuar com suas loucuras, vai perdê-la.

Chegamos ao terminal, despachei minha bagagem. Já não havia tempo para nada além de uma despedida intensa e precipitada.

Ele me envolveu em seu corpo grande, prendeu-me contra seu peito.

— Cuide-se muito. Você não imagina quanto vou sentir sua falta, doutora Perea.

— Eu também de você — disse eu com um nó na garganta do tamanho de um punho. Acho que ele não me ouviu.

Acariciou depois meu rosto e deixou em minha testa um beijo breve, apenas um toque volátil que quase não percebi.

Não olhei para trás enquanto me dirigia ao controle de segurança com o passaporte e o cartão de embarque na mão. Não o quis ver pela última vez. Mas eu sabia que ele não havia ido embora, que ainda estava ali com seu cabelo comprido além da conta, com sua barba clara e seu relógio de atleta. Vendo-me ir embora para endireitar minha vida no país que o cativara quando ainda estava curtindo sua alma e do qual nunca chegara a se desprender.

Até que, no penúltimo instante, quando faltavam apenas três ou quatro passageiros à minha frente, sua voz soou firme às minhas costas.

— Não quero que você comece o ano sozinha. Não quero que termine o século sozinha, não quero que se sente à mesa sozinha na véspera de Ano-Novo, nem que veja filmes na cama sozinha, nem que arraste sozinha pela vida sua tristeza, nunca mais.

Eu me voltei como se não houvesse ninguém além de nós no terminal transbordando de pressa. Nem outros viajantes, nem outras despedidas. Nem o megafone despachando avisos, nem um avião prestes a decolar comigo, nem um estacionamento para o qual voltar. Como se houvesse acabado a bateria do universo à nossa volta.

— Venha comigo, então — disse eu pulando em seu pescoço.

— Ponha sua vida em ordem, primeiro. Depois, ligue-me.

E com a firmeza de quem sabe onde deve fincar sua bandeira, me apertou entre seus braços beijando-me longamente com ternura e calor. Sólido, seguro, seus dedos em meu cabelo, seu cheiro contra meu cheiro, transmitindo-me com seus lábios o sabor de homem de mil vidas e mil batalhas e a intensidade profunda de uma verdade.

Alguns pigarros insistentes fizeram que nos afastássemos. O gordo da frente, de bermudas, chinelos e destino provável de uma praia do Sul, acabava de chegar ao controle. A próxima era eu.

Ele deixou suas palavras em meu ouvido, acariciou-me pela última vez.

— Irei quando você quiser.

Por mais que eu quisesse reter sua mão na minha, a distância de seus passos a levou consigo. Depois foi sua silhueta se afastando e o frio que sua ausência deixou colado à minha pele.

À minha frente, o rosto seco de um agente da polícia federal à espera de meus documentos enquanto tamborilava com os dedos no balcão.

Não houve atrasos, embarcamos logo. Uma vez em minha poltrona, dediquei o olhar ao vazio pela janelinha. Sem fixar a vista nem nos veículos nem nos operários que circulavam em volta, sem ouvir a comissária de bordo que nos dava instruções sobre como colocar as máscaras de oxigênio, sem querer pensar. Tentando me concentrar em bobagens: no que África serviria para jantar na noite de Natal, que clima faria em Madri. Esforçando-me para não explorar a guinada inesperada de minha vida a partir do momento em que um americano curtido com alma meio espanhola, cem batalhas nas costas e algumas dívidas pendentes decidira impulsivamente me arrastar com ele.

Decolamos, adeus à Califórnia, adeus a um tempo estranho. A uma viagem que havia transformado minha visão das coisas até dimensões cujo alcance eu ainda não era capaz de avaliar. Fechei os olhos por um tempo eterno. Quando olhei de novo para fora, só se via a mais negra das noites.

Até que não pude me conter mais e abri o envelope.

> *Minha querida Blanca,*
> *Passei a vida toda subindo em trens em movimento, porém minhas duas únicas certezas chegaram a mim em momentos simples, quase cotidianos, com a guarda baixa e sem previsão. Uma foi décadas atrás em uma farmácia perto do Mediterrâneo, enquanto procurava um remédio para uma gripe inoportuna. A segunda foi há três meses, quando minha preocupação mais imediata era apenas escolher*

um vinho para o jantar.
Diferentes momentos, diferentes ambientes e a certeza compartilhada de ter diante de mim a plenitude.
Para que você saiba como foi aquela outra vez, aqui está o resto de meu ontem. A mais recente, você conhece em primeira pessoa.
Seu, sempre,
D. C.

Quando a primeira lágrima caiu sobre a margem esquerda e borrou o S de "seu", não pude continuar lendo. Depois de meses me contendo, sem poder evitar, por fim desandei a chorar.

Por mim, por eles, por todos, sobrevoando aquele país alheio de uma costa a outra ao atravessar o Atlântico em uma noite triste que parecia não ter fim. Por Andrés Fontana e aquele seu amor, tardio e desequilibrado, que chegou tão fora de hora. Por Aurora, pelo que nunca pôde viver, por sua imagem eterna vestida de branco rindo descalça no cabo San Lucas. Pelos anos escuros de Daniel, pela imensidão de sua dor e sua luta valente para estar de novo no mundo.

Por Alberto e seu novo rumo, pelo futuro que nunca mais compartilharíamos. Por meus filhos, pelos meninos que foram e os homens que começavam a ser. Pelo passado e o presente de todos nós. Pelo que fomos antes, pelo que éramos então. Pelo que ainda estava por vir.

Chovia a cântaros quando fiz uma conexão em Heathrow e continuava chovendo quando aterrissamos em Madri. Demorei apenas dois segundos para distinguir meus filhos na área de desembarque. Agitavam os braços, riam, chamavam-me aos gritos. Morenos como o pai, magros como eu. Com o frescor da juventude estampado no rosto e a vida toda pela frente, abrindo caminho para avançar para mim.

Ao chegar a casa, li as folhas do envelope.

Depois, liguei para ele e disse venha já.

E depois desse depois, com as malas ainda meio desfeitas, os quartos se aquecendo e a árvore de Natal desmontada, tracei as linhas paralelas de três vidas e comecei a escrever.

AGRADECIMENTOS

Por me inspirar e me ajudar a compor a vida universitária de um mundo que, embora conheça de perto, não é o meu próprio, quero expressar meu agradecimento a vários amigos, veteranos professores norte-americanos que levam dentro de si um pedaço de alma espanhola.

A Malcolm Compitello, diretor do Departamento de Espanhol e Português da Universidade do Arizona, por me abrir os olhos, há vinte e cinco anos, para as letras de Ramón J. Sender em meio à neve da Universidade de Michigan State, e por tornar a me servir agora de valiosíssimo guia no deserto, passando pelo Skype e por Madri.

A Joe Super e Pablo González, por todas aquelas conversas ao longo de minha estada na Universidade de West Virginia. A Joe, historiador e californiano de raça, por me fornecer dados e reflexões sobre as missões franciscanas de Camino Real e por se haver prestado, com sua natural simpatia, a se transformar em um personagem deste romance. A Pablo, por seu calor colombiano, suas memórias de estudante formado na Universidade de Pittsburgh e aquela insuperável sangria apalache com que nos despedimos.

A Francisco Lomelí, diretor do Departamento de Espanhol e Português da Universidade da Califórnia em Santa Barbara, por sua hospitalidade de sangue mexicano, por me fornecer dicas sobre o sistema universitário californiano e, principalmente, por ter cedido com bom humor seu cargo a Daniel Carter ao longo de uma longa temporada.

Por ter me ajudado a crescer no mundo acadêmico e por continuar me acolhendo generosamente cada vez que volto a ela, minha infinita gratidão à Universidade de Murcia, minha casa. E à Faculdade de Ciências Empresariais da Universidade Politécnica de Cartagena, por me haver abrigado temporariamente em suas magníficas instalações do antigo Quartel de Instrução da Marinha, proporcionando-me meses de sossego para trabalhar neste projeto.

Por ter sobrevoado o texto em diferentes momentos e fases, a Manolo Cantera, que chegou do outro lado do Mediterrâneo arrastando um cachorro, uma podadora de sinais e tempo, um carregamento de sabedoria, ironia e cumplicidade. E a Miguel Zugasti, que nos fez adentrar o campus da UCSB, acolheu com generosidade meu desafio e julgou minhas letras com olho filológico de aroma californiano.

Por ter me fornecido detalhes, recordações e casos sobre a passagem por Cartagena dos *marines* da US Navy, quero deixar registrados vários reconhecimentos. Ao almirante Adolfo Baturone, por suas especificações técnicas sobre a Marinha norte-americana e seu funcionamento na Espanha. A Tata Albert, por me abrir as portas de sua casa: a mesma que, em minha imaginação, foi também a do capitão Harris e sua ímpar esposa Loretta. A Juan Antonio Gómez Vizcaíno, por me oferecer, sem saber, um arsenal de dados com base em seus completíssimos artigos jornalísticos. E, estendendo o perímetro, a todos os que me proporcionaram memórias nostálgicas sobre a vida na cidade nesses anos 1950 que eu não conheci, e, entre eles, de maneira muito especial, a Juan Ignacio Ferrández.

Voltando o olhar para o âmbito pessoal, minha gratidão eterna a meus filhos Bárbara e Jaime – que, como os de Blanca Perea, começam a crescer e a voar muito antes do que eu gostaria –, por não me deixar tirar os pés do chão, por rir de mim, por lutar pelo que querem e não me dar mais corda que o necessário. E ao pai deles, Manolo Castellanos, por guardar o forte durante minhas ausências e ser o mais férreo apoio em minha vida de todos os dias, que é realmente o importante.

Por tudo e como sempre, a meus pais, a meus intensos irmãos e a suas proles cada vez mais numerosas, que são, sem sombra de dúvida, o sal da vida. E, como não, a minha família periférica outra vez, tantos e tão queridos e próximos.

A meus amigos do vinho e *la crème*, que continuam sendo os de sempre e estão onde sempre estiveram: um pouco mais velhos, um pouco mais sábios, imprescindíveis do mesmo jeito.

Lembrando aqueles que participaram no interior desta nova aventura, minha gratidão ao Grupo Planeta por ter confiado outra vez em mim, e, de um modo particular, a toda a maravilhosa tropa de Temas de Hoy, que trabalhou em diversos flancos para tornar possível este romance sem decair no empenho por seu predecessor. A Isabel Santos, a melhor encarregada de comunicação do mundo. A Ruth González, por sua simpatia e sua eficiência com rapidez de raio, a Emilio Albi por sua dedicação e rigor, a Germán Carrillo e a Helena Rosa,de Barcelona, por essa criatividade imensa; a Silvia Axpe por me abrir janelas à presença digital, a Diana Collado por ter chegado cheia de vontade e força, e a Ana Lafuente, por me oferecer sempre seu calor. Por estar no comando desses magníficos profissionais e de peso da editora, a Belén López Celada, nossa diretora, a quem tanto admirava antes e a quem, agora, nesta nova etapa cativante de sua vida, admiro ainda mais. E como dizemos nós, as filólogas inglesas que nós duas temos dentro de nós, *last but not least*, e do fundo de meu coração, a minha editora Raquel Gisbert, tão inteligente, tão cúmplice, tão humana, tão amiga.

A minha agente Antonia Kerrigan por me impulsionar para o mundo com essa força de míssil que só ela tem. A Lola Gulias – com quem tanto compartilho e a quem tanto amo e devo – e ao resto da magnífica equipe da agência literária por sua competência e absoluta disponibilidade.

E, finalmente, a todos os leitores que ao longo de três anos incríveis injetaram-me sua ilusão e me pediram que continuasse escrevendo histórias que lhes toquem a alma e os façam pensar que o melhor da vida, muitas vezes, ainda está por vir.

**Acreditamos
nos livros**

Este livro foi composto em ElectraLH e
impresso pela Gráfica Santa Marta para a
Editora Planeta do Brasil em fevereiro de 2020.